Nadine Gordimer

DIE HAUSWAFFE

Roman

Aus dem Englischen
von Susanne Höbel
Berlin Verlag

Das Verbrechen ist die Strafe.
Amos Oz
Der dritte Zustand

Die Originalausgabe erschien 1997 unter dem Titel
The House Gun
bei Farrar, Straus & Giroux
New York

Umschlaggestaltung:
Nina Rothfos und Patrick Gabler, Hamburg
Gesetzt aus der Stempel Garamond
Druck & Bindung: Franz Spiegel Buch GmbH, Ulm
Printed in Germany 1998
ISBN 3-8270-0003-3

Gedruckt auf chlor- und säurefreiem Papier

2 3 4 5 01 00 99 98

DIE HAUSWAFFE

TEIL 1

Etwas Schreckliches ist geschehen.

Sie verfolgen es auf dem Bildschirm, neben sich den Kaffee nach dem Abendessen. Es ist Bosnien oder Somalia oder das Erdbeben, das eine japanische Insel wie ein Hund zwischen apokalyptischen Zähnen schüttelt; eine Katastrophe der Gegenwart. Als es läutet, sehen sie einander mit freundlichem Zögern an: geh du, du bist dran. Das gehört zu den Abmachungen des Zusammenlebens. Erst vor kurzem haben sie den Entschluß gefaßt, das Haus zu verkaufen und in diesen Wohnpark zu ziehen, wo die Anlagen gepflegt werden und der Eingang von einer Sicherheitsanlage überwacht wird, und sie haben sich noch nicht daran gewöhnt, oder vergessen vielmehr vorübergehend, daß es nicht Robbies Bellen und das altmodische Klingeln an der Haustür ist, das sie aufmerken läßt. Haustiere sind in der Siedlung nicht erlaubt. Zum Glück konnte ihr Sohn, der ein Cottage mit Garten hat, den Hund aufnehmen.

Er, sie – das Zucken eines Lächelns, er stemmte sich mit demonstrativer Trägheit hoch und ging zur Sprechanlage. Wer, hörte sie ihn mit halbem Ohr fragen, halb folgte sie dem Kommentar, der die Bilder begleitete. Wer? Es konnte jemand sein, der sie für eine religiöse Sekte gewinnen wollte oder der ihnen eine Strafanzeige wegen falschen Parkens zustellte, Gelegenheitsarbeiter machten so was, Schwarzarbeit. Er sagte etwas, was sie nicht verstand, aber sie hörte das Summen des elektrischen Türöffners.

Dann sagte er: Weißt du, wer das sein könnte, irgendein Julian? Freund von Duncan?

Er, sie – sie wußten es nicht, beide nicht. Daran war

nichts Ungewöhnliches, Duncan, siebenundzwanzig Jahre alt, hatte seinen eigenen Bekanntenkreis, wie seine Eltern ihren, und diese Kreise schnitten sich nur gelegentlich da, wo die Interessen, die die Eltern dem Kind mitgegeben hatten, zusammentrafen.

Was will er denn?

Mit uns reden, hat er gesagt.

Beide waren im selben Moment alarmiert. Was gibt es zu befürchten im Rahmen des Lebens eines Siebenundzwanzigjährigen in dieser Stadt – ein Autounfall, ein Raubüberfall, ein Einbruch in seinem Cottage. Beide standen an der Tür und stellten sich diesen Möglichkeiten, stellten sich den Schritten, die sie auf ihrem Stück privaten Pflasterweg unter den gekreuzten Schwertern der Strelitzienblätter herannahen hörten, dem Ton des zweiten Summers, und diesem jungen Mann, der von? wegen? Duncan kam. Er hielt den Blick gesenkt, als er hereinkam, sie konnten seinem Gesicht nichts entnehmen. Er setzte sich ohne ein Wort.

Er, sie – wer war dran?

»Ist es ein Unfall?«

Sie ist Ärztin, sie sieht, was die Rettungswagen auf die Intensivstation bringen. Wenn etwas kaputt ist, kann sie abschätzen, ob es sich jemals wieder zusammenflicken läßt.

Dieser Julian zieht die Lippen zwischen die Zähne und schließt fest den Mund, einen Moment.

»Sozusagen ... Nicht Duncan, nein, nein! Jemand ist erschossen worden. Er ist verhaftet worden. Duncan.«

Beide stehen auf.

»Großer Gott – wovon reden Sie – was soll das – wie verhaftet, weswegen –«

Der Überbringer der Botschaft wird angegriffen, er wird

mürrisch, kann nicht ertragen, was er zu berichten hat. Das obszöne Wort kommt schüchtern aus seinem Mund. Mord.

Alles kommt plötzlich zum Stillstand. Ein Autounfall, ein Raubüberfall, ein Einbruch – das kann man verstehen.

Er/sie. Er macht ein paar Schritte und stellt den Fernseher ab. Und stößt heftig den Atem aus. Solange keiner sich bewegte, keiner sprach, konnten das Wort und die Tat in dem Wort nicht Wirklichkeit werden. Jetzt hat mit dem Druck auf einen Knopf und dem Ausstoßen des Atems eine neue Zeitrechnung begonnen. Der alte Gregorianische Kalender kann diesen Tag nicht aufzeichnen. Er existiert nicht in seinen Maßeinheiten.

Dieser Julian erzählt ihnen jetzt, daß ein Richter ›nach Dienstschluß‹ (er erwähnt dieses Detail mit dem Gewicht seines dringlichen Ernstes) gerufen wurde, um auf dem Polizeirevier die Anklage zu unterschreiben, Kaution wurde nicht gewährt. Das ist der praktische Zweck seines Besuchs: Duncan sagt, Duncan sagt, Duncan läßt ihnen mitteilen, daß es keinen Sinn hat, ihn jetzt zu besuchen, daß es keinen Sinn hat, Kaution zu beantragen, am Montag morgen wird er dem Gericht vorgeführt. Er hat einen Anwalt.

Er/sie. Seit dem Morgen hat sie das Datum ein dutzendmal auf Rezepten für Patienten niedergeschrieben, aber sie bemüht sich, eine Frage zu finden, die eine Art Antwort auf das von dem Boten ausgesprochene Wort gibt. Sie ruft aus:

»Was für ein Tag ist heute?«

Freitag.

Es war an einem Freitag.

Es ist anzunehmen, daß keiner der Lindgards je in einem Gerichtsgebäude gewesen war. Während des Wochenendes, der achtundvierzig Stunden des Wartens, waren sie alle möglichen Erklärungen durchgegangen. Sie konnten ja nicht mit ihm, ihrem Sohn, selbst sprechen. Gerade aufgrund der Unvorstellbarkeit des Vorwurfs gegen ihn hatten sie das Gefühl, seine Anweisung, ihn nicht zu besuchen, respektieren zu müssen. Das mußte ein Hinweis darauf sein, daß die ganze Sache lächerlich war, das war's, entsetzlich lächerlich, seine eigene lächerliche Angelegenheit, die sich bald aufklären würde und die man am besten nicht dadurch noch bekräftigte, daß Mutter und Vater sie besorgt aufnahmen, in Begleitung ihres Anwalts im Gefängnis erschienen, die Gefühle in Aufruhr und so weiter. Das war die Lesart, die sie für seine Bitte, ihn nicht zu besuchen, fanden; eine Mischung aus Rücksichtnahme ihnen gegenüber – nicht nötig, die Eltern in die Angelegenheit zu verwickeln – und der Unabhängigkeit der Jugend, die ihm seit seiner Pubertät in beidseitigem Einverständnis gewährt und zugesichert worden war.

Aber das Unbekannte zieht immer Angst nach sich. Angst war eine Droge, die nicht aus ihrem Arzneimittelkoffer kam. Ruhig, ohne sich etwas zu sagen zu haben, gingen sie durch die Flure des Gerichtsgebäudes, und Harald trat mit der Höflichkeit eines Fremden für seine Frau Claudia zur Seite, als sie die richtige Tür fanden, eintraten und sich unbeholfen seitlich durch die Reihe zwängten, um auf einer der Bänke Platz zu nehmen.

Schon der Geruch war der eines fremden Landes, in das

sie deportiert worden waren. Der Geruch von polierten Holzschranken und gebohnertem Fußboden. Die Fenster über Kopfhöhe, die nach unten gerichteten Scheinwerfer. Die Uniformen, in denen Männer mit der Unpersönlichkeit von Anhängern eines Kultes steckten, alle austauschbar. Die Anwesenheit von ein paar Gestalten, die in ihrer Nähe saßen, Leute, wie sie einen von Parkbänken anstarren oder mit dem Gesicht nach unten in öffentlichen Anlagen liegen. Der Verstand flieht die Dinge, die sich ihm entgegenstellen, wie ein Vogel, der in einen geschlossenen Raum hineinfliegt, es muß einen Weg ins Freie geben. Harald prallte mit einem Eindruck aus der Schulzeit zusammen, der so weit zurücklag, daß er sich nicht bewußt erinnern konnte. Es war der Geruch von öffentlichen Gebäuden zusammen mit dem harten Holz unter seinem Hintern. Selbst über den Namen eines Lehrers stolperte er; nichts aus der Vergangenheit konnte ferner sein als diese Gegenwart. Mit einem Aufblicken registrierte er, daß Claudia sich aus ihrer Starrheit löste, um den Pieper, der sie mit ihrer Praxis verband, abzuschalten. Sie spürte die Ablenkung und wandte den Kopf, um in seinem Blick zu lesen: nichts. Sie lächelte steif, wie man einen begrüßt, von dem man nicht genau weiß, ob man ihn kennt.

Er kommt zwischen zwei Polizisten die Treppe herauf. Duncan. Kann das sein? Es ist eine Rolle, die nicht zu ihm gehört, nicht so, wie sie ihn kennen, immer gekannt haben. Er trägt schwarze Jeans und ein schwarzes Baumwoll-T-Shirt. Das gleiche, was er sonst auch trägt, aber der Kragen eines weißen Hemdes ist ordentlich über den Halsausschnitt des T-Shirts heruntergeklappt. Beide bemerken das, es ist der unausgesprochene Brennpunkt der Aufmerksamkeit zwischen ihnen; es ist das Detail, die von einem Gericht erwartete symbolische Unterwerfung unter die Konventionen, wodurch eine Verbindung zwischen dem, den sie kannten, *ihm,* und diesem anderen, dem zwischen zwei Polizisten, hergestellt wird.

Eine Hitzewoge überlief Harald, eine Verwirrung wie Angst oder Wut, aber keins von beiden. Eine Reaktion, die wachzurufen es nie zuvor Veranlassung gab.

Duncan, ja. Er sah sie an und gab sich zu erkennen. Claudia lächelte ihm mit erhobenem Kopf zu, so daß alle es sehen konnten. Und er neigte den Kopf in ihre Richtung. Aber während der Verhandlung sah er seine Eltern nicht mehr direkt an. Nur einmal streifte sein kontrollierter, fast nachdenklicher Blick sie, als er über die Besuchergalerie wanderte, über die zwei schwarzen jungen Männer, die die Beine entspannt ausgestreckt hatten, über den alten weißen Mann, der nach vorn gebeugt dasaß, den Kopf in die Hände gestützt, und die Mitglieder einer Familie, die wahrscheinlich nur in den Saal gekommen waren, um die Zeit bis zu der sie betreffenden Verhandlung zu überbrücken, und im Flüsterton über ihre eigenen Angelegenheiten sprachen.

Der Richter hatte seinen Auftritt, alle rappelten sich hoch und sanken wieder auf die Bänke. Er war groß oder klein, kahlköpfig oder nicht – egal, man sah die hochgezogenen Schultern unter dem Stoff der Robe, den Oberkörper, der sich über die Akten beugte, die ihm gereicht wurden. Im Frageton machte er ein paar knappe Bemerkungen in Richtung der Tische im Zentrum des Saals, wo sich die Rücken derjenigen, die vermutlich Staatsanwalt und Verteidiger waren, der Besuchergalerie präsentierten. Unter den schräg nach unten gerichteten Lichtbahnen gingen Polizisten mit irgendwelchen Aufträgen geschäftig hin und her und konferierten in heiserem Flüsterton, nachdem die Formalitäten abgeschlossen waren. Die Verhandlung wurde auf einen Termin zwei Wochen später vertagt. Ein zweiter Antrag auf Kaution wurde abgelehnt.

Vorbei. Aber der Anfang. Die Eltern näherten sich der Schranke zwischen Besuchergalerie und dem Bereich der Anwälte und wurden nicht daran gehindert, Kontakt mit ihrem Sohn aufzunehmen. Beide umarmten ihn, während er den Kopf von ihren Gesichtern abgewandt hielt.

»Brauchst du was?«

»So geht das nicht«, sagte der junge Anwalt, »ich lege sofort Einspruch gegen die Ablehnung ein, Duncan. Damit kommt der Staatsanwalt nicht durch. Machen Sie sich keine Sorgen.«

Das letzte war an sie gerichtet, die Ärztin, in exakt dem gleichen beruhigenden Ton, den sie bei Patienten anschlug, wenn sie sich über die Diagnose nicht klar war.

Ihr Sohn wirkte ungeduldig, er hatte den unruhigen Blick eines Patienten, der wünscht, die Wohlmeinenden würden gehen; ein dringendes Bedürfnis, sich ganz seiner eigenen Angelegenheit widmen zu können. Sie konnten das als Selbstbewußtsein deuten; aufgrund seiner Unschuld – natürlich; oder es konnte auch eine Tarnung der Angst sein, verwandt der Angst, die sie gespürt hatten. Vielleicht verbarg er seine aus Stolz, weil er mit ihrer Angst nichts zu tun haben wollte. Er war jetzt offiziell Angeklagter, aktenkundig. Und der Angeklagte hat schließlich seine eigene Angst, mit der er sich auseinandersetzen muß.

»Nichts?«

»Ich kümmer mich um alles, was Duncan braucht« – der Anwalt drückte seinem Klienten die Schulter, schwang seinen Aktenkoffer herum und verschwand.

Wenn sie nichts tun konnten, dann …

Nichts. Nichts, was sie fragen konnten. Nicht: *Was soll das denn alles,* was hast du getan oder angeblich getan?

Sein Vater faßte sich ein Herz: »Ist der Anwalt wirklich gut? Wir könnten einen anderen besorgen. Egal wen.«

»Er ist ein guter Freund von mir.«

»Ich setz mich später mit ihm in Verbindung, ich will wissen, was er beim Staatsanwalt erreicht hat.«

Der Sohn weiß, daß der Vater Geld meint, er ist bereit, eine Sicherheit zu leisten für dieses unvorhergesehene Ereignis, das, für ihn unglaublich, zwischen sie getreten ist, Geld für die Kaution.

Er wendet sich ab – der Häftling, denn das ist er jetzt –, er wartet nicht auf die Aufforderung der Polizisten, er will nicht, daß sie ihn anfassen, er hat seinen eigenen Willen, und die Hände seiner Mutter bekommen nur seine Fingerspitzen zu fassen, als er schon geht.

Sie sehen, wie er die Treppe hinuntergeführt wird zu dem, was immer sich unter dem Gerichtssaal befinden mag. Als sie im Begriff sind, Saal B 17 zu verlassen, bemerken sie, daß der andere Freund, der Bote Julian, hinter ihnen gestanden hat, um Duncan seiner Anwesenheit zu versichern, aber ohne sich aufzudrängen. Er gehört nicht zur Familie. Sie begrüßen ihn und verlassen mit ihm den Saal, aber ohne zu sprechen. Er fühlt sich immer noch unbehaglich wegen seiner Mission in jener Nacht und eilt vor ihnen davon.

Als das Paar wieder das Foyer des Gerichtsgebäudes erreicht, die hohen Gewölbe, in denen das Flüstern der hier versammelten unterschiedlichen Bittsteller widerhallt, bricht Claudia plötzlich aus und verschwindet in Richtung der Schilder, die zu den Toiletten weisen. Harald wartet inmitten der Menschen, denen angesichts ihres Unglücks nur die Geduld bleibt. Für sie ist er einer von ihnen, einer unter den Ehefrauen, Ehemännern, Vätern, Geliebten, Kindern von Fälschern, Dieben und Mördern. Er sieht auf die Uhr. Die ganze Angelegenheit hat genau eine Stunde und sieben Minuten gedauert.

Sie kommt zurück, gemeinsam gehen sie hinaus.

Laß uns noch einen Kaffee trinken.

Oh … in der Praxis warten Patienten auf mich.

Laß sie warten.

Sie hatte es nicht bis zur Toilette geschafft und sich in ein Waschbecken im Vorraum übergeben. Es gab keine Vorwarnung; als sie mit all den anderen unglücklichen Menschen nach draußen strebte, mit dem gleichen besorgten und niedergedrückten Gang, spürte sie plötzlich den Krampf im Magen und wußte, was passieren würde. Als sie zurückkam, sagte sie nichts, und er mußte annehmen, daß sie den Ort zum üblichen Zweck aufgesucht hatte. Medizinisch gesehen gab es eine Erklärung für eine solche Attacke ohne vorherige Übelkeit. Äußerste Anspannung konnte einen muskulären Krampf auslösen. ›Sich die Seele aus dem Leib kotzen‹: mit den Worten hatten einige Patienten das Symptom geschildert. Sie hatte das immer trocken als dramatisch ungenau aufgenommen.

Laß sie warten.

Was er damit sagte, war, zum Teufel mit ihnen, den Patienten, wie kann man ihre Schmerzen und Leiden und Schwangerschaften mit dem hier vergleichen? Alles war zum Stillstand gekommen, an jenem Abend; alles ist jetzt zum Stillstand gekommen. In dem Café summte ein androgyner Kellner mit langem, lockigem, im Nacken zusammengebundenem Haar und Tennisballbizeps vergnügt zu der Musik aus den Lautsprechern. In der Leichenhalle lag die Leiche eines Mannes. Sie bestellten einen Kaffee (Harald) und einen Cappuccino (Claudia). Des Mannes, der mit einem Kopfschuß tot aufgefunden worden war.

Warum sollte es überraschend sein, daß es ein Mann war? War das nicht schon ein Eingeständnis, ein Bekenntnis, daß die Tat überhaupt begangen worden sein konnte? Anzunehmen, daß das Opfer eine Frau war, die üblichste Form der Tat, ein *Verbrechen aus Leidenschaft* in den Sensationsnachrichten der Sonntagszeitungen, bedeutete, die Möglichkeit zu akzeptieren, daß es begangen worden und überhaupt in einen Lebenszusammenhang getreten war. Seinen. Die ziellose Gewalt der nächtlichen Straßen, von der sie im Gesicht des Boten zu lesen erwartet hatten, das war die Gefahr, die dorthin gehörte, ebenso wie das ewig Gegebene, die Gefährdung durch Krankheit, das Scheitern von Ambitionen, der Verlust von Liebe. Wer Verantwortung für ein Leben trägt, weiß, daß es diese Risiken sind, denen er es aussetzt. Eine Frau aus Eifersucht umzubringen – diesen Gedanken überhaupt zuzulassen, bedeutete, die Banalität der Zeitungsmeldungen auf das eigene Leben zu übertragen, bedeutete, zuzugeben, daß so etwas auch den eigenen Lebenskreis erreichen konnte.

Wir sind kein bißchen klüger als zuvor.

Sie antwortete nicht. Sie zog die Augenbrauen hoch und griff nach den Zuckertütchen. Ihre Hand zitterte ein wenig nach den Krämpfen ihres Körpers kurz zuvor. Falls er es bemerkte, sagte er nichts.

Jetzt begriffen sie, was sie von *ihm* erwartet hatten: Empörung angesichts dieser grotesken Sache, dieser Anschuldigung, die da gegen ihn vorgebracht wurde. Angesichts der Tatsache, daß er zwischen zwei Polizisten dem Richter vorgeführt wurde. Sie hatten erwartet, daß er bei ihrem Anblick auf sie zustürzen – darauf waren sie vorbereitet gewesen – und ihnen sagen würde: was? Was immer er sagen konnte, innerhalb der Beschränkungen dieses Raumes, mit den beiden Polizisten, die nicht von seiner

Seite wichen, den Justizbeamten, die ihre Akten zusammenkramten, und den dort herumlungernden Schaulustigen. Wie verrückt es war, daß er dort war, daß sie ihn sofort rausholen, bei den Behörden vorstellig werden, protestieren sollten – wogegen? Daß er ihnen etwas sagen würde. Ihnen etwas sagen würde. Irgendeine Erklärung. Wie konnte man den Gedanken zulassen, daß diese Situation möglich war.

Ein guter Freund.

Der Anwalt war ein guter Freund. Und das war alles. Sein Rücken, als er die Treppe hinunterging, rechts und links ein Polizist. Jetzt, während Harald ein Bein ausstreckte, um an die Münzen in seiner Hosentasche heranzukommen, war *er* in einem geschlossenen Raum, den sie noch nie gesehen hatten, einer Zelle. Die Leiche eines Mannes lag in der Leichenhalle. Harald legte für den summenden jungen Mann ein Trinkgeld auf den Tisch. Die kleinen Rituale des Lebens gehen weiter, sie legen sich wie ein Nebel über das, was zum Stillstand gekommen ist.

Heute nachmittag werde ich herausfinden, was das alles zu bedeuten hat.

Durch den Strom der Stadt gingen sie zu ihrem Wagen. Auf dem Bürgersteig, der mal enger, mal breiter war, wurden sie durch die anderen Passanten, die ihrer Wege gingen, auseinandergedrängt und wieder zusammengebracht. Sie wichen den ausgebreiteten Angeboten der Straßenhändler aus: Kleine Gemüsepyramiden, Kaugummi, Sonnenbrillen und Secondhandkleider, die Gasflammen, über denen Würste wie gerollte menschliche Gedärme brieten.

Am Nachmittag konnte sie sie nicht warten lassen. Es war der Tag, an dem sie Dienst in der Klinik hatte. Von niedergelassenen Ärzten wurde erwartet, daß sie nach Bedarf überall dort in der Stadt und den ehemals vornehmen weißen Vororten einsprangen, wo es in den letzten Jahren einen großen Zustrom gegeben und die Bevölkerung gewachsen war und sich vermischt hatte. Sie war dieser Verpflichtung immer nachgekommen, und auch jetzt trieb sie ihr Pflichtbewußtsein an, trotz allem, was zum Stillstand gekommen war. Sie ging in die Klinik, statt Harald zum Anwalt zu begleiten. Vielleicht tat sie es auch, um an der Überzeugung festhalten zu können, daß das, was geschehen war, nicht sein konnte? Dies war nicht der Tag, an dem man Motive überprüfen sollte. Am besten folgte man ohne nachzudenken dem Terminkalender. Sie zog den weißen Kittel über (sie hat eine Funktion, wie der Richter in seiner Robe) und betrat den ihr vertrauten, institutionellen Bereich mit dem dampfenden Sterilisator und der Reihe präziser Instrumente, für jede Aufgabe eins, der vor Effizienz tänzelnden jungen Bezirkskrankenschwester mit ihrer puppenhaften, gestärkten Haube, die auf ihren Dreadlocks festgesteckt war. Manche der Patienten waren nicht in der Lage, auf englisch auszudrücken, was ihnen ihrer Meinung nach fehlte. Wo nötig, dolmetschte die Krankenschwester, sie übersetzte die Fragen der Ärztin, sprang leicht zwischen der einen Muttersprache und der anderen, die sie mit den Patienten gemeinsam hatte, hin und her, und meldete ihre Antworten.

Die Prozession des Fleisches zog vor der Ärztin vorbei. Dies war das Medium, in dem sie arbeitete, die dicken schwarzen Oberschenkel, die sich vor Sittsamkeit nur zögernd öffneten (die Schwester schalt die Frauen, Mama, Frau Doktor ist doch auch eine Frau wie du), die weiß behaarten Brustwarzen der alten Männer unter dem Stethoskop. Ihre Handflächen glitten über die zarten Bäuche der Kleinkinder; vorwurfsvolle Tränen traten in ihre Augen, wenn sie eine Nadel in das weiche Fleisch ihres Oberarms, wo sich noch keine Muskeln entwickelt hatten, stechen mußte. Sie tat es, wie sie alle Aufgaben verrichtete, mit all ihrer Fähigkeit, Schmerz zu vermeiden.

War das nicht der Sinn ihrer Arbeit?

Es gibt reichlich Schmerz, der von innen her kommt. Diese Frau mit einem wachsenden Tumor im Hals, den die erfahrenen Finger leicht ertasten, und dann der allwöchentliche Aufmarsch der von Arthritis gekrümmten Rentner.

Aber der Schmerz, der von außen kommt – die Verletzung des Fleisches, ein Kind, das sich mit heißem Wasser aus einem umgestürzten Topf verbrüht hat, der Stich eines Messers. Eine Kugel. Das Durchbohren des Fleisches, die Gewalt, das Eindringen tief in den Körper, eine Stahllegierung, die Knochen zersplittern läßt, als wären sie eine Teetasse – sie ist keine Chirurgin, aber in dieser gewalttätigen Stadt hat sie gesehen, wie man auf Operationstischen nach solchen Klumpen gräbt, wie man sie herausschält, sie behalten die Stromlinienform der Geschwindigkeit bei, kein Element im menschlichen Körper kann sie aufhalten oder auch nur verformen, die Kugel – die Überlebenden schildern den Schmerz unterschiedlich, aber alle stimmen darin überein: es ist wie ein schrecklicher Schlag. Der Schmerz, der das Produkt des Körpers, seiner Fehlfunktion ist, gehört zum Ich. Irgendwie – es ist ein Geheimnis, das die medizinische Wissenschaft nicht erklären kann – ist das Ich dafür verantwortlich. Aber dies – die Kugel: das reine Zuschlagen des Schmerzes.

Die Lebensaufgabe einer Ärztin ist es, den Körper vor der Gewalt des Schmerzes zu schützen. Sie steht auf der anderen Seite der Kluft denjenigen gegenüber, die ihn verursachen. Die letztgültige Kluft, die zwischen Tod und Leben.

Dieser Körper, dessen Inneres sie mit ihrer in einem Plastikhandschuh steckenden Hand erforscht, wie mit einer Wünschelrute, die unwillkürlich zur Wasserquelle führt, hat einen Fötus, ein drei Monate altes Leben in sich.

»Ich sag Ihnen, bei den andern war mir nie so übel. Jeden Morgen, hundeelend.«

Man kotzt sich die Seele aus dem Leib.

»Meinen Sie, das heißt, es ist ’n Junge, Frau Doktor?« Die Patientin spricht mit der gespielten Koketterie, die Frauen oft im Gespräch mit dem Arzt annehmen. Das Untersuchungszimmer ist ihre Bühne, ihre seltene Chance für eine kleine Vorführung. »Ag, das ist mein Mann, der wär aus’m Häuschen. Aber ich hab ihm gesagt, wenn es diesmal nicht klappt, dann kannst du machen, was du willst, ich geb dann auf.«

Die Ärztin geht auf sie ein, lacht mit ihr.

»Wir können einen einfachen Test machen, wenn Sie wissen wollen, ob’s ein Junge oder ein Mädchen ist.«

»Nein, nein, das ist Gottes Wille.«

Als nächstes kommen die üblichen Geschichten, Herzschwäche und Bronchialkatarrh. Das Leben holpert dahin, angetrieben von den verbrauchten Bälgen der Lungen alter Leute und dem zart sichtbaren Pochen zwischen den Rippen eines mageren kleinen Jungen. Bei einigen Patienten, die diese Woche wie jede Woche in die Klinik gekommen sind, liegen die Augen schmal im groben Fettgewebe ihrer Gesichter, andere haben immer noch die Hautinfektionen, die auf Unterernährung zurückgehen. Entweder essen sie zuviel, oder sie haben nicht genug zu essen. Es ist verhältnismäßig leicht, Maßnahmen gegen das erste zu verordnen, denn die liegen in der Macht der Menschen selbst. Der zweiten Gruppe wird das, was verschrieben wird, durch Umstände verwehrt, die außerhalb ihrer Kontrolle liegen.

Grünes Gemüse und frisches Obst – sie sind zu arm für den Luxus dieser Heilmittel; in die Klinik sind sie gekommen, um sich eine Flasche Medizin zu holen. Das weiß die Ärztin, aber sie hat einen Stapel mit Diätplänen bereitliegen, Rezeptvorschläge für Gerichte mit verschiedenen Hülsenfrüchten, gewissermaßen als Ersatz für das, was sie essen sollten. Ein Blatt reicht sie freundlich einer Frau, die mit ihren zwei Enkelinnen in die Sprechstunde gekommen ist. Die vernarbten Beine mit dem grauen Film darauf sind nackt, aber die Augen der Mädchen beobachten die Ärztin unter dicken Wollmützen hervor, die die entzündeten Stellen auf ihrem Kopf bedecken und bis zu den Augenbrauen heruntergezogen sind. Die Frau braucht die Dolmetschkünste der Krankenschwester nicht, sie kann das Blatt lesen und studiert es mit ausgestrecktem Arm, wie es ältere Leute, die weitsichtig werden, tun. Sie faltet es sorgfältig zusammen. Ihre Zeit ist um. Sie dankt der Ärztin. »Ich weiß nicht, was ich davon bekommen kann. Vielleicht kann ich ein paar Sachen ausprobieren. Der Vater, der ist noch im Gefängnis. Mein Sohn.«

Die Anklageschrift. Harald versucht einen Zustand kühler Konzentration aufrechtzuerhalten, um trennen zu können, was Beweislage und was die Interpretation dieser Beweise war. Die Beweislage: an jenem Tag, jenem Abend, am Freitag, dem 19. Januar 1996, wurde ein Mann tot in einem Haus, das er mit zwei anderen Männern bewohnte, aufgefunden. David Baker und Nkululeko ›Khulu‹ Dladla kamen um 19.15 Uhr nach Hause und fanden die Leiche ihres Freundes Carl Jespersen im Wohnzimmer. Er hatte eine Schußwunde am Kopf. Er lag halb auf der Couch, halb war er heruntergeglitten, als sei er (Interpretation) überrascht worden, als auf ihn geschossen wurde, und habe noch versucht, sich zu erheben. Er trug Riemensandalen, von denen eine verdreht von seinem Fuß herabbaumelte, und unter dem Frotteebademantel war er nackt. Auf einer afrikanischen Trommel neben der Couch standen Gläser. In einem befanden sich die Reste eines Getränks, wahrscheinlich eine Bloody Mary – eine leere Dose Tomatensaft und eine Flasche Wodka standen auf dem Fernsehgerät. Anscheinend waren die anderen Gläser unbenutzt, auf dem Boden neben der Trommel stand ein Tablett mit einer verschlossenen Flasche Whisky und einem Kübel mit halb geschmolzenem Eis. (Beweise und Interpretation vermischt.) Es herrschte keine ungewöhnliche Unordnung im Zimmer – es handelt sich um einen locker geführten Junggesellenhaushalt. (Interpretation.) Das Zimmer war dunkel, abgesehen von der Kontrollampe des CD-Players, auf dem eine CD abgespielt und der danach nicht ausgeschaltet worden war. Die Haustür war verschlossen, aber die Glastüren, die vom Wohnzimmer in den Garten führten, standen offen, wie das im Sommer, auch nach Einbruch der Dunkelheit, üblich war.

Im Garten befindet sich ein Cottage. Dort wohnt Duncan Lindgard, ein Freund des Toten und auch der beiden Männer, die die Leiche fanden. Nachdem sie Jespersen entdeckt hatten, liefen sie zu ihm. Lindgards Hund schlief draußen vor dem Cottage, und anscheinend war niemand zu Hause. Die Polizei traf zwanzig Minuten später ein. Ein Mann, ein Hilfsarbeiter bei einer Installationsfirma namens Petrus Ntuli, der als Gegenleistung für Gartenarbeit auf dem Grundstück in einem Nebengebäude wohnen durfte, wurde befragt. Er sagte aus, daß er gesehen habe, wie Lindgard auf die Veranda getreten sei und etwas fallen gelassen habe, als er den Garten auf dem Weg zum Cottage durchquerte. Ntuli wollte den Gegenstand aufheben, um ihn Lindgard wiederzugeben, konnte ihn aber nicht finden. Er rief nach Lindgard, aber der war schon im Cottage. Ntuli hatte keine Uhr. Er konnte nicht sagen, wann genau das gewesen war, aber die Sonne war schon untergegangen. Die Polizei durchsuchte den Garten und fand eine Pistole in einem Farngesträuch. Baker und Dladla identifizierten sie sofort als die Waffe, die man zum Schutz vor Einbrechern im Haus hatte. Keiner von beiden konnte sich erinnern, auf wessen Namen sie zugelassen war. Die Polizisten gingen zum Cottage hinüber. Auf das Klopfen an der Tür kam keine Antwort, aber Ntuli beharrte darauf, daß Lindgard im Cottage war. Die Polizisten verschafften sich gewaltsam Zutritt durch die Küchentür und fanden Lindgard im Schlafzimmer. Er schien benommen. Er sagte, er habe geschlafen. Auf die Frage, ob er wisse, daß auf seinen Freund Carl Jespersen geschossen worden sei, wurde er bleich (Interpretation) und fragte: »Ist er tot?«

Dann protestierte er dagegen, daß die Polizei sein Cottage betreten hatte, und bestand darauf, mehrere Anrufe zu machen, von denen einer seinem Anwalt galt. Der Anwalt riet ihm offenbar, sich der Verhaftung nicht zu widersetzen, und kam zur Polizeiwache. Es gab keine eindeutigen Fingerabdrücke auf der Waffe, da der Farn erst kürzlich gegossen worden war und die feuchte Erde die Abdrücke verwischt hatte.

Dies ist kein Kriminalroman.

Harald muß sich davon überzeugen, daß die Dinge, die in so einem Roman vorkommen, Realität sein können.

Dies ist der Handlungsablauf, der zu einer Anklage wegen Mordes führt. Als er Claudia berichtet, was er von dem Anwalt gehört hat, wiegt sie bei jedem neuen Detail den Kopf, unterbricht ihn aber nicht. Er hat den Eindruck, daß sie erst alles hören will, aber auch als er fertig ist, sagt sie nichts. Ihr Schweigen sagt ihm, daß er nichts berichtet hat, nichts mitgebracht hat, das etwas erklärte. Duncan ist aus dem Haus des Mannes gekommen und hat auf dem Weg zum Cottage etwas im Garten fallen gelassen. Eine Waffe wurde gefunden. Duncan sagte, er habe geschlafen und weder seine Freunde noch die Polizei gehört, als sie an die Tür klopften. Nichts davon sagt ihnen mehr, erklärt mehr, als sie bei der Begegnung im Gericht über die Schranke hinweg erfahren haben. Seine knappe Umarmung mit abgewandtem Gesicht. Seine Antwort auf die Frage, ob er etwas brauche: Nichts. Claudias Reaktion zeigt Harald, daß das, was er sich und ihr erzählt hat, tatsächlich nur eine grobe Kriminalgeschichte ist.

Der Antrag des guten Freundes, des so selbstbewußten Anwalts, auf Freilassung gegen Kaution ist abermals abgelehnt worden.

Aber warum? Warum? Sie kann sich nur an eine unumstrittene, allgemein akzeptierte Begründung erinnern, wonach jemand, der möglicherweise ein weiteres Verbrechen begehen würde, nicht gegen die bloße Hinterlegung einer Geldsumme freigelassen werden kann. Duncan, eine Gefahr für die Gesellschaft! Warum, um alles in der Welt?

Der Staatsanwalt hat etwas davon gehört, daß er verschwinden könne – weggehen.

Außer Landes?

Jetzt gehören sie zu der Kategorie derer, die sich von der gerechten Strafe freikaufen, weil sie sich eine Kaution und dann eine Geldstrafe leisten können. Er wußte nicht, ob ihr diese Bedeutung der Ablehnung klar war, für ihren Sohn und für sie selbst.

Wie kommt er auf die Idee?

Das Mädchen ist vernommen worden, anscheinend hat sie gesagt, er habe schon eine Weile damit gedroht, eine

Stelle anzunehmen, die man ihm in einem Büro in Singapur angeboten hat. Ich weiß nicht – um von ihr wegzukommen, so hört es sich an. Sie hat das so nebenbei fallengelassen, vielleicht mit Absicht. Wer weiß schon, was sich zwischen ihnen abgespielt hat.

Wenn Claudia unzufrieden mit dem bißchen ist, was Harald zur Erklärung erfahren hat, hätte sie selber mehr erreichen können? Nun, soll sie es doch versuchen!

Ein Gefangener in Untersuchungshaft darf Besuch empfangen. Sie ist dran: Ich würde gern mit diesem Julian Sowieso sprechen, bevor wir gehen.

Harald weiß, daß sie beide einen irrationalen Widerwillen gegen eine Begegnung mit dem jungen Mann haben: Erschlag nicht den Boten, die Botschaft ist die Bedrohung.

Claudia ist nicht die einzige Frau, die einen Sohn im Gefängnis hat. Heute nachmittag hat sie das begriffen. Sie ist nicht mehr diejenige, die Trost spendet und Placebos gegen die Katastrophen anderer austeilt, selber sicher und unerreichbar, einer anderen Klasse angehörend. Und es sind nicht die gerechten Gesetze, die diese Art von Gleichheit hergestellt haben, es ist etwas ganz anderes. Es liegt auch keine Sentimentalität darin, und deswegen spricht sie mit keinem darüber, nicht einmal mit dem Vater, der einen Sohn im Gefängnis hat. Es könnte falsch verstanden werden.

Sie rief den Anwalt an, um von ihm die Telefonnummer des Boten zu erfahren, der zu den bewachten Toren des Wohnparks gekommen war nach dem Abendessen, als sie Kaffee tranken. Sie war unnachgiebig, Harald hörte es, als sie den Boten erreichte. Er solle heute zu ihnen kommen. Nicht morgen. Jetzt.

Als Harald dem Boten diesmal die Tür öffnet, reicht er ihm die Hand. Julian Verster. Claudia hatte sich seinen Namen notiert.

Welchen Eindruck machten sie auf ihn? Für die Situation gab es kein Muster, nach dem sie sich richten konnten, ein Höflichkeitsbesuch, eine Befragung, ein Appell – welche Form der Gastlichkeit ist gefragt, welche zeichensetzenden Vorbereitungen sind angemessen, so wie die Bereitstellung von Tee oder alkoholischen Getränken, die Plazierung von Aschenbechern und das Zurechtrücken von bequemen Sesseln, die bei anderen Gelegenheiten angemessen sind. Alles in dem Zimmer ist an seinem gewohnten Platz, das allein schon ist unangemessen, sogar bizarr.

Ihre Haltung ihm gegenüber hatte sich verändert; überwältigt von ihrem Bedürfnis, sahen sie in diesem jungen Mann die Möglichkeit einiger Antworten, vielleicht konnten sie sogar in seinem Äußeren etwas von dem Zusammenhang erkennen, in dem das, was geschehen war, geschehen konnte. Jeder trägt eine Uniform, mit der er zeigt, wie er sich sieht oder als wer er sich verkleidet. Klobige Sportschuhe mit komplizierten Verzierungen, hohen Zungen und dicken Sohlen, die Kabinettsmitglieder ebenso wie Bankangestellte oder Studenten derzeit tragen, die auch Harald in seiner Freizeit trägt; vernarbte Haut auf den Wangen, die Stammeszeichen einer pubertären Akne, weit auseinanderstehende, hundebraune Augen, von dicken Brauen verdunkelt, die im Gegensatz zu dem unsicheren Mund stehen, der sich bewegt, formt und neu formt, bevor die Worte kommen. Ein Gesicht, das auf eine dienstfertige und loyale Persönlichkeit hindeutet – der ideale Gefolgsmann. Im Geschäftsleben ist Harald es gewohnt, solche Einzelheiten zu beobachten, wenn er potentielle Geschäftspartner kennenlernt.

»Es tut mir leid, daß wir Ihre Pläne für den Abend durcheinandergebracht haben, aber als Sie an dem Abend kamen, waren wir ganz … ich weiß nicht … wir konnten kaum etwas sagen. Es war schwer, überhaupt etwas zu begreifen. Als Freund von Duncan muß es Ihnen ähnlich gegangen sein – es muß Ihnen schwergefallen sein, zu uns zu kommen. Das wissen wir.«

Der junge Mann gibt mit einem Senken der Mundwinkel zu verstehen, daß sie ihm damit auf ihre Art die Hand reicht.

»Mir war schrecklich zumute – weil ich es so schlecht gemacht hab –, ich wußte nicht, wie sonst. Schrecklich. Und er hatte mich gebeten, er hatte es mir überlassen.«

Sie saßen jetzt als enge Gruppe beieinander. Claudia war ihm zugewandt, neben ihm auf der Couch, und Harald zog einen Sessel heran, bevor er sprach.

»Warum hat er uns nicht selbst angerufen.«

Aber das war eher ein Urteil als eine Frage.

»Harald … das liegt doch auf der Hand.«

»Er stand unter Schock, das können Sie sich nicht vorstellen.«

»Das war auf dem Polizeirevier?«

»Nein, im Haus, er hat mich über mein Handy erreicht, und ich bin mitten auf der Straße umgedreht, auf der Stelle … und er war noch mit der Polizei im Haus, im Cottage.«

Claudias Hände und Knie waren zusammengepreßt, eng aneinander, die Hände auf den Knien. »Sie sind zu dem Haus rübergegangen.«

»Ja. Ich hab's gesehen. Ich konnte es nicht glauben.«

Für sie ist das, was er gesehen hat, der Mann in der Leichenhalle. (Claudia weiß, wie eine Obduktion aussieht, manchmal liegt die Leiche tagelang im Leichenhaus, bevor die Leichenöffnung vorgenommen wird.) Aber – es stand in seinem Gesicht – für Julian Verster war das, was er gesehen hatte, sein Freund, so wie Duncan sein Freund ist. Als sie das begriffen haben, können sie anfangen zu sagen, was sie von ihm wollen. Aufgrund einer instinktiven Verständigung hat keiner ein Vorrecht, sie stellen abwechselnd ihre Fragen. Sie waren noch nie in solch einer Situation, aber sie haben eine Formel gefunden, eine Struktur.

»Können Sie uns erklären, wie Duncan überhaupt in so was verwickelt werden konnte, wie seine – wie soll ich es nennen? – seine Position als eine Art Mieter, seine Beziehung zu den Männern im Haus – diesen Freunden – zu dieser *Beweislage* führen konnte, die gegen ihn zu sprechen scheint? Ich war heute bei dem Anwalt. Sie gehören doch auch zu dieser Gruppe, oder? Wir kennen die alle nicht, ehrlich gesagt.«

Claudia wandte sich Harald zu und warf, ohne ihn anzusehen, ein: »Außer dem Mädchen, seiner Freundin, die hat er ein- oder zweimal hierher mitgebracht. Aber anscheinend war sie am Freitag nicht da. Sie wurde jedenfalls nicht erwähnt.«

»Können Sie uns etwas über die Freundschaft erzählen? Das Haus ist ja mehr oder weniger von allen geteilt worden, sie müssen sich gut verstanden haben, um den Entschluß zu fassen, so eng zusammenzuleben – was kann dazu geführt haben, daß Duncan einer so furchtbaren Tat beschuldigt wird? Sie müssen verstehen, wir, meine Frau und ich, Eltern und Sohn, haben als drei eigenständige Erwachsene gelebt, wir stehen uns nahe, aber wir erwarten nicht, in alles eingeweiht zu werden. In seine verschiedenen Beziehungen. Wir haben unsere mit ihm, er hat seine mit anderen. Das ging gut. Aber wenn so etwas auf einen herabstürzt – wir wissen, was diese – Rücksichtnahme, könnte man sagen, voreinander bedeuten kann. Wir wissen einfach zuwenig. Wer war dieser Mann? Was hatte Duncan mit ihm zu tun? Sie wissen es doch! Wir können Duncan nicht morgen besuchen und ihm diese Frage stellen, oder? In einem Besuchsraum im Gefängnis? Mit Wärtern, und wer weiß, wem sonst noch.«

»Wir sind alle seit langer Zeit befreundet, auf jeden Fall Dave, der hat mit Duncan zusammen Architektur studiert, und ich auch – ich arbeite mit Duncan in derselben Firma. Aber ich hab nicht mitgemacht, als sie das Haus und das Cottage gemietet haben. Khulu ist Journalist, ich glaub, Duncan hat ihn als erster kennengelernt, als Khulu aus Tembisa in die Stadt ziehen wollte. Carl, Carl Jespersen – (es ist schwer, im normalen Mitteilungston von einem Mann zu sprechen oder zu hören, der in einer Leichenhalle liegt) Jespersen kam, glaub ich, vor zwei Jahren mit einem dänischen – oder vielleicht war es ein norwegisches – Filmteam hierher, und irgendwie ist er hängengeblieben. Er arbeitet – er hat in einer Werbeagentur gearbeitet. Die drei haben das Haupthaus gemietet und Duncan das Cottage. Aber eigentlich wohnen alle überall. Ich mein, ich bin oft da, das Haus ist für jedermann offen, wir hatten viel Spaß da.«

Hemmungen müssen überwunden werden, seine Loyalität, das Vertrauen, das dem Boten von seinem Freund geschenkt wurde, einem Freund, den er bewundert oder der, vielleicht, im Beruf besser ist als er. Er erklärt umständlich seine Beziehung zu ihrem Sohn. Es ist schwer, nicht ungeduldig zu werden.

»Alle haben sich also verstanden, gut. Es gab keine wirklichen Spannungen, soweit Sie wissen? Wie schwerwiegend hätten die denn sein müssen, wenn wir glauben sollen, daß Duncan, *Duncan* …! Lassen wir das mit der Waffe, lassen wir das, was der Mann seiner Aussage nach im Garten gesehen hat! Gibt es niemanden, der einen Grund hatte, Jespersen anzugreifen? Oder der glaubte, einen Grund zu haben? Warum Duncan? Wissen Sie von jemandem?«

Haralds Gedanken kreuzten sich mit ihren.

»Wo war das Mädchen? Wo war sie am Freitag? Ist die Affäre zu Ende, waren sie und Duncan nicht mehr zusammen?«

»Sie sind noch zusammen. Natürlich, doch – sie war da. Am Tag davor, am Donnerstag abend. Wir haben alle im Haus gegessen. Carl und David hatten für alle gekocht.«

Gab es sonst nichts zu sagen? Was man von ihm erfahren konnte? Er ist der Bote, er darf nur den Text kennen, den man ihm aufgetragen hat.

Claudia ließ die Hände an der Seite herabfallen, die Finger bewegten sich.

»Erzählen Sie uns bitte von ihr.«

Harald stand auf.

Der junge Mann blickte von einem zum anderen, als suchte er Barmherzigkeit, und dann fing er an zu erzählen, auf die einzige Weise, die ihm zu Gebot stand, nämlich in dem teilnahmslosen, entschärften Ton desjenigen, der über die Umstände eines Verkehrsunfalls berichtet, bei dem keiner verletzt wurde: die Sachlichkeit, die in die Ecke getriebene Gefühle schützt.

»Letztes Jahr im Juni besorgte Carl ihr eine Stelle in der Werbeagentur, und sie fingen an, jeden Tag zusammen in ihrem Auto zur Arbeit zu fahren. Manchmal auch in seinem. Ich weiß nicht, wie sie das geregelt hatten. Und sie haben oft zusammen Mittag gegessen. Aber das war in Ordnung.«

»Was meinen Sie damit?« Harald blickte auf ihn herab.

»Es machte Duncan nichts aus. Er brauchte sich keine Sorgen zu machen.«

»Es machte ihm nichts aus, daß seine Geliebte den ganzen Tag mit einem anderen Mann verbrachte?«

»Na ja, Carl und David waren ein Paar. Die drei im Haus sind schwul, Khulu auch. Schwule sind oft gute Freunde für Frauen, sie stellen keine Bedrohung für den Partner der Frau dar, das wissen Sie ja, natürlich. Carl und Duncan und Natalie sind gute Freunde. Sie sind eng befreundet, innerhalb der Gruppe im Haus. Sie waren es.«

»Ach so.«

Aber Harald, dem bewußt ist, daß er hier ganz als heterosexueller Mann reagiert, versteht nicht, wie Duncan es nichts ausmachen konnte, daß seine Freundin jeden Tag mit einem anderen Mann verbrachte, egal, welches Geschlecht für diesen Mann attraktiv war. Seine einsilbige Antwort öffnet der Angst wieder den Weg zu ihm und Claudia, der Angst, die mit der Verkündung der ersten Botschaft an jenem Abend, an jenem Freitag, zu ihnen gekommen war.

»Bitte erzählen Sie weiter.«

Es ist eine Totenglocke, die Claudia anschlägt.

»Am Donnerstag waren wir alle bis spät im Haus. Es waren noch andere Leute da, auch ein paar von Khulus Freunden. Als wir nach Hause wollten und Khulu mit seinen Leuten auch ging, hab ich Duncan zum Cottage begleitet. Natalie wollte Carl beim Abwasch helfen, David hatte ein bißchen zuviel getrunken und ging zu Bett. Aber anscheinend ist Natalie, nachdem in der Küche alles aufgeräumt war, nicht ins Cottage zurückgekommen. Duncan wachte so gegen zwei Uhr auf und sah, daß sie nicht da war. Er machte sich Sorgen, er dachte, daß ihr was passiert sein könnte, im Dunkeln im Garten, und ging zum Haus rüber. Ja. Sie lag mit Carl auf der Couch. Am nächsten Morgen kam Duncan nicht zur Arbeit und rief mich im Büro an. Er hat es mir erzählt. Er sagte, er hätte die beiden auf der Couch gesehen – auf derselben Couch, verstehen Sie? Was soll ich sagen. Es war nicht das erste Mal, daß Natalie sich mit einem anderen eingelassen hatte – ich weiß, wir alle wußten von einem, mindestens. Es liegt in ihrem Wesen, aber ich glaub, sie liebt ihn – Duncan. Auf ihre Art. Und er – er ist ihr absolut treu, sehr besitzergreifend, andere Frauen gibt es für Duncan nicht. Vorwürfe und Tränen – das Übliche – und dann kommt sie zu ihm zurück. Aber diesmal – Carl. Ein Mann, der keine Frauen liebt, aber auf Natalie abfährt. Um es grob auszudrücken. Mit Natalie macht er eine Ausnahme, läßt seinen Partner allein im Bett und schläft mit ihr auf der Couch. Duncan war – ich kann das gar nicht beschreiben – in einem furchtbaren Zustand. Sie wollte nicht ins Cottage zurück, wahrscheinlich hatte sie Angst vor ihm. Sie ist weggefahren. In ihr Auto gestiegen und mitten in der Nacht weggefahren, kam auch am Freitag nicht zurück. Sie war nicht da. Als das passierte. Mehr weiß ich nicht, und ich sage auch nicht, daß Duncan das getan hat, was ihm vorgeworfen wird, ich ziehe keine Schlüsse, ich will nicht, daß Sie denken, daß das, was ich erzählt hab, die ganze Geschichte ist, ich war nicht dabei, ich hab nichts gesehen, und obwohl ich Duncan, Ihren Sohn, gut kenne, weiß ich nicht, was in ihm vorgegangen ist ...«

Alle drei sind jetzt aufgestanden, wieder ist es, als stünde etwas, wofür es keine Vorbereitung gibt, bevor. Der atmosphärische Druck jenes Hauses, in das Duncan eintritt, der andere Mann sitzt allein auf der Couch und trinkt eine

Bloody Mary, entsteht in ihnen, überwältigt sie, wie Angst den Körper zu einem Schweißausbruch treiben kann. Aber man darf das nicht zugeben, es muß in etwas Verständliches umgewandelt werden, mit dem man kontrolliert umgehen kann. Der Bote ist im Begriff, sein Roß zu wenden und fortzureiten: das war's. Er kann nicht mehr, er hat genug davon, von ihrer Not.

»Gehen Sie noch nicht.« Claudia appelliert an ihn, obwohl er noch gar keine Anstalten gemacht hat. Das also war es, was bevorstand: Er würde gehen und sie sitzenlassen. So weit, so gut. Sie öffnet die Hände, deutet mit einer Geste auf ihre Plätze und setzt sich wieder.

Um ihn festzuhalten, wenden sie sich praktischen Dingen zu. Die Möglichkeit eines weiteren Antrags auf Kaution, sobald der Fall zur ersten Anhörung kommt, die Haftbedingungen eines Untersuchungshäftlings. Es gibt viel, das weiß er, das wissen sie, was sie noch fragen könnten und was er ihnen erzählen könnte über das Haus mit der Couch, das Cottage, die Lebensspur ihres Sohnes dort, aber der junge Mann befindet sich offenbar im Konflikt zwischen dem, was sie als eine Verpflichtung ihnen gegenüber empfinden, und einem Verrat am Code der Freundschaft. Am ehesten können sie sich diesem Bereich nähern, indem sie fragen, ob Duncan in letzter Zeit unter einer gewissen Anspannung gestanden hat, zum Beispiel bei der Arbeit (was ja kein privater Bereich ist). War da etwas zu bemerken? Weiter konnte Harald nicht gehen in seiner Andeutung, daß Duncan vielleicht seit längerem unter psychischen Schwierigkeiten gelitten haben könnte.

»Duncan ist ein starker Mensch.«

Das mochte Harald zufriedenstellen, aber Claudia wandte das Gesicht abrupt von den beiden Männern ab. »Sie arbeiten mit ihm im gleichen Büro. Wollen Sie damit sagen, daß er seine Stimmungen und Gefühle verbirgt? Auch vor Ihnen? Er hat sie angerufen, mit Ihnen gesprochen, am Freitag.«

»Wenn wir etwas besprechen wollen, dann tun wir das. Wenn einer von uns es nicht möchte, dann lassen wir es. Wir lassen die Sache fallen.«

»Er war immer sehr zurückhaltend. Vielleicht wär es besser gewesen, wenn er eher mit jemandem gesprochen hätte.«

»Zurückhaltend, wie kannst du das sagen, Harald – er war immer gefühlsbetont und offen –, du hast doch nicht erwartet, daß er seine Liebesaffären mit dir diskutiert?«

Sie sprachen von ihrem Sohn, dem Freund von Julian Verster, als wäre er tot. Im Gefängnis zu sitzen bedeutet, im Bewußtsein der Menshen draußen tot zu sein, nur in der Vergangenheit zu existieren. Ein betroffenes Schweigen trat ein. Harald warf Claudia einen Blick zu, der ihr auf vertraute Weise signalisierte, daß sie dem jungen Mann vielleicht etwas zu trinken anbieten sollten. Sie schien ihn nicht wahrzunehmen, wirkte unerreichbar. Er holte Gläser und Flaschen, Dosen mit Mineralwasser und Obstsaft, die üblichen Handreichungen der Gastfreundschaft. Die gefüllten Gläser gaben ihren Händen etwas zu tun. Wenn sie nicht sprechen konnten, konnten sie trinken.

»Ich kann mich nicht erinnern, daß er je Whisky getrunken hat.« Sie folgten ihr: zu der Flasche Whisky, dem unbenutzten Glas und dem Kübel mit Eis neben der Couch.

Bevor er ging, schien nichts dagegen zu sprechen, daß sie ihn fragten, ob er als Freund (allem Anschein nach ein enger Freund) einen Vorschlag habe, was sie bei ihrem Besuch am nächsten Tag mitbringen könnten.

Nichts, natürlich. Nichts.

Nachts, wachliegend, stellen sie sich vor, wie es sein könnte. Statt der Landschaft der Träume entsteht in der Dunkelheit das Gefängnis, Gitter, Schlüssel (vielleicht gibt es ein elektronisch kontrolliertes Überwachungssystem, wie die grünen und roten Lämpchen, die Eingang und Ausgang an den Türen zu einer Bank regeln). Wenn sie schon niemals zuvor in einem Gerichtsgebäude waren, dann erst recht nicht in einem Gefängnis. Die Vorstellung entstammt der sich verjüngenden Perspektive von Fluren in Fernsehfilmen, Augen, die durch den Spion blicken, mit einem Soundtrack dumpfer Echos, da von allen Geräuschen des normalen Lebens, der Unterhaltung der Vögel und Menschen, dem Verkehr, nur die Rufe und der Widerhall der Stiefel auf Betonboden bleiben. Die Träger der Stiefel müssen nicht erträumt werden, ihnen sind sie schon im Gerichtssaal B 17 begegnet, junge Männer mit Freiluftgesichtern, die in stumpfer Gleichgültigkeit und mit dem Ausdruck genügsamer Konzentration auf ihr Privatleben dabeistehen, während über Verbrechen und Strafe entschieden wird. Die Zelle – aber die Gefängnisbesucher bekommen die Zellen gar nicht zu sehen, die Zellen bleiben so dunkel wie das, wohin der Häftling aus dem Gerichtsraum abgeführt wurde: unbekannt. Es gibt keine Privatsphäre, die unverletzbarer wäre als die eines Häftlings. Sich die Zelle vorzustellen, in der er denkt, zu dem zu gelangen, was nur er allein kennt – das ist eine leere Stelle im Dunkeln.

Du kannst auch nicht schlafen.

Er, neben ihr, gibt keine Antwort. Aber sie hört an seinem Atem – er hat nicht den vertrauten Rhythmus –, daß Harald nicht schläft. Im Dunkeln ist seine Aufmerksamkeit zu konzentriert, als daß er reagieren könnte. Das ist alles. Auch er hat eine unantastbare Privatsphäre: er betet.

Harald ist jemand, der viel liest, das heißt, er ist ein Suchender nach dem, was man großspurig die Wahrheit nennt. Beides sind hypothetische Konzepte, das würde er als erster, amüsiert, zugeben. Über die Jahre hat er mit verschiedenen Formulierungen, auf die er gestoßen ist, versucht, ihr das Beten so zu erklären, daß es für jemanden ohne religiöse Überzeugung verständlich wäre, und am ehesten entsprach ihm da Simone Weils Definition vom Gebet als einer gesteigerten Form der intelligenten Konzentration. Als sie den Zusatz ›intelligent‹ in Frage stellte – wie könnte Konzentration unintelligent sein? –, versuchte er, sie mit der Erklärung zu überzeugen, daß es eine stumpfe Konzentration auf etwas Triviales geben könne, die Intelligenz in einem religiösen oder philosophischen Sinn nicht einschließe. Das Gebet als Form der intelligenten Konzentration war eine Säkularisierung, die Claudia akzeptieren mußte. Sie tat das, indem sie die intelligente Konzentration von dem trennte, auf den oder das sie gerichtet war. Dann war es nicht eine Kommunikation mit einem vermeintlich existierenden Gott, sondern eine Kommunikation mit den eigenen Kräften auf der Suche nach etwas, das einen durch Ängste, Versagen und Kummer geleiten kann.

Harald betet. Sein Gebet tritt in die Vorstellung dessen ein, was morgen geschehen wird. Sie liegt im Dunkeln neben ihm. Worum betet er? Betet er, daß ihr Sohn das, dessen er angeklagt ist, nicht getan haben möge? Wenn Harald darum betet, heißt das, daß er glaubt, was er nicht sagen kann – nämlich daß sein Sohn einen Menschen getötet hat?

Sie standen früher auf, als sie es normalerweise an einem Arbeitstag getan hätten. Bis zur Besuchsstunde war noch Zeit. Sie reichten sich gegenseitig Teile der Zeitung und lasen über die Fortsetzung der Krisen, deren frühere Episoden sie im Fernsehen verfolgt hatten, als der Bote kam. Das Foto eines Kindes, das sich an seine tote Mutter klammert, und der Bericht über eine Nacht der Bombardierung, die willkürlich namenlose Menschen in den Schutz zerbröckelnder Mauern und einstürzender Keller trieb, waren für ihn plötzlich Teil seines eigenen Lebens, das nicht mehr außerhalb, sondern innerhalb der Parameter von Katastrophen lag. Die Nachrichten waren seine Nachrichten. Für sie dagegen waren diese Ereignisse durch die Botschaft, die sie unterbrochen hatte, entrückt, weiter noch, als sie es durch die geographische Entfernung waren, weiter noch, als sie es in ihrer Relevanz für ihr Leben gewesen waren: eine private Katastrophe bedeutet, daß man aus dem Alltag der übrigen Welt aussteigt.

Er ging und vertrieb sich die Zeit in dem kleinen ummauerten und gepflegten Garten, der ihnen innerhalb der Gartenanlagen des Wohnparks zugeteilt worden war. Der in einem kunstvollen Muster gepflasterte Weg unter den Strelitzien war in ein paar Schritten zurückgelegt, hin und her. Man konnte nirgendwo hingehen. Wo er stand, entflammte der Einfallswinkel des Sonnenlichts die orangefarbenen und blauen Flügel der Blüten, die wie Vögel auf den Zweigen saßen. Sie machte sich in der Küche zu schaffen. Als es soweit war, trug sie eine mit Alufolie abgedeckte Plastikschüssel, die sie im Wagen auf den Boden neben sich stellte. Während er fuhr, hielt sie die Schüssel mit den Sandalen fest.

Das wird ja wohl erlaubt sein.

Er wiegte bedenklich den Kopf. Bei Untersuchungshäftlingen vielleicht.

Es ist nur ein Salat und ein bißchen Käse.

Natürlich. Frauen, nur Frauen steht diese Möglichkeit offen. Die Kleinigkeiten, die das Leben ein wenig leichter machen. Er empfand flüchtig Zärtlichkeit und Verachtung zugleich, nicht so sehr für Claudia als vielmehr für sie alle, die Armen; man mußte sie beneiden.

An ihrem Zielort, dem Gefängnis, auf das sie unausweichlich zugesteuert waren, wurden sie mit einer Art Höflichkeit empfangen, die eine reformierte Polizei in Public-Relations-Kursen erlernt hatte. Jeder Gedanke an die rassistische und brutale Behörde der Vergangenheit sollte ausgelöscht werden. Jedenfalls ist der diensthabende Beamte ein Bure, ein Mann mittleren Alters mit allem, was das bedeutet – erwachsene Kinder, Versorgung der Eltern, Familiengefühle und so weiter. Er denkt sicher, daß er diese Dinge mit einem weißen Paar teilt. »Das geht in Ordnung«, er deutet auf die Schüssel. »Aber seien Sie unbesorgt, er bekommt gut zu essen, alles. Und Sie können seine Wäsche mitnehmen und so, ne.«

Das Gefängnis ist ein ganz normaler Ort. Das ist es, was sie nicht wissen. Der Beamte hat einen Computer und verschiedene Telefone, ein normales, ein schnurloses, und auf seinem Schreibtisch steht ein Korb mit einer blühenden Topfpflanze und einer Rosette aus bunten Bändern, Erinnerung an einen Jahrestag oder irgendeine Feier. Die hallenden Flure aus ihren nächtlichen Vorstellungen sind da, aber diese Wege gehen sie nicht. Sie folgen den starken Gesäßmuskeln eines jungen schwarzen Polizisten zu einem

Raum ganz in der Nähe. Es ist richtig, daß nichts diesem Raum Charakter verleiht. Und wenn es etwas gibt – sie sehen es nicht. Es ist ein Raum, der von allem, was mit dem Leben draußen zu tun hat, getrennt ist. Sie sitzen auf zwei Stühlen an einem Tisch, und auf der anderen Seite sitzt ihr Sohn. Duncan. Es ist Duncan, er ist durch die hallenden Flure, aus seiner Zelle, aus dem, woran er da drinnen denkt, gekommen. Seine gespreizten Hände stützen sich auf die Tischplatte, als sie den Raum betreten, als griffe er Akkorde auf einem Klavier, und sein Lächeln ist eine Warnung – keine Gefühlsausbrüche. Signale fliegen wie Fledermäuse durch den Raum. Fragt mich nicht. Wir wollen nur wissen, was wir tun sollen. Ich muß euch sprechen. Wenn du es uns nicht sagst. Ich will euch nicht sehen. Egal, wir müssen es wissen. Ihr könnt das nicht verstehen. Wenigstens wie es passiert ist. Ihr braucht euch nicht einzumischen. Du kannst uns nicht raushalten. Fragt nicht, wenn ihr es dann doch nicht ertragen könnt. Kommt. Ich will euch sehen. Kommt nicht.

Selbst hier – in diesem Raum, der doch mit Sicherheit nicht für diese drei existiert – muß es eine Grundlage geben, die ein Gespräch möglich macht. Die Fledermäuse müssen in die Dunkelheit, aus der sie gekommen sind, in die Zelle, in die durchwachte Nacht zurückgescheucht werden. Es kann nur eine Grundlage geben, eine, die die Eltern voraussetzen: Er hat es nicht getan. Er ist, in der Sprache des Gesetzes, unschuldig, auch wenn sie bereit sind zu glauben und inzwischen wissen, daß er im Rahmen dieses schrecklichen Ereignisses, in dem Milieu, in dem es stattfinden konnte, nicht unschuldig ist. Daß so etwas *geschehen* konnte, bedeutet, daß sie das Leben in dem Haus und dem Cottage, das Leben der jungen Freunde, wie sie es sich vorgestellt hatten, neu ordnen müssen, daß sie das Mobiliar der menschlichen Beziehungen neu ordnen müssen: Duncan unter gleichgesinnten Freunden, dazwischen nur ein Stück hübscher Garten, und er lebt mit einer jungen Frau in einer Liaison, die vielleicht, vielleicht auch nicht zu einer dauerhaften wird.

Duncan ist nicht unschuldig, aber er kann nicht schuldig sein. Und deshalb ist der Anwalt von entscheidender Bedeutung, es geht darum, den besten Anwalt zu finden. Sie sind nicht bereit, ihm diese Entscheidung zu überlassen. Da werden sie nicht nachgeben, Mutter und Vater.

Der Anwalt, der gute Freund, den sie in Saal B 17 kennengelernt haben, hat den Fall einem führenden Strafverteidiger übergeben, der, so sagt er, in derselben Klasse rangiert wie Bizos und Chaskalson – Hamilton Motsamai.

Mehr sagt ihr Sohn nicht, er versucht nicht, sie zu beruhigen, gibt ihnen nur die Zusicherung, daß er nach ihren Wünschen verteidigt wird, nämlich von dem besten Anwalt, den man bekommen kann. Er sagt ihnen sonst nichts, er sagt nicht, daß ihm nichts passieren kann, weil er nicht schuldig ist am Tod des Mannes auf der Couch. Das ist eine empfindliche Sache geworden, an die man nicht rühren kann, es ist, als wäre dies eine aufdringliche Frage nach dem Sexualleben ihres Sohnes. Und außerdem – das Mädchen, natürlich darf man das Mädchen nicht erwähnen, obwohl sie doch sicherlich gebraucht wird, um wichtige Aussagen zu machen, welcher Art auch immer: Sie muß wissen, daß sie es nicht wert ist, daß man für sie einen Mord begeht. So etwas paßt weder zu der Art, wie ihr Sohn erzogen worden ist, noch zur zeitgenössischen Ethik, nach der ein Mann eine Frau nicht besitzt. Schon deswegen konnte er die Tat nicht begangen haben. Eine Waffe im Farn. Jemand anders hat sie dorthin geworfen. Ein Gärtner denkt, Duncan hat etwas fallen gelassen, vielleicht war es eine Kippe, und die

Polizei hat die Waffe gefunden. Die Frage, die ihnen auf der Zunge brennt: Weiß er, warum der Mann umgebracht wurde? Aber auch diese Frage ist nicht möglich – aus anderen Gründen: Der Aufsichtsbeamte, der Polizist, ist da, so wie die drei Stühle und der Tisch da sind, aber man muß bedenken, daß der Beamte hört, obwohl sein Gesicht den entrückt-mürrischen Ausdruck des Nichtbegreifens trägt: Wie die Antwort auch ausfällt, sie könnte als Indiz gegen Duncan verwendet werden. Die Leute – wie sollen sie das wissen –, mit denen ihr Sohn verkehrt. Wenn man mit einem Gewaltverbrechen in Verbindung gebracht wird, erscheint plötzlich alles und jedes verdächtig.

Schließlich fällt ihr, als Ärztin, etwas ein.

»Hast du genug Bewegung? Kannst du schlafen?«

Entweder, um sie zufriedenzustellen, oder aus Trotz macht er sich über ihre Sorge lustig. »Na ja, ich würde es nicht als Fünf-Sterne-Hotel bezeichnen.« Er lacht. Der Raum ist nicht an Lachen gewöhnt, es kommt von den Wänden als Schrei zu ihnen zurück. »Es gibt hier so eine Art Hof, in dem ich zweimal am Tag rumlaufe. Ach, übrigens, der Hund. Ich nehm an, Khulu oder jemand füttert ihn, aber ...«

»Ich kann auch mit dem Gefängnisarzt sprechen und leichte Schlaftabletten verschreiben. Und dir mehr Bewegung verschaffen.«

»Nein, tu das nicht. Das ist nicht nötig. Was ist mit dem Hund?«

Das ist etwas für den Vater. Diese Eltern betteln um Aufgaben.

»Ich kümmer mich darum, ich hol ihn. Und Bücher?«

»Philip hat mir welche gebracht, und Zeitungen kann ich kaufen. Aber du könntest mir welche von meinen bringen. Aus dem Cottage – und Sachen zum Anziehen.«

»Was ist mit dem Schlüssel?«

»Khulu.«

Die Zeit muß fast verstrichen sein, und alle drei sind hilflos und verlegen. Da ist die Angst davor, daß er wieder durch Flure aus Beton und Stahl verschwindet und sie wegfahren und ihn dort alleinlassen, und da ist die beschämende Ungeduld, daß die Besuchszeit ablaufen möge.

Der Aufsichtsbeamte gibt ein Zeichen. Die Eltern wissen nicht, ob sie noch bleiben oder schnell gehen sollen, welches Protokoll diese Art von Abschied regelt, wie er aushaltbar wird. Sie umarmen ihn, und der Vater spürt, wie sich eine Hand dreimal auf sein Schulterblatt preßt. Als Duncan fortgeführt wird, macht er noch eine Bemerkung: »Aber bring mir kein Buch, das ich schon angefangen habe.«

Was er von uns denken muß!

Von uns denken muß?

Na ja, was haben wir denn schon gesagt? So kalt, so sachlich.

Er nahm den Blick von der Straße und sah von der Seite her ihre Hände im Schoß, der Daumennagel der einen Hand bohrte sich unter die kurzen Nägel der Finger der anderen.

Was konnten wir schon sagen?

Mit dem Wärter im Raum. Wir müssen sehen, ob wir ihn allein mit dem Anwalt sprechen können, Anwälte haben das Privileg, daß sie unter vier Augen mit ihrem Mandanten reden dürfen.

Darum geht's doch gar nicht.

Die Kapsel, in der sie sich, eingeschlossen zwischen den Unvereinbarkeiten, Gefängnis und Leben, bewegten, war plötzlich von ihren freigesetzten Stimmen erfüllt.

Es ist doch so, daß wir gar nicht wissen, worüber wir

sprechen sollen. Wir wissen nicht, wie seine Verstrickung in diese ganze schreckliche – Angelegenheit – aussieht, er macht ja nicht einmal Andeutungen. Er sagt, er bekommt einen erstklassigen Verteidiger, aber wir haben keine Ahnung, was er *ihm* sagen wird, welche Verteidigungsstrategie der Anwalt verfolgen wird, was er beweisen will, wenn er plädiert.

Was ist das für ein Mann?

Sie hatten es auf Anhieb gehört, im Schock des Namens: die Wahl war auf einen Schwarzen gefallen. Sie gehört nicht zu den Ärzten, die bei ihrer Arbeit schwarze und weiße Haut unterschiedslos berühren, aber ihre Vorurteile gegen die intellektuellen Fähigkeiten der Schwarzen beibehalten. Dennoch wirft sie die Frage auf, und er auch – in dem Morast, in dem sie jetzt stecken, da ein Mord geschehen ist, treiben die alten Vorurteile an die Oberfläche. Und wenn er es so betrachtet, gibt es in diesem Kontext auch eine positive Aussicht.

Könnte ein Vorteil sein. Wenn es ein schwarzer Richter ist.

Seine Stimme ist trocken: Daß er so denkt. Beschämend. Und wieso kommt ihm so was Spekulatives überhaupt in den Sinn? Daß ein schwarzer Richter einem Angeklagten wohlwollender gesonnen sein könnte, weil der einen schwarzen Verteidiger hat? Hier ist doch gar nicht die Rede von einem Verbrecher, einem Mörder, der vor ihm erscheint. Woher kommt ein solcher Gedanke, um Himmels willen!

Aber weißt du was über ihn? Vielleicht ist er auch einfach nur noch ein Freund von Duncan.

Wir können uns erkundigen. Ich kann mit einem der besten Anwälte reden, ich bin ihm ein paarmal begegnet, er wird mich bestimmt verstehen, obwohl es für einen Anwalt nicht üblich ist, Informationen über einen anderen weiterzugeben, nehm ich an.

Zum Teufel mit dem, was üblich ist. Was können wir sonst noch tun, Harald? Wir haben einfach nur – geplaudert. Geplaudert. Du hättest ihm wenigstens sagen können, daß wir die Anwaltskosten übernehmen. Woher sollen wir wissen, daß das Honorar bei der Auswahl keine Rolle gespielt hat? Ein guter Verteidiger kostet ein Vermögen pro Tag. Wenn er denkt, er muß selbst dafür zahlen, kann sich das auf alles andere auswirken.

Er weiß, daß es keine Frage des Geldes ist. Er weiß, daß er sich auf uns verlassen kann. Es war nicht der Ort und die Zeit für sowas.

Ich dachte nur, du würdest sagen ... als sein Vater ... also meinetwegen, nichts übers Geld, irgendwas ...

Dir ist nur eingefallen, ihm Schlaftabletten zu verschreiben.

Ich weiß. Na ja, wenigstens hab ich ihm zu verstehen gegeben, daß ich mich, wenn er nicht gut behandelt wird, mit dem Gefängnisarzt in Verbindung setzen würde. Aber *irgendwas* ...

Sag *du* mir doch, was wir ihm hätten sagen sollen.

Sie schlug sich mit den Fäusten auf die Schenkel.

Daß wir ihm glauben.

Wenn er *was* sagt? Er hat nichts gesagt. Wir wissen nichts. Ich hab die Beweisaufnahme gelesen. Der Mann ist tot. Die Pistole lag im Matsch. Was heißt das?

Noch während er spricht, fährt sie dazwischen. Daß wir ihm vertrauen! Daß wir ihm vertrauen! Daß die Möglichkeit, daß wir es nicht tun, völlig ausgeschlossen ist! Das hat gefehlt! Das ist nicht gesagt worden.

Eine Ampel zwang ihn zum Anhalten. Seine Hand senkte sich, er schaltete den Hebel auf N, und sie machte eine winzige Bewegung, um die Berührung mit seiner Hand zu vermeiden. Er wartete, während die Ampel auf Rot stand, und sprach dann.

Ihm vertrauen?

Du weißt schon.

Keine Antwort.

Daß wir glauben, daß er so etwas nie tun könnte und daß wir damit recht haben.

Er wurde vom Verkehr mitgezogen, als führe das Auto von selbst. In seinem Kopf schwirrte es, schlingerte es geradezu, in einem nicht mitzuteilenden Konflikt, einem unerträglichen Zögern.

Claudia – er wußte, er sollte etwas Liebevolles hinzusetzen, aber die alten Formeln, Liebling und Liebste, paßten nicht zu dem, was gesagt werden mußte, in aller Härte. Noch einmal von vorn.

Wir wissen nicht mal, ob er es akzeptiert, daß wir ihm vertrauen.

Akzeptieren? Warum nicht? Was hat das mit akzeptieren zu tun!

Er kann nicht zulassen, daß es für beide Realität wird, dadurch daß er es ausspricht, der Vater, der es der Mutter sagt, aber es ist da, es steht im Wagen zwischen ihnen, als er die Sicherheitstore des Wohnparks erreicht: Weil er weiß, daß er es getan hat. Deswegen hat er in der halben Stunde im Besuchszimmer des Gefängnisses nichts gesagt. Die Grundlage, die wir uns eingebildet haben, gibt es gar nicht. Das hat unser Sohn uns mitgeteilt. Das ist das, was wir glauben müssen.

Er drückt auf den Elektroschalter, der sie in ihr Haus läßt, aber keine Zuflucht bietet.

Seine Firma beschäftigt eine namhafte Kanzlei, und einer der Anwälte sitzt im Aufsichtsrat. Harald wendet sich in allen juristischen Fragen an ihn.

Unter normalen Umständen. Aber jetzt kann er das tun, was er unter normalen Umständen nicht angemessen fände. Er kann seine flüchtige, bei förmlichen Essen entstandene Bekanntschaft nutzen, um einen der renommierten Köpfe des Rechtsstandes um seine vertrauliche Meinung zu Fähigkeit, Ruf und Status des Anwalts Motsamai zu bitten. Er hat keine Sorge, daß dies anmaßend wirken könnte. Solche Konventionen seines Lebens – was bedeuten sie schon.

Natürlich weiß der Mann Bescheid, alle wissen Bescheid, die Geschichte war ein Fest für die Zeitungen. Aber was denkt er, während er sich die Wiederholung der Fakten anhört: Mein Sohn wird des Mordes beschuldigt, er hat sich entschieden, den Fall in die Hände von Hamilton Motsamai zu legen. Meine Frau und ich kennen diesen Mann nicht, wir haben keine vorgefaßte Meinung über ihn, das einzige, was uns am Herzen liegt, ist die Frage, ob er der am besten geeignete Strafverteidiger für unseren Sohn ist.

Interpretiert er, hinter dem für Anwälte so üblichen Schweigen, übersetzt er in seine Privatsprache, was nicht gesagt worden ist: dieser Anwalt ist ein Schwarzer. Ist es das?

Aber im Augenblick geht es gar nicht um diese Frage. Zunächst muß, um den Sprechenden vor Bemerkungen zu bewahren, die der Ethik seines Berufsstandes zuwiderlaufen, eine Relativierung vorgenommen werden. »Es gibt eine Reihe von Strafverteidigern, die sehr geeignet wären. Sie verstehen. Ich würde nicht den einen über den anderen stellen. Aber Motsamai gilt als ausgezeichnet. Und erfahren. In den vier Jahren, seit er wieder im Lande ist, hat er einige schwierige Fälle erfolgreich vertreten. Politischer Art, natürlich – aber nicht nur. Er hat eine Aggressivität – allerdings von ausgeprägter Intelligenz kontrolliert –, die ihn im Kreuzverhör sehr wirkungsvoll macht. Sehr intelligent – außergewöhnlich sogar, habe ich gehört.«

Harald braucht keine allgemeine Einschätzung, die ihm vielleicht in dem Bemühen um Fairneß gegeben wird; er muß wissen, was dieser Mann wirklich denkt. Zwischen den Zellenwänden ist keine Zeit und kein Raum für ›Fairneß‹. »Und Sie? Was würden Sie sagen?«

Zu diesem Zeitpunkt ist es sicher unmöglich, Harald Lindgard gegenüberzustehen und nicht schockiert zu sein – und Schock ist immer nur um Haaresbreite von Furcht entfernt –, schockiert über das, was einem Mann wie ihm passiert ist, was einem morgen selbst passieren kann. Als sie sich das letzte Mal begegneten, standen sie mit einem Drink in der Hand mit dem Stellvertretenden Wirtschaftsminister zusammen und erörterten das Für und Wider einer Aufhebung der Devisenkontrolle! Obwohl der Mann Lindgard sonst nicht näher kannte, mußte er seine professionelle Art wie die Robe, die er vor Gericht trug, ablegen. »Hören Sie, ich neige nicht dazu, Übertreibungen unter die Leute zu bringen, aber der Mann ist bemerkenswert. Kennen Sie seinen Hintergrund? Ich weiß nicht mehr genau, in welchem Landesteil er aufgewachsen ist, das Übliche, das arme Kind ungebildeter Eltern, und er hat es geschafft, Ende der sechziger Jahre in Fort Hare zum Jurastudium zugelassen zu werden. Dann hat er in Jugendgruppen Politik gemacht und wurde verhaftet. Nach seiner

Entlassung ist er nach England geflohen und hat da irgendwie – mit Hilfe von Stipendien – sein Studium fortgesetzt. Bevor er 1990 wieder zurückkam, war er Mitglied im Grays Inn geworden und war als Verteidiger am Old Bailey zugelassen. Es war also klar, daß er hier ohne Probleme eine Zulassung als Strafverteidiger bekommen würde. Offen gesagt – Sie können sich das sicherlich vorstellen – will man nun, nachdem man jahrelang den Schwarzen die intellektuellen Fähigkeiten für die Jurisprudenz abgesprochen hat, Wiedergutmachung betreiben – und dafür ist Motsamai ein Geschenk des Himmels ... man brauchte einen Star, und er erschien an unserem Firmament ... Er ist sehr gesucht. Und zum Glück ist das nicht nur ein Akt der Wiedergutmachung. Keinesfalls.«

Damit könnte Harald sich zufriedengeben, aber irgend etwas Gewichtiges hindert beide daran, schon zu gehen.

»Sie haben Zweifel, die Verteidigung Ihres Sohnes einem Schwarzen anzuvertrauen.«

Da ist es. Es liegt offen zutage, vor Harald und diesem klugen Ratgeber. Aber es wird als etwas Normales dargestellt, als ein einfacher Rückgriff auf historische Fakten.

»Wir brauchen diese Zweifel nicht auf rassistische Vorurteile zurückzuführen, denn es ist eine Tatsache, eine unumstößliche Tatsache, daß aufgrund des Rassismus des alten Regimes schwarze Anwälte weit weniger Erfahrung haben als weiße, und nur die Erfahrung zählt. Sie hatten weniger Gelegenheit, sich unter Beweis zu stellen. Das ist ihr Handikap, und es hätte gar nichts mit Rassismus zu tun, wenn Sie dieses Handikap als Nachteil sähen, falls irgendein Schwarzer mit der Verteidigung betraut würde. Wenn Sie mir jetzt aber sagen, Sie möchten immer noch lieber einen weißen Strafverteidiger – dann ist das was anderes. Ich könnte dazu nichts sagen. Sie sind derjenige, der diese Bürde zu tragen hat. Ich kann einfach nur sagen: Bei Motsamai sind Sie in guten Händen. Wenn ich sonst noch etwas für Sie tun kann …«

Harald hat ein Gefühl wie manchmal, wenn er nach dem Abendmahl aus der Kirche wieder auf die Straße, in die Welt tritt. Es ist eine meditative Ruhe, eine Gewißheit wenigstens, bevor er sich wieder dem zuwendet, wofür er diese Ruhe braucht.

Diese ersten Tage ließen sich überstehen, wenn man seine Aufmerksamkeit auf den nächsten wichtigen Termin richtete. Da war zum Beispiel das Gespräch bei Hamilton Motsamai, dem mit der Verteidigung beauftragten Anwalt.

Sie kamen getrennt in der Kanzlei an, sie aus der Praxis, er mitten aus einer Besprechung des Vorstands der Versicherungsgesellschaft, in der er einer der Direktoren war. Sie begrüßten sich zerstreut; erst als sie nebeneinander vor der imposanten Schreibtischfläche des Anwalts saßen, wurden sie wieder das Paar, die Mutter und der Vater, Verbündete. Motsamai war wie seine Kanzlei ›gut ausgestattet‹. Ein enormes Selbstbewußtsein drückte sich darin aus, wie er die Zeichen seines Erfolgs in einem renommierten Beruf – die Anweisung an seine Sekretärin über die Sprechanlage, keine Gespräche durchzustellen, das Gruppenbild mit distinguierten Kollegen vom Grays Inn, die Bibliothek mit Büchern der Jurisprudenz, in denen eingelegte Zettel häufig konsultierte Stellen markierten, die Namensplakette auf dem Tablett mit Schreibutensilien – mit dem Büschel Barthaare unter dem Kinn verband, das einen bestimmten traditionellen afrikanischen Stil, eine andere Ordnung von Würde und Auszeichnung beschwor. Sein stakkatohaftes und fließendes Englisch hatte einen starken Akzent, er bewahrte sich die langgezogenen, runden Vokale der afrikanischen Sprachen und beharrte auf dem dröhnenden Baßgemurmel, das zu den Merkmalen ihres Diskurses gehörte, während er die anderen wortlosen Verbindungen, das ›Eh‹ und ›Mhm‹ in der Unterhaltung Weißer, bewußt vermied. Eine neue Form von Urbanität. Hier, in seinem eleganten grauen Anzug, ist ein Mann, der alles gemeistert hat, alle Widersprüche, die ihm von der Vergangenheit auferlegt wurden. Während er in den Papieren blättert (offenbar die Notizen, die er sich bei Übernahme des Falles gemacht hat), blickt er hin und wieder auf den Mann und die Frau vor sich; das Weiß seiner Augäpfel (er nimmt sogar einen Moment lang die Brille ab, läßt sie in der Hand baumeln) steht unglaublich klar in dem kleinen Mahagonigesicht, wie die Glasaugen in antiken Statuen. Dies ist ein Gesicht, das von einem disziplinierten Verstand geformt worden ist, die Züge verschlossen, konzentriert; selbst seine Lippen, die sich leicht öffnen, während er das Gelesene in sich aufnimmt, haben ihre Großzügigkeit ein wenig gestrafft. Die beiden mustern ihn. Was sie vor sich sehen, ist das, wovon sie abhängig sind, wie keiner von beiden je von einem Menschen abhängig war.

Seine in Abständen auf sie gerichtete Aufmerksamkeit war eine Probe für das, was er ihnen zu sagen hatte. Er war von Philip, dem guten Freund, über diese Klienten informiert worden und wußte also, daß sie nicht irgendwer waren – er einer der Direktoren einer großen Versicherungsgesellschaft mit einer pragmatisch aufgeklärten Politik gegenüber den Schwarzen, und die Ehefrau offenbar Ärztin. Gebildete Leute, mit denen er klare Worte sprechen konnte, damit sie seine Lage verstanden, das hieß, die Grenzen seiner Möglichkeiten in diesem Fall.

»Ich habe mit Ihrem Sohn gesprochen. Natürlich werde ich ihn noch häufig sehen. Ah-häh … Er ist nicht leicht zu verstehen, der junge Mann. Aber das wissen Sie ja selbst.«

Der Vater wollte etwas sagen, aber die Mutter kam ihm zuvor. »Nein. Wir hatten immer eine gute Beziehung.«

»Sie wollen sagen, jetzt – er ist jetzt nicht leicht zu verstehen? Meinen Sie das?«

Der Anwalt nickte und tippte mit seinen ausgestreckten Fingerspitzen einen kleinen Rhythmus der Übereinstimmung mit dem Vater. »Genau, so ist es. Aber das ist erst der Anfang. Es ist oft – immer – schwierig, wenn ein Mensch in Not ist, unter Schock steht. Wissen Sie (an sie gewandt), es ist das gleiche, wie wenn jemand nach einem Unfall zu Ihnen kommt und traumatisiert ist, genau so.«

»Gesagt zu bekommen, daß ein Freund tot ist, und dafür verantwortlich gemacht zu werden. Ja.«

Der Anwalt weiß, daß die Mutter des Beschuldigten *ihn* beschuldigt, zu maßvoll zu sein. Er kennt diese Reaktionen, Furcht, die sich in Trotz und Verärgerung ausdrückt. In ihrem Fall zweifellos noch dadurch verstärkt, daß sie es gewohnt ist, wie er sie gerade erinnert hat, im Beruf die Rolle der Beraterin zu übernehmen statt die des Opfers. Er sieht weg, schnippt dies alles als unbedeutend fort.

»Unglücklicherweise. Unglücklicherweise – ich muß Ihnen sagen, wenn er (eine weite Geste), wenn er sich öffnet, wenn er anfängt, mit mir zusammenzuarbeiten – zum gegenwärtigen Zeitpunkt ist er recht feindselig, verstehen Sie –, das heißt, wenn er und ich das in Angriff nehmen, was vor uns liegt ...« Er hielt inne, schätzte ab, ob sie so weit waren. »Ich muß Ihnen sagen, daß die Beweislage überwältigend ist. Eindeutig. Mit Ausnahme der Waffe, das Problem mit der Erde, Sie wissen schon, dem Matsch – den Fingerabdrücken. Aber wir warten noch auf den abschließenden Bericht, und es gibt Untersuchungsmethoden, mit denen man auch solche Spuren entdecken kann. Er ist Linkshänder, ist das richtig? Wenn Abdrücke gefunden werden und sie mit seinen übereinstimmen, dann wird es sehr ernst für uns. Sehr, sehr ernst. Sie verstehen mich? Dann hat der Staatsanwalt seinen Fall. Und wir müssen von der Annahme ausgehen, daß das so kommen wird. Seine Feindseligkeit ist kein gutes Zeichen. Die Erfahrung lehrt uns, daß er etwas – alles – zu verbergen hat. Der Betreffende will nicht mit dem Anwalt zusammenarbeiten, weil er nicht glaubt, daß der Anwalt etwas für ihn tun kann.«

»Er ist schuldig.«

Der Anwalt nahm den Zwischenruf des Vaters mit der Anerkennung eines Lehrers für einen Schüler zur Kenntnis.

»Der Betreffende glaubt oder weiß, daß er schuldig ist, das ist richtig.«

Dieser Mann, dem so hochtrabende Wendungen so glatt von den Lippen gehen – ›zum gegenwärtigen Zeitpunkt‹, wenn er ›jetzt‹ meint – und der ausweichende Verallgemeinerungen nicht scheut. Harald akzeptiert die unpersönliche Form seines Ausdrucks nicht: ›Der Betreffende‹ ist sein Sohn.

»Er ist schuldig. Duncan. Das wollen Sie doch sagen, Mr. Motsamai.«

»Einen Moment, Sir. Das ist keinesfalls das, was ich in Betracht ziehe. Es ist Sache des Gerichts zu entscheiden, ob ein Angeklagter schuldig ist, nicht die seiner Anwälte, auch nicht die seiner Eltern. Ich bitte Sie nur zu verstehen, daß ich – wir – der Staatsanwalt und ich – unsere Argumentation auf diese Möglichkeit hin vorbereiten müssen. In diesem Licht betrachtet, sind die Umstände – angefangen mit der Kindheit des jungen Mannes, die Familie, sein Temperament und Charakter und so weiter – von wesentlicher Bedeutung. Jedes Detail kann da nützlich sein. Deswegen, wenn Sie – in aller Ruhe – die Feindseligkeit, die er mir gegenüber zeigt, überwinden können, ich meine – ich bin mir sicher, daß sie sich nicht auf Sie erstreckt –, wenn Sie ihn dahingehend beeinflussen können, daß er seinen

Anwälten alles, was ihm über sich, seine Freunde, sein Leben einfällt, erzählt – das wäre sehr wichtig. Er muß begreifen, daß es nichts gibt, was er uns nicht sagen kann.«

»Feindseligkeit – ich weiß nicht, ob man sagen kann, daß er uns gegenüber keine Feindseligkeit zeigt. Oder was immer es ist ... Aber wie können wir, sein Vater und ich, mit ihm so wie immer sprechen, als wäre nichts passiert, wenn wir ihn in diesem Raum besuchen, und der Aufsichtsbeamte hört alles mit an. Er hat nicht mal gesagt, wie absurd er das Ganze findet. Daß er dort ist. Kein Protest, nichts. Er hat nur einen Witz darüber gemacht, sozusagen, wo er eingesperrt ist. Wir haben dagesessen, als hätte man uns die Zungen herausgeschnitten. Es war völlig ausgeschlossen, daß er erzählen konnte, was passiert ist. Ich weiß nicht, wie wir das, was Sie sich vorstellen, erreichen können, solange wir mit ihm unter diesen Umständen sprechen müssen.«

»Ich verstehe Sie voll und ganz, ich verstehe Sie sehr gut«, versicherte der Anwalt in verschiedenen Formulierungen und begann, seine Argumente, wie Anwälte das nennen, zu entwickeln. *Ah-häh*. Allerdings sei es ihnen nicht gestattet, ohne Zeugen mit ihrem Sohn zu sprechen, so bestimmten es nun einmal die Vorschriften. Es würde hingegen keinerlei Schaden anrichten, wenn sie ihm, im Beisein des Aufsehers, offen zu verstehen gaben, sie seien überzeugt, daß es *zum gegenwärtigen Zeitpunkt* in seinem Interesse liege, wenn er seinen Anwälten absolut vertraue und ihnen alles, was es zu sagen gebe, mitteile. Wieder blitzte der Glasmurmelblick auf, als sei es fast überflüssig, das Offenkundige in Worte zu kleiden. »Der Aufsichtsbeamte ist höchstwahrscheinlich nicht in der Lage zu verstehen, worüber sie sprechen. Das Personal ist größtenteils noch ein Überbleibsel aus den alten Zeiten. Eine sichere

Arbeitsstelle für die zurückgebliebenen Söhne der Buren.« Er wirft ihnen diese Bemerkung zu, wohlwissend, daß sie von ihnen nicht falsch verstanden werden wird. »Unsere Regierung ist der Auffassung, daß man das Gefängnissystem nicht über Nacht verändern kann, auch nicht über viele Nächte. Ah-häh.«

In diesen ersten Tagen müssen sie offenbar ein unausweichliches Ritual wiederholen. Es besteht darin, daß jeder der beiden nach solchen unumgänglichen Begegnungen darauf wartet, daß der andere spricht. Und jeder hört genau hin, wie der andere die Begegnung deutet und ob er sie auf einer Skala des Nutzens oder der Hoffnung höher oder tiefer einordnet. Solange das Schweigen – in diesem Fall – andauert, brauchen sie voreinander nicht anzuerkennen, was sie Anwalt Motsamai zufolge anerkennen müssen. Am besten durchbricht man das Schweigen indirekt, so rücksichtsvoll, wie es im Rahmen des Entsetzlichen möglich ist.

Wie fandest du ihn?

Sie läßt das Kinn einen Moment lang auf die Brust sinken, hebt dann den Kopf, um unter dem Eindruck der noch niedergehenden Lawine der Besprechung zu reden. Ziemlich von sich selbst eingenommen. Irgendwie arrogant. Wir stecken tief im Morast, und er ist der müde Routinier, der uns da rausziehen muß. Ich weiß nicht recht.

Wahrscheinlich ist das, was wie Arroganz wirkt, eine gewisse Präsenz, die vor Gericht Eindruck macht. Richter stehen zum Beispiel in dem Ruf, so eine Präsenz zu haben. Mir hat er auch nicht besonders gefallen. Aber das ist unwichtig. Er soll sich ja nicht bei uns einschmeicheln – das respektiere ich, er soll das tun, was sein Job ist.

Und weiß er schon, was das ist, sein Job?

Er hat den Fall übernommen. Und er ist ein erfahrener Mann.

Und er ist zu dem Schluß gekommen, daß Duncan den Mann umgebracht hat. Ich kann es nicht mal ertragen, mich selbst das sagen zu hören. Ich kann nicht zu mir selbst sagen: Duncan hat einen Menschen umgebracht, Duncan hat eine pathologische Handlung begangen. Duncan ist kein Psychopath, ich weiß genug über pathologische Zustände, um das sagen zu können, das kannst du mir glauben. Und ich sage das nicht unseretwegen, meine Weigerung, das zu glauben, hat nichts mit elterlichem Stolz zu tun. Daß dies nicht sein kann, weil es *unser Sohn* ist, daß *ein Sohn von uns* so etwas niemals tun könnte. Ich rede von Duncan, nicht von *unserem Sohn*. Es muß eine Erklärung dafür geben, wie diese ›Beweislage‹ entstehen konnte. Der Mann weiß es nicht, aber er bereitet – was denn eigentlich? – seine Verteidigung vor, und zwar unter der Prämisse, daß die Indizien sagen, Duncan hat es getan. Duncan hat den Mann umgebracht, weil dieses kleine Miststück, das sich bei ihm eingenistet hat und die mal hier, mal da fremdging – und er hat es immer hingenommen –, weil die für einen seiner Freunde die Beine auf der Couch breitgemacht hat. Ich bin mir sicher, daß sie nicht die erste in Duncans Leben ist, erinnerst du dich nicht mehr an die anderen – Alyse oder wie sie hieß, die Medizinstudentin, die vor zwei Jahren bei mir in der Praxis geholfen hat, um Berufserfahrung zu sammeln – die stand doch eine Weile hoch im Kurs.

Warum redet Duncan nicht.

Das weiß ich doch nicht. Ich weiß es nicht. Vielleicht weil die Anwälte ihm immer mit der ›Beweislage‹ kommen und er kein Vertrauen hat, daß die Wahrheit überhaupt zählt. In einem Indizienprozeß hast du keine Chance, ein Gärtner sieht, wie du über den Rasen gehst, und kurz darauf findet die Polizei eine Pistole. Ein Mann, der nicht mal eine Uhr hat, der nicht sagen kann, wann das war. Wenn du deine Unschuld nicht beweisen kannst, bist du schuldig, soweit ist es doch mit Duncan gekommen.

Warum redet er nicht.

Also, soweit ich sehe, ist das das einzig Vernünftige, was der Mann gesagt hat. Wir müssen ihn dazu bringen, daß er dem Anwalt vertraut, auch wenn er mir oder dir nicht vertrauen will. Und frag mich nicht, warum er uns nicht vertraut.

Sie und er.

Aber was sollen sie tun, wenn er sie in der Stunde seiner Not gar nicht braucht? Er, Harald, muß die Augen auf die Straße richten, fort von ihr, weil sie plötzlich von Tränen überflutet sind, die er nicht kontrollieren kann. Diese Fahrten. Diese Fahrten zurück von der Katastrophe.

Harald war im Cottage. Zuerst ging er zu dem Nebengebäude hinten im Garten, wo der Hilfsarbeiter und Teilzeitgärtner wohnte. Ein Vorhängeschloß an einer Stalltür; das Anwesen war alt, der Mann bewohnte das, was früher einmal der Pferdestall gewesen sein mußte.

Harald hatte das Haupthaus gemieden und gehofft, er könne den Mann bitten, ihm den Schlüssel für das Cottage zu holen, obwohl in der Auffahrt ein Wagen stand, es mußte also jemand im Haus sein. Als er klopfte, erschien ein Gesicht, das er halb erkannte, am Fenster, und Khulu Dladla kam an die Tür. Harald hatte Dladla ein paarmal gesehen, gelegentlich hatte Duncan seine Eltern zu einem Drink im Garten eingeladen – sie erwarteten nicht, daß er für sie kochte –, und meistens kam noch der eine oder andere Freund aus dem Haus dazu. Harald erhielt den Schlüssel von Khulu; der schwere junge Mann stapfte barfuß davon, um ihn zu holen. Von dem Computer, an dem er gerade gearbeitet hatte, fiel ein säuregrünes Licht in dieses Wohnzimmer, auf diese Couch. Harald blieb allein damit stehen. Die Gefühle des jungen Mannes, als er den Schlüssel zum Cottage aushändigte, zogen sein Gesicht zu einem schmerzhaften Stirnrunzeln zusammen, als müsse er sich auf das Festdrehen einer Schraube konzentrieren.

»Ich komm mit, wenn Sie wollen.«

Nein, Harald war gerührt von der unbeholfenen Freundlichkeit, die der Mann ihm erwies, aber er wollte lieber allein hineingehen.

Harald stand in dem Zimmer, in dem Duncan schlief. Und das Mädchen. Auf dem linken Nachttisch, zwischen den Zigarettenpackungen, lag eine Dose Gesichtscreme. Respektvoll wandte er sich ab, nahm Hemden und Unterhosen und Socken aus einem Wandschrank und ignorierte alles andere, was da gestapelt war, es ging ihn nichts an.

Bring kein Buch, das ich schon angefangen habe.

Die Bücher lagen auf einem wackligen Bambustisch rechts vom Bett. Er ging hin, er nahm sie in die Hand und las die Titel, die ihm bekannt oder nicht bekannt vorkamen, und hatte das Gefühl, von dem leeren Zimmer beobachtet zu werden. Der Tisch hatte eine Zwischenplatte, von der Architekturzeitschriften und Zeitungen auf den Fußboden gerutscht waren. Für ihn sah es so aus, als wären sie dort hingeworfen worden, an jenem Tag, als der, der im Bett lag, das Klopfen an der Tür hörte. Er ließ sich auf ein Knie nieder und richtete den Stapel auf, aber das Brett neigte sich, und die Zeitschriften kippten wieder herunter, und zwischen ihnen lag ein Heft, von der billigen Sorte, wie Schulkinder sie benutzen. Er legte es oben auf den Stapel – wozu? Damit Duncan es gleich in die Hand nehmen konnte, wenn er wiederkam, um in dem Bett zu schlafen? Als gäbe es die Illusion, daß dies bevorstand.

Er nahm das Heft in die Hand und schlug es auf. Er spürte im Nacken die Niederträchtigkeit seines Tuns, während er die Seiten umblätterte, den Verrat an dem, was der Vater den Sohn gelehrt hatte: Man respektiert die Privatsphäre der anderen, man liest nicht anderer Leute Briefe, nichts, was persönlich und nicht für deine Augen gedacht ist. Es waren alltägliche, harmlose Eintragungen – das Datum des letzten Ölwechsels, Berechnungen für diese oder jene Anschaffung, eine ausgestrichene Adresse, eine Notiz über eine alte Ausgabe einer Architekturzeitschrift – kein Tagebuch, sondern ein Notizbuch für Dinge, die einem zwischendurch einfielen. Dann, hingekritzelt auf die letzte der beschriebenen Seiten, stand da ein irgendwo abgeschriebenes Zitat – Harald hatte seine Liebe zum Lesen schon früh weitergegeben, als der Junge noch ein Kind war. Harald erkannte es an den ersten Worten, Dostojewski, ja, Rogoschin, der von Nastasja Filippowna sprach. »Sie hätte sich längst ertränkt, wenn sie mich nicht gehabt hätte, das ist die Wahrheit. Vielleicht tut sie es nicht, weil ich schrecklicher bin als das Wasser.«

Während der Beschuldigte in Untersuchungshaft sitzt, gibt es in einem Strafverfahren keinerlei Vorgänge, mit denen die Zeitungen die Sensationsgier der Öffentlichkeit befriedigen können. Als die ersten Berichte darüber, daß Lindgards Sohn in einen Mordfall verwickelt war, erschienen, begrüßte ihn ein wortlos vereinbartes Schweigen, wann immer er sein Büro betrat. Die Zeitungen wurden mit den Schlagzeilen nach unten auf den Tisch gelegt oder von den Plätzen entfernt, wo sein Blick zugleich mit dem eines anderen darauf hätte fallen können. Der Vorstandsvorsitzende war sich unschlüssig, ob er bei einer Vorstandssitzung eine förmliche Erklärung der Anteilnahme für den hochgeschätzten Kollegen und seine Frau ›in diesen schwierigen Zeiten‹ – das wäre die Formulierung, die er gewählt hätte – abgeben sollte oder ob es taktvoller und hilfreicher wäre, sich jeder offiziellen Aufmerksamkeit zu enthalten; man würde sich daran erinnern, auch wenn sie nicht zu Protokoll genommen wurde, eine Verurteilung aus zweiter Hand gewissermaßen, gegen Lindgard, den biologischen Vater des Verbrechers. Es wurde beschlossen, daß der Vorstand nicht Stellung nehmen würde. Einzelne Mitglieder fanden passende Gelegenheiten, um ihm kurz ihre Anteilnahme auszusprechen und so die Peinlichkeit für beide Seiten in Grenzen zu halten. Die allgemeine Haltung war die, ihm zu zeigen, daß das Ganze natürlich absurd sei, ein gräßlicher Irrtum. Er dankte ihnen, ohne ihnen zuzustimmen; für sie bedeutete das lediglich, daß er über diesen ›gräßlichen Irrtum‹ nicht sprechen wollte. Die meisten hatten eigene Kinder, für die eine solche Tat gleichermaßen undenkbar war.

Die Zeit der Untersuchungshaft wurde nach dem einzigen Modell behandelt, mit dem Lindgards Kollegen und er selbst Erfahrung hatten: dem vorübergehenden Abklingen einer Krankheit, zu deren Prognose man besser keine Fragen stellt. Ein Kollege, der gleichzeitig mit ihm in die Firma eingetreten und der mehr an Offenheit und Menschlichkeit interessiert war als an der Aufrechterhaltung von Konventionen, sprach ihn in der Herrentoilette an. Als wäre es eine doppelte Erleichterung. »Wenn ich irgend etwas tun kann – ich habe keine Ahnung, was das sein könnte –, zögern Sie keinen Augenblick, auf keinen Fall. Für Sie muß das die Hölle sein. Ich weiß nie, ob ich es ansprechen soll oder nicht, Harald; wie es Ihnen dabei geht. Was immer dahinter steckt – es muß eine schreckliche Erfahrung sein, wenn man weiß, daß es einfach nicht sein kann, daß es ausgeschlossen ist.«

Lindgard hatte sich die Hände gewaschen. Er zog sich aus dem Handtuchspender ein Stück trockenes Handtuch heraus. Dann sprach er in der gekachelten Abgeschiedenheit, die den niederen Körperfunktionen diente.

»Es ist nicht ausgeschlossen.«

Sein Kollege richtete sich auf, stand schockiert still. Das war nicht gesagt worden. Es gibt Dinge, die darf man nicht gesagt bekommen, es ist einfach nicht fair, und der Sprecher bereut sie in dem Moment, da er sie ausgesprochen hat. Der Kollege ging schnell zur Tür, kam dann zurück und legte die flache Hand auf Lindgards Schulterblatt – genau das war die einzige Geste der Kommunikation seines Sohnes gewesen, als er seinen Vater und seine Mutter zum ersten Mal im Besuchszimmer getroffen hatte.

Nur wenige ihrer Patienten brachten sie mit einem der

Gewaltverbrechen in Verbindung, von denen sie gelesen haben mochten. Es gab so viele. In einem Teil des Landes, wo der politische Ehrgeiz eines Anführers zu einer ganzen Serie von Rachemorden geführt hatte, wurde die tägliche Zählung der Toten genauso routinemäßig veröffentlicht wie der Wetterbericht. Andernorts erschossen sich Taxifahrer gegenseitig im Kampf um Fahrgäste, und in Diskotheken wurden Meinungsverschiedenheiten mit dem letzten Fluchwort der Feuerwaffen entschieden. Die Gewalt des Staates unter dem alten Regime hatte seine Opfer daran gewöhnt. Die Menschen hatten vergessen, daß es auch andere Wege gab.

Sie arbeitete nicht in einer Gruppe, mit Kollegen, die eine Haltung hätten finden müssen zu dem, was sie, Claudia, von ihnen unterschied. Da war nur Queen, die forsche Schönheit, die mit ihrer eigenen Autorität als Oberschwester in der Klinik vollauf beschäftigt war. Und in der Praxis saß am Empfang Mrs. February – ihre Vorfahren hatten den Namen des Monats erhalten, in dem sie auf dem Sklavenmarkt gekauft worden waren – mit dem trauernden Blick und der traditionellen, würdevollen Haltung der Leidtragenden, stellvertretend für die Ärztin. Es war ein taktvoller Ausdruck der Anteilnahme, der keiner plumpen Worte bedurfte. In der Klinik und in ihrer Praxis bewegte sich die Ärztin in einer unveränderten Umgebung, an einem sicheren Ort. Eine Zeitlang kann man sich an solchen Orten den heranrückenden Gefahren entziehen, die einen draußen umzingeln. Aber es fiel ihr schwer, ein persönliches Interesse an den Geschicken ihrer Patienten wachzuhalten – etwas, was sie für die Ausübung der heilenden Tätigkeit immer für unabdingbar gehalten hatte. Am Anfang hatte sie sich mit anderen verbunden gefühlt, deren Sohn auch im Gefängnis war, aber das ging unter in der

Menge der Unglücklichen. War man erst einmal wahrhaft durchgeschüttelt und einer von ihnen geworden, entstand irgendwann das Gefühl: Wenn ich mir deine Leidensgeschichten anhören muß, dann mußt du dir auch meine anhören.

Die Kleidungsstücke, die Harald mitgebracht hatte und die sie neu gefaltet hatte, packte sie mit einigen Lebensmitteln zusammen.

Warum hast du keinen Schlafanzug mitgebracht?

Junge Männer tragen so was nicht mehr, weißt du das nicht? Es war keiner da. Weißt du das nicht noch von damals, als er noch bei uns wohnte?

Wie soll ich wissen, worin er geschlafen hat?

Hast du ihn nie in Boxershorts, in Unterhosen, rumlaufen sehen? Im Sommer ist er oft so zum Frühstück gekommen.

Natürlich. Und hatte sie nicht die Sachen weggelegt, wenn sie aus der Wäsche kamen, und sie in die Schränke eingeordnet für die Männer der Familie, die pflichtbewußte Ehefrau und Mutter, von der das, auch wenn sie Ärztin war, erwartet wurde.

Ich hab mich nicht die ganze Zeit mit seinen Unterhosen beschäftigt.

Wahrscheinlich gibt es so vieles. Vieles, was wir vergessen hatten. Vergessen haben.

Warum sagst du nicht klar, was du meinst? Es ist schon schwer genug … zu reden, zu wissen, wovon wir reden. Ich hab das Gefühl, daß du mir gegenüber mißtrauisch bist. Du willst mich bei irgendwas erwischen, willst eine Erklärung von mir. Weil ich seine Mutter bin, müßte ich es wissen. Ich müßte wissen, *warum*.

Und ich bin sein Vater! Ich müßte es wissen!

Sie blieben so lange wie möglich auf, um die Nacht vor

dem Besuch im Gefängnis zu verkürzen. Er griff wahllos eine Woody-Allen-Kassette heraus und schob sie in das Videogerät. Als das kummervolle Gesicht erschien, erwähnte Claudia, daß die Kassette Duncan gehörte; sie hatten sie sich ausgeliehen und nicht zurückgebracht. Vielleicht war das ein Versuch, ein trauriger oder ironischer, mit dem sie versichern wollte, daß sie sich an etwas erinnerte, an etwas offen Gebliebenes zwischen ihnen und ihrem Sohn. Sie hörten, wie sie über Teile des Films lachten, dann war er vorbei, das Licht auf dem Bildschirm zog sich in sich zusammen und verschwand im Alp der Dunkelheit. Im Bett lagen sie umgeben von dieser Dunkelheit. Harald legte seinen Arm um ihre Taille, berührte aber ihre Brüste nicht. Seine Hand lag offen da. Sie hatten, seit der Bote gekommen war, nicht miteinander geschlafen. Es war ihnen nicht möglich. Vielleicht wäre es gut gewesen, vielleicht hätte es geholfen – schließlich hatten sie auch lachen können –, aber was sie wußten, aus der Gefängniszelle, verschloß ihren Körper, machte ihn impotent.

Er dachte, im Schutz der Dunkelheit könne er ihr vielleicht erzählen, was er auf der letzten Seite des Heftes gelesen hatte. Im Schutz der Dunkelheit: wo man verstehen konnte, wo sie verstehen konnten, was Dostojewski ihnen über ihren Sohn enthüllte, und ihrem Sohn über sich selbst. Claudia las medizinische Abhandlungen, wahrscheinlich hatte sie Dostojewski noch nie gelesen, er machte ihr deswegen keine Vorwürfe, auch nicht in Gedanken. Sie heilte, während er nur versichern, als Entschädigung für Schmerzen und Katastrophen nur Geld zusichern konnte. Aber wie konnte er erwarten, daß sie eine Passage eines Autors, mit dessen Denkweise sie nicht vertraut war, zu deuten vermochte.

In der Dunkelheit konnte er den Bezug zu dem Mädchen

als pragmatische, als notwendige Reaktion ausgeben. Der einzige ihnen offenstehende Weg war herauszufinden, was als nächstes zu tun war.

Sie muß uns besuchen kommen.

Wir haben ein Recht darauf. Wir müssen mit dem Mädchen reden.

Harald behielt den Schlüssel, den Khulu ihm gegeben hatte; er ging wieder ins Cottage und nahm in der Stille des verlassenen Schlafzimmers das Heft in die Hand. Er las noch einmal den Abschnitt, den sein Sohn so – wie? – aufwühlend gefunden hatte, ein Urteil, dem man nicht entkommen konnte. Oder war der Text eine solche Bestätigung seines Ego, seiner Macht, daß er ihn sich zu eigen machen, daß er damit angeben, danach leben konnte. Danach handeln konnte.

Harald blätterte die Seiten noch einmal durch. Er fand ein paar Zeilen, die ihm beim ersten Mal entgangen waren, zwischen banalen Notizen, noch ein Zitat, aber eins, das er nicht einordnen konnte. Es war in großer Schrift mit ineinandergreifenden Buchstaben hingemalt, wie wenn jemand sich an etwas erinnert und es blind im Dunkeln, halbwach, niederschreibt. »Ich bin die Flamme einer Kerze, die sich im Luftzug bewegt, den du nicht sehen kannst. Du willst derjenige sein, der mich beruhigt, damit ich brennen kann.« Danach kamen ein Schrägstrich und der Buchstabe ›N‹. Ein Erguß jugendlicher Selbstdramatisierung, im Original wahrscheinlich in Verszeilen geschrieben und wohl kaum in der gleichen Kategorie wie Dostojewski. Er nahm das Heft mit in sein Büro und schloß es in einer Schublade seines Schreibtisches ein. Es war etwas Vertrauliches, zwischen ihm und seinem Sohn als den beiden Literaturliebhabern in der Familie, in ihrem Wissen, daß der schreckliche Genius der Literatur Freiheiten gewähren konnte. Sein Sohn wußte nichts von dieser Vertraulichkeit. Er wußte nicht, daß sein Vater sich in die Privatsphäre seines Erwachsenenlebens eingeschlichen und seine kryptischen Zitate gestohlen hatte – in der Absicht, ihn zu entschlüsseln.

Hamilton Motsamai hatte schon Kontakt zu dem Mädchen aufgenommen – natürlich. Er streckte sich hinter seinem Schreibtisch und verwandelte ein funkelndes Gähnen in ein Lächeln, voller Toleranz gegenüber der Unwissenheit der Laien, die nicht wußten, daß die Rechtsanwälte ihnen im Denken voraus sein müssen. »Wir kennen diese Dame nicht. Sie haben sie ein paarmal gesehen? Sie hat sich nicht in einem sehr guten Licht dargestellt, wenn man ihr Verhalten in jener Nacht betrachtet. Ich erwarte eine gewisse Zurückhaltung, wenn es darum geht ... ahhäh ... (er schwenkte die gespreizten Hände durch die Luft), ihre kleine Vorstellung auf der Couch, soweit wir davon wissen, vor Gericht zur Sprache zu bringen. Es stört mich also überhaupt nicht, daß der Staatsanwalt sie als Belastungszeugin vorladen will. Das bedeutet, daß ich sie ins Kreuzverhör nehmen kann. Sie folgen mir? – Wenn ich sie als Zeugin für die Verteidigung aufrufen müßte, könnte ich das nicht tun. Aber ich habe auch ein Gesuch beim Staatsanwalt eingereicht, das nicht abschlägig beschieden worden ist. Er gewährt mir Zugang – ich kann sie haben. Habe die Erlaubnis, sie hierher zu holen. Anscheinend ist er im Moment noch unentschlossen, ob er sie einsetzen will oder nicht, aber ich bin überzeugt, er tut es, letztendlich. Bestimmt. Er wird also die Erlaubnis zurückziehen, nachdem ich mit ihr gesprochen habe, aber das ist in Ordnung, das stört mich nicht. Um ihr eigenes Fremdgehen in einem milderen Licht erscheinen zu lassen, wird sie möglicherweise versuchen, Abträgliches über Duncan zu sagen, was der Anklage entgegenkommen könnte. Aber ich glaube, ich kann eine Menge aus ihr herausholen, wenn ich sie im Zeugenstand hab. Viel hängt von ihrer Einstellung zu Ihrem Sohn ab. Fühlt sie sich ihm noch verbunden? Oder sind da Haßgefühle, Ressentiments gegen ihn, was heißen würde, daß sie trotz der Szene auf der Couch jede Mitverantwortung von sich weisen wird. Was ist mit *ihrem* Charakter? Wir kennen nur ihren Namen, Natalie James, sie hat bei einem Marktforschungsinstitut gearbeitet, sie war Stewardeß auf einem Kreuzfahrtschiff zu den griechischen Inseln, dann war sie Sekretärin bei einem Universitätsprofessor, und jetzt beschreibt sie sich als ›freie Mitarbeiterin‹, ich weiß aber nicht, wo. In welchem Bereich. Außerdem schreibt sie Gedichte. Ich hab ihr gesagt, daß Sie sie sprechen möchten. Sie sagt, sie will sich nur hier mit Ihnen treffen, in meiner Gegenwart. Nicht bei Ihnen zu Hause.«

Claudia hat den Kopf abgewandt, während Motsamai spricht, fast wirkt es, als wolle sie die Augen schließen, um sich besser auf das, was er sagt, zu konzentrieren.

»Haben Sie mit Duncan über sie gesprochen?«

»Er hat mir gesagt, sie seien ein Paar, aber jeder habe ›sein eigenes Leben gelebt‹ – so hat er sich ausgedrückt.«

Sie vereinbarten Tag und Zeit für ein Treffen mit dem Mädchen in der Kanzlei. An dem Morgen rief Claudia von der Praxis aus bei Harald an. Ein Vertreter des Wohnungsbauausschusses der Regierung war bei ihm, sie besprachen eine Vereinbarung über die Bedingungen für Niedrigzinsdarlehen, mit denen sich Tausende von armen Leuten ein Dach über dem Kopf würden leisten können. Es hatte langwierige Verhandlungen gegeben, die jetzt zum Abschluß gebracht werden mußten, wenn man nicht riskieren wollte, daß die Entscheidung erneut verschoben würde.

»Harald, ich komm nicht. Wir brauchen uns nicht mit

ihr zu treffen, wenn der Anwalt sich um sie kümmert. Ich will sie nicht sehen. Wir sollten das ihm überlassen.«

Als wäre er mitten in der Nacht wachgerüttelt und aus dem Bett gezerrt worden. Einen Moment lang begriff er nicht, worum es ging, er war zwischen zwei Dingen hin- und hergerissen. Der Mann von dem Ausschuß ordnete seine Papiere, um zu zeigen, daß er nicht zuhörte. Ein milder Zorn überkam Harald, Zorn auf Claudia, ihr Eindringen, ihre Erinnerung an das, was in ihrer beider Leben eingedrungen war und alles andere brutal verdrängt hatte – seine fünfzig Jahre –, das die Sonne verdunkelte und alles in Frage stellte, was er gelernt hatte: die Einsichten, die er aufgrund seiner Erkenntnisse des menschlichen Wesens gewonnen zu haben glaubte, und die Moralgrundsätze, die er geprüft hatte, die Befriedigung, die er aus seiner Arbeit schöpfte, und die Freude an akzeptierten Gefühlen, an der Liebe zwischen Mann und Frau, zwischen Eltern und Sohn, an der Freundschaft. Ein Zorn, der anschwoll und um sich schlug – auch gegen seinen Sohn, der sich selbst ins Gefängnis gebracht hatte. Jawohl! Alles in seinem Inneren war in Aufruhr, Kräfte, die, wenn sie nach außen durchbrachen, zu Gewalt führen konnten. Er konnte nicht sprechen, nicht einmal verhüllt entschuldigende, glättende, beruhigende Dinge sagen, die sich auf eine Situation bezogen, von der der andere Mann im Raum nichts wissen konnte. Sie redete weiter, war mitten in einem Satz, als er den Hörer auflegte.

Natalie-Nastasja. Motsamai sagte, sie sei schon da, auf die Toilette gegangen.

Das väterliche Auge, das sie bei ihrem Eintritt musterte, erkannte in ihr die junge Frau, die Duncan ein paarmal zu ihnen mitgebracht hatte. Sie war es, eindeutig. Mit einer anmutigen Bewegung schloß sie die Tür hinter sich, und Motsamai lächelte, dankbar für ihre Umsicht. Also spürte auch Motsamai die Anziehung, die sie auf manche – viele – Männer ausübte.

Die gleichen abfallenden Schultern wie bei einem Modigliani-Modell (und in dem Schlafzimmer, das er geplündert hatte, hing ein Akt von Modigliani, von ihm bisher kaum registriert, bis es ihm in diesem Augenblick bewußt wurde). Er war kein Mann, der auf die Kleider, die Frauen trugen, achtete, er war sich nur der Wirkung bewußt, doch schien es ihm, daß sie ähnlich angezogen war wie damals. Die Umrisse der Beine zeichneten sich in einer Art Ballettstrumpfhose ab, darüber ein loses Hemd, zu einem tiefen V-Ausschnitt über dem von der Sonne fleckig gebräunten Hals aufgeknöpft. Das Haar war irgendwie anders – was auch immer die frühere Farbe gewesen war, jetzt war es lackschwarz –, aber die Augen, der Blick, der auf ihm ruhte, war derselbe. Vielleicht gab es einen Winkel in seinem Gedächtnis, ein billiges Fotoalbum von Duncans Freundinnen, das da war, aber nie geöffnet wurde. Dies war sein Eindruck von ihr: dunkle Augen mit gelben Sprengseln (die Farben des Briefbeschwerers aus Tigerauge auf Motsamais Tisch), geheimnisvoll zwischen sehr dichten Wimpern, am oberen wie am unteren Lid, die sich an den äußeren Augenwinkeln ineinander verhakten. Und diese äußeren Winkel waren, sei es aufgrund ihrer natürlichen Gesichtsmuskulatur oder durch einen Ausdruck, um den sie sich ständig bemühte, nach unten gezogen. Ihre Augen waren eine Aussage, die, je nachdem, wer sie empfing, so zu deuten war: träge, verletzbar appellierend oder kalkulierend und warnend.

Wenn Duncan seine Mädchen – die Frauen in seinem Leben – in das Stadthaus brachte, konnte man (eigentlich) nicht sagen, daß er sie ›zu Hause‹ vorstellte. Das ›Zuhause‹, in dem er aufgewachsen war, hatten sie hinter sich gelassen, das war das Haus, das sie verkauft hatten, aufgegeben als eine unnötige Bürde. Wenn er mit einem Mädchen zum Essen kam, hieß das nicht, daß er sie seinen Eltern als jemanden vorstellte, mit dem er eine ernsthafte Beziehung hatte, es hieß aber auch nicht, daß sie nur eine flüchtige Bekanntschaft war. Wenn es solche oberflächlichen Beziehungen gab, dann wußten sie nichts davon. Denn diesen Mädchen gewährte er keinen Zutritt zu dem Bereich seines Lebens, den er aufgrund der gemeinsamen Vergangenheit mit Harald und Claudia teilte.

Er mußte sie mitgebracht haben, weil sie zumindest die Art von Persönlichkeit hatte, die Duncan interessierte. Um ehrlich zu sein, war das seine, Haralds, Art, über die Kriterien nachzudenken, anhand derer ein Sohn den Eltern eine Geliebte vorstellte. Wie Claudia darüber dachte – sie hatte von ihr als ›dem kleinen Miststück, das sich bei ihm eingenistet hatte‹, gesprochen. Wie konnte sie diesen Eindruck nach den wenigen Malen gewinnen, die Duncan mit dem Mädchen in das Stadthaus gekommen war – ach ja, und das eine Mal, als Duncan Theaterkarten gekauft hatte und sie zu viert im Theater gewesen waren –, eine Situation, in der man zuhörte und zuschaute und nicht viel miteinander zu reden brauchte. Frauen haben ihre eigene Sichtweise aufeinander, und man muß ihrem Geschlecht angehören, um so reden zu können, wie sie es tun, seien ihre Äußerungen nun gerecht oder nicht. Was auch immer dieses Mädchen war, sie war – von Claudia – als der Grund für die schrecklichen Konsequenzen verurteilt worden, die sich daraus ergeben hatten, daß Duncan in ihr Leben verwickelt war. Doch wie konnte sie, Claudia, gleichzeitig glauben, daß einerseits Duncan die Tat nicht hatte begehen können, diese letzte Tat aller menschlichen Taten, nicht wiedergutzumachen und unumkehrbar, und daß andererseits dieses Mädchen, diese ›kleine Ziege‹, so wichtig für ihn war, daß ihr Verhalten der Anlaß dafür gewesen war, daß er dieser Tat verdächtigt wurde.

Die quälenden Überlegungen paßten nicht hierher: Er hatte den Faden verloren. Sie saßen zu dritt – er, das Mädchen, Motsamai – in der Anwaltskanzlei. Was hatte Motsamai gerade gesagt? *Mr. Lindgard möchte natürlich gerne Ihre Darstellung der Ereignisse des Donnerstagabends hören.*

Die schlanken Hände ineinander verschlungen, die Finger mit den leicht nach oben gerichteten Kuppen ruhen auf ihren Oberschenkeln. »Ich hab es Ihnen schon erzählt. Sie können die Information doch weitergeben.«

Sie antwortete dem Anwalt, richtete die Antwort aber an Duncans Vater; unter den Ponyfransen, die auf ihrer Stirn lagen, blickten ihre Augen ihn unverwandt an. Sie sah aus wie jemand, der einen verfluchen konnte. Rasch schob er das beiseite, was ihr peinlich sein mochte. »Wir sind nicht an Ihrem Verhalten an jenem Abend interessiert. Lediglich an Ihren sonstigen Beobachtungen. Hinsichtlich Duncans Zustand. Wie war seine Stimmung bis zu diesem Abend, Sie haben mit ihm gelebt – was war das für eine Beziehung?«

Und sein unter ihrem Blick entblößtes Gesicht sagte, nur ihr: Wer sind Sie, was haben Sie mit ihm gemacht?

»Er war derjenige, der mich gefragt hat, ob ich bei ihm einziehen wollte. Er hat das entschieden.«

»Das reicht nicht. Warum sind Sie eingezogen?«

»Ich weiß nicht. Er schien eine Lösung zu sein. Sie wollen doch sicher nicht meine ganze Lebensgeschichte hören.«

Obwohl sie, nicht der in der Zelle, hier die Beschuldigte war, machte sie diese letzte Bemerkung mit einem Charme, der seine Wirkung auf die beiden Männer, ihre Inquisitoren, nicht verfehlte.

»Nur insoweit, als es Mr. Motsamai bei Duncans Verteidigung hilfreich sein könnte. Wissen Sie nicht, daß Duncan in Gefahr ist? Wir sprechen hier, als wären Sie eine Fremde für ihn, aber Sie haben mit ihm gelebt, im selben Bett mit ihm geschlafen, Herr im Himmel! Um es klar zu sagen, Ihr Leben ist Ihr Leben, ja, aber was Sie an dem Abend getan haben, kann doch nicht aus heiterem Himmel passiert sein; was immer Ihre Beziehung ausgemacht hat, es muß doch damit zu tun gehabt haben – was Sie getan haben, muß gewissermaßen eine Folge von etwas gewesen sein? Hatten Sie sich gestritten? Gab es eine Krise, oder war es einfach ein weiterer Vorfall, wie Sie beide ihn schon zuvor hingenommen hatten? Verstehen Sie nicht, daß das wichtig ist?«

Sie hörte aufmerksam zu, nachdenklich, als lauschte sie einer Stimme, die undeutlich auf einer anderen Wellenlänge zu vernehmen war.

»Duncan ist jemand, der das Leben anderer bestimmen will. Unbedingt. Er kann einen nicht in Ruhe lassen. Er manipuliert gern, er kann gar nicht anders. Und wenn man sich ihm widersetzt, wird er ziemlich gemein, und man widersetzt sich, weil das, was er tut, was er einem anbietet, nicht das ist, was man möchte. Und je mehr er nicht bekommt, was er will, desto schlimmer wird es. Ich glaube, Sie haben keine Ahnung, wie er ist.« Sie machte eine Geste schaudernder Bewunderung.

»Aber Sie sind geblieben. Sie sind bei ihm geblieben, bis Sie in Ihr Auto gestiegen und weggefahren sind und ihn in jener Nacht alleingelassen haben und nicht zurückgekommen sind.«

Sie sah ihm immer noch voll ins Gesicht, die Hände immer noch ruhig ineinander verschlungen.

Dann schloß sie einen Moment lang die Augen. Die schwarzen Wimpern lagen auf ihren Wangen.

»Ich war frei.«

»Sie hatten also Angst vor meinem Sohn.«

»Er hatte Angst vor mir.«

Als sie gegangen war, blieb er in Motsamais Kanzlei sitzen, sein Blick glitt über die juristischen Handbücher mit ihren Lesezeichen aus Papierstreifen, mit denen wichtige Abschnitte markiert waren, die über – nicht Gerechtigkeit, Gerechtigkeit bedeutete für ihn nicht mehr dasselbe wie früher –, sondern über einen Ausweg beschieden. Das Gesetz als Schnitzeljagd, Paragraphen, die durch den Wald führen konnten. Motsamai bat über die Sprechanlage um Kaffee und machte dann, ohne eine Erklärung seinem Klienten gegenüber, die Bestellung rückgängig. Er trat hinter seinem Tisch hervor und ging zu einem Schrank mit bronzenen Griffen. Darin gab es neben Aktenordnern ein inneres Fach, in dem Gläser kopfüber in geschnitzten Halterungen hingen, wie in einer eleganten Bar. Er hatte in jeder Hand eine Flasche, Whisky oder Brandy, war die Frage. Harald deutete mit dem Kopf auf die Brandyflasche. Motsamai schenkte ihnen beiden großzügig ein. Es war eine kleine Geste liebenswürdigen, wortlosen Takts, die ganz unerwartet von diesem Mann kam. Harald konnte zu ihm sagen: »Sie glaubt also, daß Duncan den Mann, den er beim Vögeln mit ihr erwischt hat, umgebracht hat.«

»Sie weiß, was für eine Art Frau sie ist. Das ist unser Ausgangspunkt.«

Motsamai sog an seiner Zunge, um den Nachgeschmack des Brandys zu genießen. Er war offensichtlich ein Mann, der den Geschmack liebte – wie ein Baby an der Brust der Mutter.

»Ach ja?«

»Mann, sie hat ihn maßlos provoziert, hat ihn um den Verstand gebracht, nicht nur an dem Abend mit ihrem exhibitionistischen Verhalten, sondern über ein Jahr lang vor diesem Abend. Der war nur der Gipfel.«

»So stellt sie das nicht dar. Sie sagt, er war es. Er war derjenige, der, wie hat sie es genannt, ziemlich gemein werden konnte.«

»Ja, aber Sie haben es selbst gesagt – sie ist geblieben. Und haben Sie es gehört: Er hatte Angst vor mir. Das hat sie gesagt, als Sie fragten, ob sie bei all ihren Beschwerden, allen Beschuldigungen gegen ihn Angst vor Ihrem Sohn hatte. Sie ist geblieben. Sie ist geblieben!«

Weil er schrecklicher als das Wasser war, verehrter Herr Rechtsanwalt. Aber diese Selbstverurteilung des Angeklagten war nichts für die Ohren der Anwälte, noch nicht, wenn überhaupt je. Die Vorbereitung eines Falles macht einen Ausleseprozeß erforderlich, wie der Laie lernen muß. Harald hatte Erfahrung darin, wie man in ganz anderen Zusammenhängen – in den Konferenzen des Vorstands, bei denen er manchmal den Vorsitz führte – Nuancen erfaßte. Manche Fakten waren für den Anwalt nützlich, andere würden der klaren Argumentation vor Gericht nur schaden – wie also vorgehen?

Motsamai glitt zwischen den imposanten, mit kastanienbraunem Leder bezogenen Sessel und den Schreibtisch und setzte sich wieder. Was er zu sagen hatte, mußte von dort gesagt werden und nicht lässig im Stehen bei einem gemeinsamen Drink. »Harald, es ist nicht mehr von Bedeutung, ob Fingerabdrücke auf der Waffe gefunden werden. Mein Klient hat mich instruiert.«

»Duncan hat es Ihnen gesagt.«

»Ja. Duncan hat es mir gesagt.«

»Er hat es Ihnen gesagt. Und er hat Ihnen gesagt, Sie sollen es uns sagen.«

»Ja. Ah-häh.«

Dieser gedehnte Laut aus tiefer Brust kann alles sein, ist alles, ein Erkennen, eine Klage. Als er hörte, wie der Mann ihn mit seinem Vornamen ansprach, zum ersten Mal, wußte er, was er sagen wollte, in einer viel älteren Form, jenseits von Wörtern.

»Das ist also das Ende.«

»Nein, das ist keineswegs das Ende. Es ist der Anfang unserer Arbeit.«

»Sie und sein guter Freund, sein Anwalt.«

Ein Prickeln geht durch seinen ganzen Körper, die Droge einer unbekannten Emotion, die ihm in dieser luxuriösen Kanzlei der Verdammnis injiziert wird und nun die Bedeutung aller anderen Wohnstätten auf dieser Erde, in diesem Leben verdrängt.

»Muß ein Anwalt die Vertretung eines Menschen übernehmen, der seine Schuld bekennt? Der sich bereits selbst verurteilt hat? Was gibt es da noch zu verteidigen.«

»Natürlich muß ein Anwalt eine solche Vertretung übernehmen! Der Mensch hat das Recht, unter Einbeziehung vieler Fakten im Zusammenhang mit der gestandenen Tat verurteilt zu werden. Die Umstände der Tat können das Gewicht der Anklage ganz wesentlich beeinflussen. Der Angeklagte kann sich selbst verurteilen, aber er kann nicht sein Urteil sprechen. Das kann nur der Richter. Das kann nur das Gericht. Im Hinblick auf das mögliche Strafmaß ist dies jetzt der Anfang des Falles, Mann! Worauf wir uns konzentrieren müssen, ist folgendes: die Strafe darf nicht einen Tag länger, nicht eine Idee härter ausfallen, als die mildernden Umstände es zulassen. Er hat sein Schweigen gebrochen, Harald – Ihr Sohn redet mit mir. Es gibt Aspekte in dieser Sache, derer sich die Verteidigung annehmen muß, diese Verteidigung ist noch sehr am Leben!«

Der Gefängnisbesuch bei einem Mörder.

Als er aus der Kanzlei des Verteidigers nach Hause kam und es ihr sagte, erschienen scharlachrote Flecken in ihrem Gesicht wie bei einer heftigen Allergie, es war schockierend. Eine grobe Anstößigkeit vor seinen Augen. Er wünschte sich gequält, sie möge weinen, damit er sie in den Arm nehmen konnte.

Dumpf besprachen sie noch einmal, was der Anwalt über seinen Auftrag, seine Aufgabe gesagt hatte. Das Prinzip des Gesetzes, unschuldig, bis der Nachweis der Schuld erbracht war – der Grundsatz, an dem sie mit allen anderen, die nie eine größere Gesetzesüberschreitung begehen als eine Verkehrswidrigkeit, festgehalten hatten –, war umgestoßen worden. Die Bestürzung im Staub dieses Ereignisses isolierte sie. Jeder sprach für sich, es gelang ihnen nicht, den anderen zu erreichen. Jede andere Frau hätte doch geweint, ein Wehklagen um den Sohn angestimmt, und er hätte sie in die Arme nehmen, ihr nahe sein können. Statt dessen sagte er: Wir wissen weniger als vorher. Motsamai hat ihm die einzige Frage, die wichtig war, nicht gestellt. Die mir – uns wichtig ist. Nicht das Warum – das ist das einzige, was Motsamai interessiert, das ist die Verteidigung. Es geht auch um das Wie. Wie konnte er es tun. Wie konnte sich Duncan dazu bringen, *es zu tun*, eine Waffe zu nehmen und zu töten? Er ist schließlich du und ich, und wir können es doch nicht wissen. Nicht, weil er es Motsamai oder uns nicht erzählen wird. So etwas kann man nicht ›erzählen‹. Es muß in einem sein. In ihm.

Claudia ging in die Küche, um etwas zu essen zu holen, weil es ungefähr die Zeit sein mußte, um die sie normalerweise aßen. Er kümmerte sich nie um diese häuslichen Dinge. Er folgte ihr, aus einer gewissen Höflichkeit, mehr war in ihrer Situation nicht übrig. Es gab nichts weiter zu sagen, vielleicht hatte er schon zuviel gesagt. Worüber Claudia nachgedacht hatte, womit ihre Gedanken in dem bohrenden Schweigen in der Küche beschäftigt waren, kam am nächsten Tag zum Vorschein, als sie zum Carport gingen, auf dem Weg zum Gefängnis. Als sich eins der harten Blätter der Strelitzien in ihrem Haar verfing, wich sie aus, und sie blieben einen Moment stehen. Er drehte sich um, um zu sehen, was sie aufhielt. Ein Lächeln ging über ihr Gesicht und verschwand ebenso rasch. Du hast damals schon, an dem Abend, gedacht, daß er es getan haben könnte. Stimmt's? Du hast es für möglich gehalten. Du wußtest es schon vor dem Geständnis beim Anwalt.

Beim ersten Mal hatte ihr Sohn in der Rolle des Häftlings auf der anderen Seite des Tisches im Besuchszimmer des Gefängnisses gesessen, heute kam er in der Rolle eines Mörders herein, als einer, der sich selbst beschuldigt und als Mörder definiert hatte. Duncan. Claudia überstand die halbe Stunde mit der Beherrschtheit ihres Berufes, eine Gefaßtheit, die ihr bei keinem Schicksalsschlag abhanden kam. Das Schuldbekenntnis als Diagnose. Wieder kam die Frage des Anwalts auf. War der Patient wirklich zufrieden mit der Kompetenz des Mannes, der den Fall übernommen hatte, war er hinreichend beeindruckt von Motsamai, jetzt, da er mit ihm gesprochen hatte? Sollte man nicht eine zweite Meinung einholen? Es gab viele erfahrene Anwälte, würde sich das nicht lohnen? Die Diagnose selbst, die furchtbare Bösartigkeit, die sie offengelegt hat, steht nicht zur Debatte. Sein Vater bestätigt: »Ich hatte auch Gelegenheit, mit Motsamai zu sprechen. Ich glaube, er ist ein intelligenter Mann. Und er weiß, daß du einen intelligenten

Mann brauchst. Ich meine, wir sollten es ihm überlassen, ob er noch einen anderen Anwalt zur Beratung hinzuziehen will. Falls es jemanden gibt, dessen Erfahrung mit Fällen dieser Art er sich zunutze machen möchte.«

Ihr Sohn – in seiner neuen Rolle, da sitzt er, trägt eines der Hemden, die sein Vater ihm aus dem Cottage geholt hat, ihr Sohn, der einen Menschen umgebracht hat –, er beobachtet sie nicht ruhig wie bei ihren früheren Besuchen, als sie ihm die Vorstellung vermittelten, daß sie da waren, weil sie wußten, daß er nicht getan hatte, was er getan hatte; ein anderer würde gefaßt werden, der die Waffe in das Farngestrüpp geworfen hatte. Er ist abgelenkt, unruhig, die Hände wie die Augen. Sie fragt ihn sogar, ob er Fieber hat. Das ist alles, wovon sie etwas versteht, arme liebende Mutter, arme Frau.

Was könnte sie bei dieser Art von Fieber verschreiben?

»Motsamai ist ein bißchen pompös, aber er ist in Ordnung. Ich versteh mich mit ihm. Ihr seid also bei ihm gewesen. Ihr wißt, was es zu wissen gibt.«

»Nein. Wir wissen nicht, was es zu wissen gibt. Nur deine Entscheidung. Und daß er sie akzeptiert. Und keine Alternative anbieten kann. Duncan.«

Plötzlich streckt Duncan die Hand aus, die Hand eines Ertrinkenden, der aus der Tiefe ein Zeichen gibt, und greift über den Tisch hinweg nach der seines Vaters. Sein Blick irrt zwischen Harald und Claudia hin und her. »Ich hätte es verstanden, wenn ihr nicht mehr gekommen wärt, nach dem.«

Näher wird Duncan einem Eingeständnis dessen, was er ihnen angetan hat, nie kommen.

Nicht nur der Mann auf der Couch ist sein Opfer. Harald und Claudia tragen jetzt beide einen bösartigen Groll gegen ihren Sohn in sich, dessen Vorhandensein sie für ebenso unmöglich gehalten hätten, wie die Fähigkeit, jemanden umzubringen, in ihm. Es ist ein beschämendes Gefühl. Was beschämend ist, kann man einander nicht mitteilen. Was beschämend ist, trennt. Aber die Möglichkeit, mit dem Groll fertig zu werden, wird sich, muß sich für sie beide einzeln ergeben. Der Groll ist beschämend, auch weil sie sich die Frage stellen müssen, ob sie ihm etwas angetan haben. Liegt die Antwort vielleicht darin? Harald wird von den Jesuiten angeleitet, Claudia von Freud.

Es ist, als müßten sie den Sohn noch einmal zeugen, noch einmal hervorbringen.

Ihn zu zeugen, war lustvoll gewesen, das weiß Harald. Die Verwandlung des Ichs in der ersten sexuellen Liebe, in ihrer erregenden Frische, läßt sich nur schwer in Erinnerung rufen – nicht nur das Hymen wird zerrissen, die zarte Haut, unter dem die Flügel der Gefühle und der Identifizierung mit allen Lebewesen gefaltet liegen, bricht auf und gibt frei. Harald war Claudias erster Geliebter, sie war damals die jüngste Medizinstudentin in ihrem Jahrgang und er konnte sich nicht entschließen, ob er das Ingenieurstudium abbrechen und zur Wirtschaftswissenschaft wechseln sollte. Das berauschende Selbstbewußtsein der Verliebtheit gab ihm den Mut, seinen Vater zu enttäuschen und mit einer Familientradition von Ingenieuren zu brechen, die bis zu seinem aus Norwegen eingewanderten Urgroßvater zurückreichte.

Claudias Vater war Kardiologe, und in ihrer Kindheit hatte sie schon mit einem alten Stethoskop Arzt gespielt. Sie enttäuschte niemanden, denn ihre Mutter war eine Lehrerin, deren erwachender Feminismus sich eine ehrgeizigere Karriere für ihre Tochter wünschte.

Harald und sein Mädchen, Claudia und ihr Freund (so sahen die Eltern das damals, in den sechziger Jahren) waren ein Paar und zu jung zum Heiraten, was sie aber doch taten, als Claudia merkte, daß sie schwanger war. Lust bei seiner Zeugung. Was an dem Paarungsakt so faszinierend war, was die unwiderstehliche Anziehung des Partners ausmachte, ist etwas, das nicht nur eine neue Perspektive bekommt durch das, was man von dem anderen im Laufe der Jahre erfährt, sondern es enthüllt auch etwas, das von allem Anfang an da und zu sehen war, aber nicht gesehen wurde. Claudia, noch so jung, war schon damals erfüllt von der Vorstellung, daß das Heilen des Körpers sie und alle möglichen menschlichen Verpflichtungen befriedigte – ein Schicksal, wenn man denn einen so altmodischen, hochtrabenden Begriff verwenden wollte. Harald, der nicht in der Lage war, sich einer solchen Selbstdefinition zu verschreiben, entschied sich für einen Beruf, der ihn interessierte, weil er ihm weitgehende Unabhängigkeit gewährte; schon damals trug er die Bedeutungen des Lebens in Schichten ab wie alte Farbe. Keiner der beiden fühlte sich von den Blumenkindern jener Zeit angezogen. Einander zu lieben, miteinander zu schlafen, war etwas Ausschließliches und Ernstes – hoffnungslos, jetzt verstehen zu wollen, was es ihnen damals bedeutet hatte –, wie hätten sie sich gleichzeitig der Unvereinbarkeiten bewußt werden können, die sie unpassend füreinander machten, während doch ihre Körper in freudiger Offenbarung zueinander paßten. Und sie hatten diese Unvereinbarkeiten überwunden – nein, waren mit ihnen zurechtgekommen, in den verschiedenen Stadien, in der Ehe, in der Liebe zueinander, im Unterschied zur Verliebtheit –, Unvereinbarkeiten, die um die Zeit der Zeugung beiseite geschoben worden waren, aber da waren. Ein Sohn wurde ihnen geboren.

Der sich dahinschlängelnde Samen und seine Empfängnis durch das weibliche Ei – was bei der Zeugung zusammenkommt, ist das, was die Eltern und die beiden Ströme der Ahnen ausmacht. Aber dann könnte man bis zu Adam und Eva zurückgehen, wenn man darin Hinweise sucht. Hamilton Motsamai, dem das Leben ihres Sohnes – und ihr Leben – anvertraut ist, kann seine Familiengeschichte sicherlich kraft einer gesprochenen Sprache, kraft mündlicher Überlieferung, durch Lieder und Zeremonien, die im Land seiner Geburt überlebt haben, zurückverfolgen. Für diejenigen, deren Vorfahren aus ihrem Land aufbrachen, um zu erobern, oder die ihr Land verließen, weil sie verfolgt wurden oder arm waren, beginnt die Ahnenreihe mit dem Großvater, der auswanderte. Es gibt ein Altes Land und ein Neues Land, und das Erbe dessen, der dort gezeugt wird, beginnt mit dem Neuen Land, den Kreuzungen, die dort entstanden sind. Der norwegische Großvater war Protestant, aber Haralds Vater Peter heiratete eine Katholikin, deren Vorfahren Iren waren, und das ist der Grund, warum Harald einen skandinavischen Vornamen hat, aber als Katholik erzogen wurde. Claudias Eltern waren nur einmal, auf einer Europareise, in Schottland gewesen, aber ihr Vater, der Arzt, dessen Schülerin sie war, war nach einem schottischen Großvater benannt, der auswanderte, keiner weiß mehr, wann, und deswegen erhielt Claudias Sohn den genetisch kodifizierten Namen Duncan Peter Lindgard.

Ein Angelhaken, der in seinem Finger festsaß.

Wann kamen bestimmte Dinge hinzu, arbeiteten sich in das Vorhandene hinein, verbanden sich mit dem Geerbten, konnten nicht mehr entfernt werden?

Er machte mehr mit seinem Vater, sie unternahmen viel gemeinsam. Sie nimmt an, daß das natürlich ist, wenn das Kind ein Junge ist. Insofern hat der Vater eine besondere Verantwortung. Sein Vater nahm ihn mit zum Angeln, und der Angelhaken grub sich in die weiche Wölbung seines Mittelfingers. Da war er ungefähr sechs Jahre alt. Vielleicht nicht ganz. Er wurde nach Hause gebracht, zu seiner Mutter, der Ärztin, damit sie mit ihren geübten Händen sanft den Haken entfernte und ihm so wenig wie möglich weh tat, ein frühes Beispiel für ihn. Der menschliche Körper darf nicht willentlich verletzt werden.

Als Kind konnte er das Gleichgewicht perfekt halten – wie ein Vogel auf einem Baumwipfel.

Das Bild kam Harald aus der Zeit in den Sinn, als sie zusammen loszogen und Vögel beobachteten. Sie, Claudia, erfand Ausreden, um nicht mitkommen zu müssen, es war ihr zu langweilig, das Warten, bis ein Vogel sich irgendwo niederließ, das Absuchen des leeren Himmels, bis eine Scherenschnittform vor das Fernglas glitt – der Junge suchte in wichtigem Ernst die entsprechende Abbildung im Vogelbuch auf, schon als er noch zu klein war, um den Text zu lesen. Ein Bild kam näher, aus jener Zeit, so wie die Linse des Fernglases es von weit herholt: Sonnenstrahlen fielen zwischen den dürr aufragenden Bäumen des Waldes hindurch (wo, in welchem Jahr?), lagen in Streifen auf dem kleinen Jungen, und während er sich vorsichtig bewegte, um kein Geschöpf in der Natur aufzuschrecken, war er selbst wie ein kleines Tier. Welch ein Respekt vor dem Leben.

Als ihr Hund getötet werden mußte – wie hätte Claudia sich das nicht noch einmal vergegenwärtigen können, als sie allein war, hatte sie es tun müssen, weil er sie flehentlich bat, es nicht dem Tierarzt zu überlassen. Er war zehn oder elf, er wollte, daß seine Mutter, die Ärztin, es tat, weil er darauf vertraute, daß sie ihm keine Schmerzen zufügen würde, er wollte, daß sie das Tier ›einschläferte‹ (sie vermieden natürlich das Wort ›Töten‹), das inzwischen, während er selbst immer größer und stärker wurde, alt und zu schwach zum Laufen geworden war. Sie tat es ohne Zögern, weil sie seine schmerzliche, fast erwachsene Unentschlossenheit sah. Und hinterher stand in seinem bedrückten Gesicht das Bewußtsein, daß sie es beide getan hatten, ein Vorwurf gegen sie, weil sie seine Komplizin gewesen war. Die Erwachsenen mußten doch einem Tier ewiges Leben geben können, den Tod abschaffen.

Diese sentimentale Erforschung der Vergangenheit, dessen, was er war, ist etwas, worauf beide, Claudia und Harald, in dem anderen aufmerksam achten, nicht weil jeder einen schwachen Trost von dem anderen erwartet, sondern weil etwas Schmerzhaftes, etwas Belastendes für den einen oder anderen aufgedeckt werden könnte. Irgend jemand muß doch die Schuld haben. Wenn Duncan sagt, daß er schuldig ist. Manchmal lassen sie eine Bemerkung fallen, die auf diese Suche hinweist: Während sie den Hund ausführen (sie haben beschlossen, das Verbot der Haustierhaltung im Wohnpark zu mißachten, das ist das mindeste, was sie tun können, für ihren Sohn), erinnert sie ihn plötzlich daran, wie der Junge sich ausgedrückt hat, besonders, wenn er fasziniert von dem war, was er gerade gelernt hatte. *»Papier ist aus Bäumen, der Regen ist das Wasser, das von der Erde kommt, wenn die Sonne sie erwärmt. Alles ist etwas anderes. Und die Tränen? Wenn ich weine?«*

Ich kann mich nicht erinnern, daß er je viel Grund zum Weinen gehabt hätte. Er war ein glückliches Kind. Er ist so gut wie nie bestraft worden.

Sie sah sein Gesicht vor sich, wenn es bei einem kindlichen Wutanfall knallrot wurde, weiß um den Mund.

Weil du das immer mir überlassen hast.

Dann warst du also der Grund für die Tränen.

Etwas zu erwidern, hätte bedeutet, sich darauf einzulassen. Sie ließ sich von dem Hund an der Leine vorwärtstreiben. Beiden Eltern lag die Erhaltung des Lebens am Herzen. Auch er sorgte gewissermaßen dafür (mit Profit, zugegeben, aber auch sie wurde für fast alle ihre Dienstleistungen bezahlt, oder etwa nicht?), daß die Menschen für Unglücksfälle entschädigt wurden, und in letzter Zeit stellte er Geld für Obdachlose bereit, damit sie ein Dach über den Kopf bekamen. Das Militär – das Militär. *Dort* wurde die Lebensmoral, die der Sohn von seinen Eltern mitbekommen hatte, verkehrt. Während seines Militärdienstes hatte man ihm das Töten beigebracht; ob getarnt als Kasernenhofdrill, als Manöver oder als Ballistikkurs (das Kaliber der im Farn gefundenen Waffe stand fest), immer ging es um die Erlaubnis zu töten. Darum, daß es Umstände gibt, unter denen es sowohl nach menschlichen als auch nach göttlichen Gesetzen gerechtfertigt ist – obwohl Gottes vermeintliche Strafandrohung vielleicht nicht wirklich zu ihm durchgedrungen war. Harald hatte aus Duncan einen Leser gemacht, aber war es ihm auch gelungen, einen Gläubigen aus ihm zu machen?

Krieg war das Recht, Leben zu nehmen: ein Gemeinplatz.

Harald spricht es an, aber er nimmt ihm zugleich die Bedeutung.

Aber hat er jemals richtig kämpfen müssen? Wir wissen,

daß er das nicht mußte, wir haben Gott gedankt, daß es nicht so war.

Du hast ihm gesagt, das Militär sei eine Erfahrung, die den Menschen brutalisiere.

Das stimmt. Und welche anderen Möglichkeiten hatten wir? Du wolltest ja nicht, daß wir ihn wegschicken. Außer Landes. Eine brutalisierende Erfahrung, ein moralischer Schlamassel, aber Millionen sind damit zurechtgekommen. Er hat nur auf Zielscheiben geschossen.

Er hat uns erzählt, daß sie die Form von Menschen hatten.

Etwas Schreckliches ist geschehen.

Liebe Mama, lieber Papa,
es ist etwas Schreckliches passiert. Am Samstag haben wir Fußball gespielt, mit der 2. Mannschaft, das ist die, in der ich bin. Dann ist ein Junge aus der Junior School in die Turnhalle gegangen, weil er etwas holen wollte, und plötzlich schrie er so laut, daß wir es sogar auf dem Fußballplatz gehört haben. Er hat gesehen, daß jemand an einem Balken hing, da, wo der Sandsack ist. Es war Robertse aus der fünften Klasse. Er hatte sich aufgehängt. Der alte McLeod und die anderen Lehrer sind reingegangen, aber wir mußten draußen bleiben. Aber wir haben gesehen, wie sie etwas, das in ein Laken gewickelt war, rausgebracht haben. Dann kam ein Krankenwagen und die Polizei. Aber wir mußten in unseren Schlafräumen oder im Gemeinschaftsraum bleiben.

Die zweite Seite des Briefes ist verlorengegangen, obwohl sie den Brief aufgehoben haben mußte als etwas, dessen Gültigkeit die Schulzeit, das Jugendalter überdauern würde. Er lag bei den Papieren, in denen die Schutzmaßnahmen, die Eltern für ihr Kind treffen, die Verpflichtungen, die sie eingehen, belegt sind: Auffrischungsimpfungen gegen Kinderlähmung, Unterlagen über eine kieferorthopädische Behandlung, Impfungen gegen Tetanus und Hepatitis als vorbeugende Maßnahme für eine Klassenreise nach Simbabwe. Dieser Brief kam ihr jetzt wieder in den Sinn, und sie suchte ihn unter all den anderen Papieren, die sie vielleicht sinnloserweise aufhob.

Als Claudia und Harald diesen Brief bekamen, hatten sie seltsam verstört reagiert. Jetzt erkannte sie, daß dies das in Vergessenheit geratene andere Mal war, das erste Mal, als sie von einem Ereignis überrollt wurden, das keinen Platz in ihrer Art zu leben hatte, in dem Leben, das sie, wie sie glaubten, ihrem Sohn garantiert hatten. (Eine liberale Erziehung – deren Liberalität jedoch nicht so weit ging, Schwarze wie Motsamai zuzulassen, das wurde ihnen jetzt bewußt.) Was konnte einen Schuljungen, einen Mitschüler ihres eigenen Sohnes, der im Schutz desselben Umfelds, derselben sorgsam begrenzten Erfahrungen, derselben ausgewählten zivilisierten ethischen Grundsätze aufwuchs – niemals hätten sie Duncan einer Schule anvertraut, in der die Prügelstrafe praktiziert wurde –, was konnte einen solchen Jungen dazu bewegen, sich zu erhängen? Der Gedanke war schrecklich – auch wenn das Geschehen sie damals nicht direkt betroffen hatte. Die Beklommenheit, die sie spürten, entsprang der Erkenntnis, daß es in den Kindern angelegte Gefahren gab, Gefahren im Leben an sich. Man konnte sich davor nicht schützen. Niemand kann ahnen, was in einem anderen vorgeht, auch nicht im eigenen Kind, niemand kann ahnen, worin diese zerstörerischen Kräfte, die Urängste und elementaren Triebe bestehen. Harald und Claudia – sie hätten die Eltern des Jungen sein können, sie waren das Ebenbild der Eltern, zahlten das gleiche Schulgeld, billigten die aufgeklärte Erziehungsphilosophie der liberalen Lehrerschaft, hatten eine koedukative Schule gewählt, damit der Junge, der ohne Schwestern aufwuchs, einen natürlichen Umgang mit dem anderen Geschlecht lernte. Und jetzt bekamen sie Angst – Angst davor, daß ihr Sohn womöglich Bedrohungen ausgesetzt war, von denen sie nichts wußten und gegen die sie nichts tun konnten. Sie schrieben ihm –

schrieb sie? – oder sie besuchten ihn. Sie hörte sich zu Harald sagen: Ich will, daß du Duncan sagst, daß er immer – was auch immer ihm zustößt, egal was er getan hat –, daß er immer zu uns kommen kann. *Es gibt nichts, was du uns nicht sagen kannst. Nichts. Wir sind immer für dich da. Immer.* Und so hatten sie das Gefühl gehabt, daß Duncan geborgen war. Dafür hatten sie gesorgt.

Weißt du noch damals, als das mit diesem Robertse war, was du zu Duncan gesagt hast?

Ich erinner mich, daß *du* mit ihm gesprochen hast, wir hatten die Erlaubnis bekommen, ihn zum Mittagessen aus der Schule zu nehmen, und sind irgendwo in ein Gartenlokal gegangen – es gab nichts anderes. Irgendwie war es nicht das Richtige. Ist ja auch egal.

Nein, nein, wir hatten über die Sache gesprochen und beschlossen, daß wir ihm etwas sagen wollten, was er nicht vergessen würde, und du hast es ihm gesagt.

Warum soll ich das gewesen sein? Es kam von seiner Mutter, das war doch klar.

Weil du der Mann bist und er der Junge. Vielleicht haben wir gedacht, daß ihr – was weiß ich – gemeinsame männliche Erfahrungen hättet, in Zukunft wenigstens, die ich nicht haben würde.

Es war ja auch egal, wer dem Jungen das Versprechen gab – es kam von beiden. Es war das Dokument, das sie vorwiesen, als er im Besuchszimmer des Gefängnisses sagte: Ich hätte es verstanden, wenn ihr nicht mehr gekommen wärt.

Wenn jemand von einer Katastrophe heimgesucht wird, die alles Maß zu überschreiten scheint, muß sie dann nicht erzählt, besprochen werden?

Haralds Abhängigkeit von Büchern nahm pathologische Züge an: Er las bis spät in die Nacht, und die Versuche der Schriftsteller, das menschliche Mysterium zu erhellen, machten es ihm erst möglich, am Morgen aufzustehen und sich auf den Konferenzen seiner Firma zu zeigen. Er holte alte Bücher wieder hervor, las sie noch einmal, und die Darstellung einer anderen Zeit entrückte ihn der Gegenwart, in der sein Sohn darauf wartete, daß man ihm wegen Mordes den Prozeß machte. Aber wie sein Sohn stieß er auf Texte, die sich ihm tief einprägten, auch wenn sie nicht in dem Heft niedergeschrieben wurden, das eingeschlossen in seinem Büro lag. »Der Mensch sei, wie er habe sein wollen und bis zu seiner Vertilgung sein zu wollen nicht aufhören werde; er habe eben ›für sein Leben gern‹ getötet und bezahle folglich mit seinem Leben nicht zu hoch. Er möge sterben, da er die tiefste Lust gebüßt habe.

Die tiefste Lust?

Die tiefste.

...

›Es hat keinerlei Sinn, daß der Mörder den Gemordeten überlebt. Sie haben unter vier Augen, allein miteinander, wie zwei Wesen es nur bei einer zweiten, verwandten Gelegenheit noch sind, der eine duldend, der andere handelnd, ein Geheimnis geteilt, das sie auf immer verbindet. Sie gehören zusammen.‹«

Thomas Manns Naphta sprach zu Harald in dem

Schweigen, das ihn überall begleitete: In dem anklagenden, dem beschützenden und feindseligen Schweigen zwischen ihm und seiner Frau, und noch in dem Schweigen, das er um sich verbreitete, wenn er bei Geschäftsbesprechungen auf Unstimmigkeiten in den anstehenden Entscheidungen hinwies oder die Auswirkungen neuer Steuergesetze auf die Finanzierung von Hypotheken erörterte – ein Rauschen in seinen Gedanken, wie ein Klingeln in den Ohren. Die beiläufige Art des Mädchens in der Kanzlei des Anwalts, als Motsamai sagte: Sie hatten Angst vor ihm, und dann – fast angeberisch: Er hatte Angst vor mir. Sie hatten Angst voreinander? Im Rahmen der Angst gibt es doch immer einen, von dem die Bedrohung ausgeht, und einen anderen, der Angst hat. Wie kann einer Bedrohung eine andere entgegengesetzt werden? Da geht es nicht weiter, und das ist tödlich. Wäre es Natalie/Nastasja gewesen, die sein Sohn umgebracht hatte, dann hätte es eine Antwort gegeben: Sie gehörten zusammen. Die Umkehrung von der Vorstellung sexueller Liebe, die sich romantisch als beseligender Zustand der Vereinigung definiert und die in der Trauungszeremonie alten Stils als ein Leib mit Gottes Segen bedacht wird. Aber sie hatte er nicht verletzt; es war der Mann, der mit einer Kugel im Kopf tot auf der Couch lag, und ihre Freunde wußten, daß er nicht der erste oder einzige andere Mann war, für den sie sich auf eine Couch gelegt hatte; jeder von ihnen hätte dem Geliebten, dem sie in der Intimität der Bedrohung angehörte, als Opfer dienen können. Es gab Momente, da wollte Harald das Mädchen spontan aufsuchen, aber Motsamai, der wußte, wo sie sich aufhielt, redete es ihm aus.

»Ich kann es mir nicht leisten, sie gegen uns aufzubringen. Verstehen Sie, Harald? Sie hat das Gefühl, daß Sie und Ihre Frau ihr die Schuld geben.«

»Wie können wir ihr die Schuld geben. Er hat getan, was er getan hat.«

»Weil Sie jemandem die Schuld geben müssen. Ihr Sohn ist in einer Notlage. Da ist das nur menschlich, ne? Weil *ich* jemandem die Schuld geben muß. Ich als sein Anwalt muß Umstände nachweisen, die die Schuld so verteilen, daß sie auch auf denen lastet, die niemals dem Haftrichter vorgeführt werden.«

Im Aufbranden des Schweigens, das in ihm ist, hier in dem vertrauten Raum, wo Schuld und Unschuld mit Papierstreifen in dicken Wälzern markiert sind – diese Kanzlei und das Besuchszimmer im Gefängnis sind längst zu Annexen seines Stadthauses geworden –, weiß Harald: Wir sind gemeint. Auf uns. Harald und Claudia, die ihn gemacht haben: die Vögel, die Bienen, nimm anderen Kindern nicht das Spielzeug weg, lies niemals Briefe, die an andere gerichtet sind, du sollst nicht töten.

»Ich glaub, ich kann mit ihr umgehen. Aber ja. Ah-häh.« Motsamais Lippen schwanken zwischen einem Ausdruck von Belustigung und Selbstgefälligkeit. »Frauen, wissen Sie, sind gerissen. Und sie, sie dreht den Charme auf – wie einen Wasserhahn –, wenn sie sich in die Ecke gedrängt fühlt. Ich muß sie, ohne daß sie's merkt, dazu bringen, sich selbst zu beschuldigen, während sie denkt, sie erzählt mir von ihm. Man muß wissen, wie man solche Frauen anpackt. Eben noch sind sie die armen kleinen Opfer, und im nächsten Moment geben sie damit an, wie sie jeden und jede Situation beherrschen. Das schwache Geschlecht, das macht uns Anwälten ganz schön zu schaffen, das kann ich Ihnen sagen.«

Seinen Widerwillen gegen Motsamais Annahme, daß er so eine beiläufige vertrauliche Bemerkung unter Männern, eine mit Herablassung geäußerte Verallgemeinerung über

Frauen, teilt, muß Harald beiseite wischen. Es kommt nicht darauf an, was dieser Mann für Meinungen hat, wichtig ist, was er über den Fall denkt, in dem er die Verteidigung übernommen hat. Vorurteile sind im Moment unwichtig. Sie hatten Duncan gelehrt, keine Vorurteile gegen Schwarze, Juden, Inder, Afrikaner, Gläubige und Ungläubige zu haben, all die schnell begangenen Sünden, die im Land seiner Geburt an der Tagesordnung waren.

»Was hat sie Ihnen erzählt?«

»Nehmen Sie 's nicht zu ernst – das, was von ihr kommt. Sie sagt, er ist ein verwöhntes Balg. Wörtlich. Ein verwöhntes Balg. Sie gebraucht auch große Worte, ne: Er ist ›übertrieben behütet‹ aufgewachsen. Er ist es nicht gewöhnt, auf Widerstand zu stoßen, oder daß sich etwas seinem Willen oder seiner Vorstellung, wie alles zu laufen hat, widersetzt. Die Regeln sind immer seine Regeln – da hab ich nachgehakt. Ich hab die Vermutung geäußert, daß die jungen Leute in Wohnsituationen wie dieser keine Regeln haben, außer vielleicht den absolut grundlegenden, verstehen Sie, wer darf sich Bier aus dem Kühlschrank nehmen – und natürlich hatten sie Petrus Ntuli, den Schwarzen, der für sie die Drecksarbeit machte. Nein, hat sie gesagt, seine Regeln seien für ihn selbst dagewesen, das hieß nicht, daß es konventionelle Regeln waren, wie sie mir, einem Anwalt, einfallen würden. Was für welche waren es dann? Also, sie hatten damit zu tun, wer mit wem ging und so weiter. Sexuelle Beziehungen, vermute ich; aber auch Freundschaften, darauf beharrte sie. Die Gruppe auf dem Anwesen hatte anscheinend komplizierte Freundschaften, man könnte es auch Loyalitäten nennen. Er habe ›mitgemacht‹ bei ihrer Form des Zusammenlebens in dem Haus, er dachte, es entspräche seinen Vorstellungen, seinen Regeln, wenn Sie so wollen. Aber gleichzeitig war er das ›verwöhnte Balg‹, das es nicht ertragen konnte, wenn dieser Stil – den er, wie gesagt, für sich übernommen hatte – mit anderen Regeln, von denen er sich befreit zu haben glaubte, in Konflikt geriet. Den Regeln der älteren Generation. Ihrer Generation, Harald. Sie sagt, die existierten noch in ihm, obwohl er glaubte, das wär nicht der Fall. Sie hat noch was gesagt: Jetzt ist er im Gefängnis, aber er war nie frei. Und natürlich meint sie, daß *sie* frei ist.«

»Das sagt nicht viel über das aus, was zwischen ihnen passiert ist. So wie Sie's erzählen, könnte man denken, sie hatte mit dem Paar auf der Couch nichts zu tun.«

»Richtig! Richtig! Sie distanziert sich gewissermaßen, so ist das. Ah-häh. Und anscheinend hat sie, nun ja, keine Gefühle für den Mann, der erschossen wurde, weil sie mit ihm geschlafen hatte. Sie zeigt keinerlei Bedauern ... wegen dieser schrecklichen Geschichte. Was natürlich gut ist, ausgezeichnet sogar für meinen Fall. Wenn ich sie ins Kreuzverhör nehme. *Sie* hätte diejenige sein können, die getötet wurde. Sie zieht das nicht mal in Betracht. Warum nicht? Es gehören zwei dazu, ne? Um so was anzufangen ... Dennoch zeigt sie keine Reue darüber, daß sie wenigstens zur Hälfte der Grund für den Tod des Mannes war, wenn wir davon ausgehen, daß er genau wußte, mit wem er sich eingelassen hatte, nämlich mit dem Mädchen seines Freundes. Es ist schwer, ihre unbeteiligte Haltung zu verstehen. Als wär sie sich sicher, daß es sie nicht hätte treffen können. Ich bin mir darüber im klaren, daß es Dinge gibt, die ich ihr nicht entlocken werde – auch nicht mit meiner Methode.«

Und er lacht beim Gedanken an die eigene Raffinesse kurz auf, aber gleich kehrt der Ernst zurück, dem der Vater, dessen Blick fest auf ihn gerichtet ist, vertrauen kann.

Um zu berichten, was bei einer solchen Begegnung mit dem Anwalt gesagt wurde, müssen sich sowohl Harald, der Berichterstatter, als auch Claudia, die Zuhörerin, wieder klarmachen, akzeptieren, daß Duncan einen Menschen umgebracht hat. Wie sie es jeden Tag viele Male tun müssen. Der Mann hat in der Leichenhalle gelegen, es wurde eine Obduktion vorgenommen, die bestätigte, daß der Tod durch eine Kugel im Kopf verursacht worden war, und jetzt war er beerdigt worden, nach einer Trauerfeier, die von den Freunden, mit denen er in dem Haus zusammengelebt hatte, arrangiert worden war. Seine Leiche wurde nicht nach Norwegen, in seine Heimat, überführt. Der Mann, den Duncan umgebracht hat, ist immer noch hier, unter der Erde von Duncans Heimatland.

Als Harald kam, telefonierte Claudia gerade; mit künstlich interessierter Stimme stellte sie Fragen und machte Bemerkungen über das Leben von jemandem; es war einer der wohlmeinenden Freunde, die Wert darauf legen, regelmäßig anzurufen, um zu zeigen, daß die Lindgards noch zu ihrem Kreis gehören, obwohl etwas Schreckliches geschehen ist, was sie zu Fremden gemacht hat. Sie starrt ihn an, während sie weiterspricht und lächelt, als könnte der Freund sie sehen. Was sie sagt, ist nicht wichtig. Sie will etwas, was er ihr nicht geben kann. Die Diskrepanz zwischen dem Lächeln und dem Starren drückt eine Qual aus, die er nur schwer ertragen kann. Er geht in die Küche und beobachtet eine Weile, wie das Wasser über den Rand des Glases in seiner Hand läuft – es ist, als messe er auf die Weise die Zeit. Als er zurückkommt, wartet sie auf der kleinen Terrasse auf ihn.

Ist er weitergekommen?

Warum ist sie so aggressiv? Als ob er, zusammen mit Motsamai, verantwortlich wäre für den Antrag des Anwalts, die Prozeßeröffnung zu verschieben, damit er neues Beweismaterial beibringen kann.

Die meiste Zeit haben wir über das Mädchen gesprochen. Er findet sie komplex. Sie hat kein gutes Wort für Duncan – er sei ein ›verwöhntes Balg‹, hat sie gesagt –, aber Motsamai glaubt offenbar, daß das zu unserem Vorteil sein kann. Mir fällt es schwer, diesem juristischen Denken zu folgen. Er glaubt, er kann sie dazu bringen, sich mit ihren eigenen Worten zu verurteilen – oder so ähnlich.

Verurteilen – sie steht doch nicht vor Gericht! Er will dir doch nur zeigen, wie schlau er ist. Hast du das Gefühl, daß das alles ist? Alles, was er tut!

Er sieht in ihr eben einen der Hauptbelastungszeugen. Wir müssen seiner Einschätzung trauen, er hat eine ganze Reihe von Präzedenzfällen zitiert, die seine Argumentation untermauern. Du und ich, wir haben von all dem keine Ahnung. Wir haben ja auch keinerlei Erfahrung damit, entweder haben wir darüber in der Zeitung gelesen oder so getan, als gäbe es so was nicht ... Jedenfalls ist er mit dir einer Meinung, wenn er es auch nicht so ausdrückt. Sie ist ein kleines Miststück. Je mehr er sie dazu bringt, sich selbst so zu zeigen, wie sie ist, desto mehr Gewicht bekommen seine ›mildernden Umstände‹. Er sagt, der Tod des Mannes lasse sie vollkommen kalt, keine Schuldgefühle, nicht einmal der Gedanke, daß es an seiner Stelle ebensogut sie hätte treffen können. So sicher war sie sich, daß er ihr nichts tun würde, egal was sie gemacht hat. Weiß der Himmel, warum.

Weil Duncan in sie verliebt war.

In Harald steigt ein Ekel auf, eine Bestürzung, die er nicht zurückhalten kann.

Du glaubst also an diese Art von Liebe: sie vögelt mit einem anderen Mann, und ihr Geliebter bringt ihn um! Als Liebesbeweis. Ich dachte, du hättest eine bessere Meinung von deinen Geschlechtsgenossinnen, ihr seid für eure

Handlungen verantwortlich, so wie wir Männer auch. Du nennst das Liebe. Woher hatte er diese Art von Liebe!

Ich versuch nur zu verstehen, Harald. Warst du nie verliebt?

Was für eine unsäglich dumme Frage. Und das von dir. Ich war in dich verliebt. Ich wäre für dich gestorben, obwohl das sicherlich eine ungefährliche jugendliche Illusion war, weil ich wußte, daß es wahrscheinlich nicht nötig sein würde. Aber sich vorzustellen, ich hätte jemanden töten können. Oder mich selbst umbringen. Nein. Liebe bedeutet Leben, sie ist die Kraft, die Leben zeugt, sie kann nicht töten. Wenn sie es tut, dann ist es keine Liebe. Es übersteigt meine Vorstellungskraft, ich kann mir nicht vorstellen, was er für diese Frau empfunden hat.

Vielleicht haßt er sie ja auch. Und hat sie bestraft, indem er den Mann, den sie wollte, augelöscht hat. Wenn man sie umbringt, erspart man ihr das Leiden.

Das ist doch keine Euthanasiedebatte unter Ärzten. Er muß doch gewußt haben, daß sie bald einen neuen finden würde, wenn sie diesen Mann verlor.

Wir waren verliebt, du warst in mich verliebt und ziemlich verrückt, sagst du – was, wenn du mich je so angetroffen hättest wie er sie?

Claudia. Wie soll ich das wissen. Ich kann jetzt nicht so empfinden, wie ich damals empfunden hätte. Ich hätte dich verlassen, wir wären nie bis hierher gekommen, es hätte Duncan nicht gegeben – das sage ich jetzt. Aber vielleicht hätte ich dich zurückerobert und dich selbst gevögelt, was weiß ich, was ich getan hätte, als ich verliebt war. Verwöhntes Balg hin oder her, diese Art von Liebe kommt nicht von mir. Ich hätte niemals jemanden töten können.

Du kannst das sagen, weil du jetzt weißt, daß man weiterlebt, egal was passiert.

Hättest du's tun können? Es gibt Frauen, die sagen, sie hätten ›aus Liebe‹ getötet – was für eine Frage für dich, wo es doch deine Lebensaufgabe ist, Menschen am Leben zu erhalten. Es ist eine Beleidigung, dich überhaupt so etwas zu fragen.

Aber es klang wie Hohn.

Es gibt Frauen, die, wenn sie etwas zu sagen haben, was besser nicht gesagt werden sollte, laut werden und die Worte hinausschleudern, und es gibt andere, die ihre Stimme sinken lassen, als würden sie mit sich selbst reden, als hörte man nur zufällig, was sie sagen. Zu denen zählt Claudia.

Ich weiß jetzt, daß ich nie so verliebt war – so verrückt, wie du sagst. Nie.

Haltet die Uhren an, verriegelt die Türen, aber an jedem Sommerabend steht der Schein des Sonnenuntergangs am Himmel. Sie haben sich das immer gern gemeinsam von der Terrasse aus angeschaut, dieses Nachglühen des Tages. Wieder ein Tag, den sie mit Warten zugebracht haben. Sie kommen immer noch heraus. In Erwartung des Prozesses. Sie reichen einander Teile der Zeitung, wie es Menschen tun, die zwar nicht mehr miteinander reden, aber die Anwesenheit des anderen akzeptieren. Sie sind nun einmal in dieser Lage – daran läßt sich nichts ändern. Als es die üblichen Enttäuschungen und Rückschläge in ihrem Leben gab – klein, so klein und zu Trivialitäten geschrumpft –, kamen sie nach Hause und vergruben sich im Bett ineinander. Er trinkt seine abendliche Alkoholration, während die Vögel (Schwarzköpfige Weber, in der Gegend recht häufig) sich unterhalten wie Ausländer in einer Bar.

Verwöhntes Balg.

Sie sah auf bei dem Zitat.

Ach, damit will man als Erwachsener doch nur die Verantwortung für das eigene Handeln leugnen. Weil man zu früh auf den Topf mußte. Ich hätte es nie zugelassen, daß mein Kind verwöhnt wird.

›Verwöhnt‹. Mit Aufmerksamkeit überschüttet. Schokolade und Spielzeug. Aber auch ›verdorben‹, was bedeutet, etwas für immer zu beschädigen. Wie das Brandloch in dem Teppich.

Du weißt doch alles – du hast alles gelesen. Begehen Menschen Verbrechen aus Selbsthaß? Gibt es das? Ist das nicht auch eine Erklärung? Warum sollte er sich hassen? Was ist mit ihm passiert? Wieso konnte er das tun?

Er gab ihr einen Teil der Zeitung und wandte sich wieder den Seiten zu, die er in der Hand hielt. Jetzt denkt er über Dinge nach, denen er zuvor nur die Aufmerksamkeit eines Augenblicks gewidmet hat. Ein intelligenter Mensch liest selektiv, er hat kein wirkliches Interesse an den Sexabenteuern eines Popstars oder den gräßlichen Verbrechen, die von Verrückten begangen worden sein mußten. Aber jetzt – da war zum Beispiel die Frau, die ihre beiden kleinen Kinder im Auto in ihren Kindersitzen anschnallte und ausstieg – und den Wagen vom Kai ins Wasser rollen ließ. Sie ertranken.

Andere Menschen! Andere Menschen! Diese schrecklichen Dinge passieren anderen Menschen.

Claudia hätte dasselbe denken können. Diese Gedanken waren einfach da – sie hingen in der Abendluft auf der Terrasse, in den Zimmern ihres Stadthauses, wie der Zigarettenrauch in Vorhängen und Polstermöbeln.

Er war sich bewußt, daß er und sie daran dachten als etwas, das dem *Täter*, nicht dem Opfer, widerfuhr – als käme das Motiv, der Wille von außen. Aber sie kamen von innen. »Der Mensch sei, wie er habe sein wollen, er habe die tiefste Lust gebüßt.«

Claudia ging allein ins Gefängnis. Harald mußte an einer Konferenz von Bankleuten und Versicherungsmaklern teilnehmen, die vom Ministerium für Wirtschaftliche Entwicklung einberufen worden war; er konnte nicht länger alles in seinem Terminkalender dem Rauschen in seinem Kopf unterordnen. Ohne daß man nach außen seinen gewohnten Tätigkeiten nachging, ließ sich das Leben auch materiell nicht aufrechterhalten. Hamilton Motsamai, der Fremde, an den er durch die juristischen Vorgänge enger gebunden war als an jeden Verwandten, würde 6 000 Rand am Tag für sein Erscheinen vor Gericht verlangen und die Hälfte der Summe für jeden Tag, an dem er sich in seinem Büro mit dem Fall befaßte.

Claudia ertappte sich dabei, daß sie überlegte, was sie anziehen sollte; als würde ihre Anwesenheit ohne Harald besonders bemerkt werden und ihre Kleidung eine Haltung, nämlich ihre Haltung gegenüber ihrem Sohn, ausdrücken. Im Winter trug sie Hosen, Bluse und Pullover unter dem weißen Kittel ihres Arbeitstags, im Sommer Baumwollröcke und was immer es Passendes dazu in den Läden gab – sie kleidete sich gerne nach der Mode, während ihr Beruf so alt wie die Geschichte der Menschheit war. Die Heilerin durfte durchaus elegant sein; die Alten trugen, wie die Sangomas und Schamanen von heute, Perlen und Federn. Ginge sie in ihrer Arbeitskleidung ins Gefängnis, wäre das in gewisser Weise eine Verstellung, denn schließlich war sie an dem Morgen nicht für ihre Patienten da. Zöge sie das an, was sie bei einer Medizinertagung trug (so wie Harald für seine Konferenzen einen dunklen Anzug trug) oder bei einem Essen, wenn sie und Harald auf Einladung eines seiner Kollegen in ein Restaurant gingen, sähe es so aus, als zollte sie der Autorität des düsteren Ortes, an dem ihr Sohn festgehalten wurde, übermäßigen Respekt. Trug sie jedoch Jeans, wie am Wochenende in ihrer Freizeit (ein Euphemismus, ihr Beeper konnte sie zu jeder Tages- oder Nachtzeit zu einem ihrer Patienten rufen), konnte das wie eine gedankenlose Erinnerung daran aussehen, daß da draußen, außerhalb der Mauern und Wachtürme mit bewaffneten Aufsehern, Menschen über Wiesen unter Bäumen gingen, daß die Strelitzien in voller Blüte über der Terrasse des Stadthauses hingen, wo seine Eltern im Sommer saßen, oder daß Petrus Ntuli die Farnrabatte goß. Schließlich kleidete sie sich, ohne daß es ihr bewußt war, so wie es ihm gefallen würde. Um die Mutter zu sein, die er sich wünschte – eine, die weder den maßregelnden Konventionen der älteren Generation Ausdruck verlieh noch versuchte, sich in seine Generation zu versetzen und Nähe herzustellen, indem sie sich ein jugendliches Aussehen gab. Sie wußte, daß sie sich manchmal von der Tatsache, daß sie jünger als siebenundvierzig aussah, verleiten ließ, Kleider zu kaufen, die für jüngere Frauen gedacht waren. Was sie trug, sollte unterstreichen: Was immer geschieht, was immer du tust, du kannst jederzeit zu mir kommen.

Duncan sagte nichts dazu, daß Harald nicht da war; es war, als hätte er sie allein erwartet. Sie war es, die erwähnte, daß sein Vater der Einladung eines Ministeriums habe Folge leisten müssen. Er läßt lieb grüßen. Das war die Zeile, die als nachträglicher Gedanke unter einen Brief gekritzelt wurde, auch wenn er gar nicht darum gebeten hatte, diese Grüße auszurichten.

Er sagte, er habe etwas über die Tagung gehört, im Radio. Diese schwache Verbindung bestürzte sie. Es war, als säße er in einem Raumschiff und könnte gerade noch Stimmen von der Erde empfangen. Sie konnte sich nicht vorstellen, wie jemand auf einem Stuhl saß – nein, in einer Zelle gab es keinen Stuhl –, auf einer Matratze auf dem Boden lag und dem *Leben* draußen zuhörte.

Sie hatte bei den vorherigen Besuchen im Gefängnis nicht bemerkt, daß Duncan seine Augenlider ganz langsam hob und senkte, während andere – sie und Harald – mit ihm sprachen. Genaugenommen war es kein Lidschlag. Es war eine geduldige, entrückte, stoisch fächelnde Bewegung. Er läßt uns ausreden. Diesmal beobachtete sie ihn sehr viel intensiver, sah ihn viel klarer als die Male zuvor. Wenn Harald da war, hatten sie und er zwischen sich unsichtbar ausgefahrene Sensoren, wie die aufgerichteten Härchen bei bestimmten Tieren, die damit Impulse von anderen empfangen, und das lenkte sie von der Wahrnehmung ihres Sohnes ab. Beide richteten ihre Aufmerksamkeit gespannt darauf, wie der andere auf den Sohn reagierte, so daß es statische Störungen beim Empfang dessen gab, was von dem Sohn selbst kam.

Harald war nicht da. Nach mehreren Besuchen war es, wie Motsamai gesagt hatte: der Aufseher war nicht gegenwärtiger als die Schrammen und Kratzer im Holz des Tisches. Und plötzlich konnte sie über den Tisch hinweg Duncans Hände in ihre nehmen. Sie hatte seine Hände immer bewundert, sie waren so ganz anders als ihre mit den dicken Knöcheln und der ausgelaugten Haut, wie Wäscherinnen und Ärztinnen sie hatten. Als er noch klein war, hatte sie oft seine Finger und die langen Daumen gespreizt und sie Harald gezeigt: »Guck, er hat deine Hände.« Und mit einem koketten Lachen: »Ich hab dafür gesorgt, daß er meine nicht kriegt.« Jetzt drehte sie mit derselben Bewegung seine Handflächen nach oben, aber er entzog sie ihr, ballte die Hände auf dem Tisch zu Fäusten und warf den Kopf zurück.

Claudia war entsetzt. Daß er gedacht haben könnte, die Geste sollte ihn daran erinnern, was er mit diesen Händen getan hatte. Hier, in diesem Raum konnte man ihm nicht erklären, daß dies eine jener Erinnerungen war, sentimental und liebevoll, die erwachsene Kinder zu Recht lästig und langweilig finden. Eigentlich hätte sie jetzt aufstehen und rauslaufen müssen. Aber dies war kein Raum, aus dem man weglaufen konnte. Ging man hinaus, kam man nicht wieder herein. Man konnte erst zur nächsten vereinbarten Besuchsstunde wiederkommen. Das war nicht das Zuhause, wo Mißverständnisse wegerklärt werden konnten.

Das Irreparable machte sie wagemutig.

»Du hast ihm gesagt, daß du schuldig bist. Dem Anwalt. Ich kann es nicht glauben.«

»Ich weiß, daß du das nicht kannst.« Er bewegt den Kopf von einer Seite zur anderen, hin und her, er mißt die vier Wände, er schließt sich innerhalb der Wände des Besuchszimmers ein. Sie hat die Zelle, in der sie ihn halten, nie gesehen, aber er hat ihre Dimensionen an sich.

»Möchtest du, daß ich dir glaube?«

»Manchmal schon. Aber ich weiß, daß das nicht geht. Manchmal denk ich gar nicht drüber nach, denn ob du es akzeptierst oder nicht …«

Es ist etwas Schreckliches geschehen. Sie kann ihn nicht an den Brief erinnern, den er vor so langer Zeit geschrieben hat, und an das Versprechen, das sie – sein Vater? –, das sie beide ihm gegeben haben.

»Wär es nicht besser, wenn du versuchen würdest, mir jetzt etwas zu sagen, statt daß Harald und ich – die Dinge – hören, wenn du vor Gericht aussagen mußt …«

Er bewegt noch immer den Kopf auf dieselbe Art hin und her. Sie kann es kaum ertragen.

»... damit ich dir jetzt sagen kann, und ich sag es dir jetzt, daß es egal ist, was passiert ist, was du auch getan hast, du kannst immer zu uns kommen.«

Sein Blick ruhte auf ihr, und tiefe Trauer veränderte vor ihren Augen sein Gesicht, die Nase schmal zwischen den Falten, die sich zu beiden Seiten in seine Wangen gruben, bis hinunter zu den Mundwinkeln. Sein Blick sagte: Du solltest mich nicht mehr deinen Sohn heißen, Mutter.

Er brauchte es nicht zu sagen.

Langsam, vorsichtig nahm sie wieder eine seiner Hände.

»Denk daran, solange du hier eingesperrt bist. Die ganze Zeit.«

Er zog seine Hand nicht zurück.

»Du kannst dir vorstellen, was wir dich alles fragen wollen. Harald und ich.« Sie vermied es, »dein Vater« zu sagen; jede Erinnerung an diese Identität mit ihren autoritären, maßregelnden Bedeutungen – Harald mit seinem »Vater unser, der du bist im Himmel« – konnte diesen zerbrechlichen Kontakt zerstören. »Darf ich etwas über das Mädchen sagen?«

»Natalie.« Es war eher so, als verkündete er ihren Namen, statt ihn ihr ins Gedächtnis zu rufen. Als wollte er sagen: das steht nur für sie; was hat der Name mit dem zu tun, was sie ist?

»Ich hatte nicht den Eindruck, daß deine Affäre mit ihr besonders ernst war, ich mein, die paar Male, die ich sie mit dir gesehen habe. Und ich kann dir sagen, daß sie mir nicht besonders gefallen hat. Aber das hast du wahrscheinlich gemerkt. Die ausgesucht nette Mama, die das Mädchen in Wirklichkeit nicht mochte. Natürlich.« Eine gewisse Entspannung durch ein kleines Lächeln zwischen ihnen. »Ich hab immer geglaubt, die andere, die davor, hätte besser zu dir gepaßt. Aber du hast dich für diese entschieden. Ich hab sie beobachtet, wenn sie es nicht merkte, und ich habe gesehen, daß sie die Kindlichkeit vieler Frauen hatte, die zur Promiskuität neigen. Sie sind die Jäger – wie man so sagt, die Raubtiere, die nur wie Opfer wirken. Ich hab in meiner Praxis häufig mit solchen Frauen zu tun, schwarzen und weißen, sie haben alle das gleiche Verhalten. Ich hab nichts dagegen, daß sie mit vielen Männern schlafen, verstehst du? Mir geht es darum, was diese Promiskuität dem Körper antun kann, den ich behandeln muß. Ich habe immer angenommen, daß du reichlich Erfahrungen gesammelt hast. Als Harald und ich jung waren, gab es nur Krankheiten, die man mit ein paar Injektionen heilen konnte. Jetzt gibt es eine, die ich mit gar nichts heilen kann. In der Klinik bringen sie mir Säuglinge, die zu sterben begonnen haben, seit sie geboren sind. Aber ich dachte – oh, wahrscheinlich haben alle bürgerlichen Menschen wie Harald und ich diese elitäre Vorstellung –, du würdest dich nur mit Frauen einlassen, die, na, sagen wir, ebenso wählerisch sind wie du. Die sich ihre Partner sorgfältig aussuchen. Es war nicht die Promiskuität, die mich gegen sie eingenommen hat, es war ihre Art, die Art der Tarnung, ihr kindliches Verhalten. Nach meiner Erfahrung verbirgt sich dahinter etwas ganz anderes. Und ich muß dir noch etwas sagen. Harald hat sie bei einem Termin in Motsamais Kanzlei getroffen, und da wurde das deutlich. Und es war keineswegs kindlich.«

»Was willst du über sie wissen.«

»Was du mir erzählen willst.«

»Natalie hatte ein Kind – nicht von mir –, das sofort zur Adoption freigegeben wurde. Danach hat sie versucht, es zurückzubekommen, ohne Erfolg, und dann hatte sie einen Nervenzusammenbruch. Damals hab ich sie kennengelernt. Sie hat sich erholt und war wieder voller – du weißt schon – Vitalität, voll neuen Lebens. Sie ist zu mir ins Cottage gezogen. Sie hat eine Energie, die sie nicht kontrollieren kann, und sie würde auch nie versuchen, sie zu kontrollieren.«

»Das wußtest du?«

»Ich denke schon. Ich wußte es und wußte es auch wieder nicht. Aber wenn du nach ihr fragst, dann mußt du auch nach mir fragen.«

Der Aufseher rührte sich wie ein schlafender Wachhund. Erregt nahm sie die Hand weg und sah auf ihre Uhr. War denn je Zeit, war je Zeit genug, für dies hier? Jahre waren vergangen und hatten die beiden Wesen, die sie waren, getrennt, das Blut zählte nicht.

»Du hast ihm gesagt, daß du schuldig bist.«

»Könntet ihr mir noch mehr Bücher bringen. Frag Harald. Ihr braucht nicht bis nächste Woche zu warten, ihr könnt sie in der Verwaltung abgeben.«

Aber er umarmte sie, über den Tisch hinweg, und sie nahm das Kratzen seiner Bartstoppeln – Bartwuchs einiger Tage – auf ihrer Wange mit hinaus. In seiner Eingeschlossenheit tat er, was Männer taten, wie sie wußte, um ihr Bild von sich zu verändern. Sie ließen die Haare in ihrem Gesicht wachsen. Im Gefängnis gab es keine Spiegel, Glasscherben sind Waffen, aber er konnte die Hand nehmen und das Bild erfühlen.

Auf der Fahrt zurück zum Stadthaus quälte sie das, was sie ihn zu fragen versäumt hatte. Der Verlust einer Gelegenheit allein mit ihm, die sich vielleicht nicht wieder ergeben würde; eine Verbindung, die zerbrach, aber die kurz, unwiderstehlich, entstanden war, daran gab es keinen Zweifel. Dachte er – dachte er nicht – an die Konsequenzen? Wie konnte er nicht wissen, daß er sein würde, wo er war?

Vielleicht hatte er sich umbringen wollen – nach dem, was er getan hatte. Daran hatte keiner gedacht. Er hatte im Cottage auf dem Bett gelegen und darauf gewartet, daß sie ihn holten. Der einzige Widerstand dagegen hatte darin bestanden zu schlafen oder so zu tun, als schliefe er und höre das Klopfen an der Tür nicht. Hatte er nicht daran gedacht, was mit *ihm* geschehen würde? Mit ihr? Mit Harald?

Das Warten auf den Prozeß.

Wenn Harald seiner Sekretärin sagt, daß er am Nachmittag nicht im Büro sein wird, weiß jeder in der Firma, daß dies der Besuchstag im Gefängnis ist. Wenn seine Abwesenheit unter den Kollegen bemerkt wird – die Entschuldigungen der Verhinderten werden im Zuge der Formalitäten einer Vorstandssitzung verlesen –, machen sie ernste Gesichter, als gäbe es so etwas wie eine Schweigeminute. Die Sekretärinnen an ihren Computern und die Sachbearbeiterinnen über ihren Akten drücken in der landesüblichen *lingua franca* ihr Mitgefühl aus: »Eine Schande ist das!« Die Äußerung hat aber wenig mit der Bedeutung zu tun, die im Wörterbuch steht. Und in diesem Fall wird das sogar noch betont: Niemand betrachtet das Verbrechen des Sohnes als eine Schande für Mr. Lindgard; was die Frauen ausdrücken wollen, ist eine Mischung aus Mitleid und dem Aufbegehren gegen die Ungerechtigkeit, daß so etwas einem so netten, erfolgreichen Mann wie ihm passieren kann.

Harald und Claudia hatten enge Freunde, vorher. Obwohl die sich nur zu gern nützlich und hilfreich zeigen würden, können sie es nicht. Harald und Claudia wissen, daß sie jetzt nur noch wenig mit ihnen gemein haben. Da ist ihre, Claudias, geduldige Hinnahme der Telefonanrufe; ohne es besprochen zu haben, vermeiden es beide, Einladungen anzunehmen, die überaus freundlich gemeint sind. Diese wenigen engen Freunde, die angesichts dessen, was geschehen ist, bestürzt und ehrlich besorgt sind, fühlen sich ausgeschlossen. Sie würden Haralds und Claudias Verletzbarkeit gerne teilen, mit ihnen in einem gemeinsam errichteten Unterschlupf Schutz suchen und sich zusammenkauern, in einem Luftschutzkeller in dieser anderen Art von Krieg, Schutz vor den Bomben der Existenz.

Der einzige, mit dem sie etwas gemeinsam haben, ist der Anwalt Motsamai, den sie jetzt Hamilton nennen. Ohne sich die Mühe zu machen, sie um Erlaubnis zu bitten, war er zur Anrede per Vornamen übergegangen. Daß er sich das herausgenommen hat, ist ein Zeichen seiner Autorität. Er beherrscht die Situation. Motsamai, der Fremde von der ›anderen Seite‹ der geteilten Vergangenheit. Sie sind in den rosafarbenen Handflächen eines Schwarzen.

Die Lindgards waren keine Rassisten, wenn Rassismus bedeutet, daß man Ekel vor einer anderen Hautfarbe verspürt und glaubt oder glauben möchte, daß jeder, der nicht die gleiche Hautfarbe, Religion oder Nationalität hat, intellektuell und moralisch minderwertig ist. Gewiß hatte Claudia ihre Beweise, daß Fleisch, Blut und Leiden unter jeder Haut gleich waren. Gewiß hatte Harald Beweise in seinem Glauben, daß alle Lebewesen Geschöpfe Gottes waren, nach dem Bildnis seines Sohnes, und keines über dem anderen stand. Dennoch hatte sich keiner der beiden einer Bewegung angeschlossen, sie hatten weder protestiert noch an Märschen teilgenommen oder ihre Überzeugung öffentlich verteidigt. Sie betrachteten sich einfach nicht als Menschen, die so etwas taten. Es war, als handelte es sich dabei um einen unveränderlichen Faktor, wie die Blutgruppe, und nicht um Mangel an Mut. Claudia arbeitete in den Krankenhäusern und verband die Wunden, die der Rassismus geschlagen hatte. Aber sie riskierte nicht den eigenen Kopf, indem sie außerhalb der berufsbedingten Kontakte mit den schwarzen Männern und Frauen, die sie behandelte, Kontakt aufnahm. Weder bot sie ihnen Asyl an, wenn sie begriff, daß es von der Polizei verfolgte Aktivisten waren, noch fungierte sie als Kontaktstelle zwischen Revolutionären, was ihr durch ihre Arbeit in verschiedenen Gebieten möglich gewesen wäre. Was diese Menschen den Kampf nannten – sie erkannte seine Notwendigkeit, sah ihren Mut, wenn sie in den Zeitungen Berichte über ihre Aktionen las; aber außerhalb der Klinik und der Praxis hielt sie sich von ihnen fern. Hielt sich an ihren eigenen Kampf, den gegen Krankheit und die Schäden, die andere Menschen anrichteten: wieder andere Menschen, die mit Tränengas und Hunden auf Schwarze losgingen, sie aus ihren Häusern vertrieben und in Baracken einquartierten, von wo ihr die alten Männer und Frauen gebracht wurden, die an Lungenentzündung starben, und die Kinder, die nicht wuchsen, weil sie zu wenig zu essen bekamen. Auch von diesen anderen hielt sie sich fern.

Sonntags ließ Harald sie schlafen, während er in die Messe ging, um an der Heiligen Kommunion teilzunehmen. Die Kirche befand sich im östlichen Teil der Stadt, dort, wo das Geschäftsviertel überging in eine Gegend mit Clubs, deren Rolläden immer heruntergelassen waren, wo mit Drogen gehandelt wurde und schalriechende Hotels ihre Zimmer stundenweise vermieteten. In der Gemeinde war niemand, der ihn erkannte und mit einem freundlichen Lächeln begrüßte, wie er das aus der Gemeinde in seinem eigenen Wohnviertel kannte. Er war allein mit seinem Gott. Es ging Claudia nichts an. Er allein war dafür verantwortlich, daß er damals, als sie heirateten, nicht erkannt hatte, daß sie sich nie ändern würde, daß sie in diese Dimension seines Lebens nie eintreten würde. Der Glaube, in dem sie sich angesichts der unvorhergesehenen Katastrophe hätten finden können, bedeutete ihr nichts. Die namenlose Gemeinde setzte sich aus Abstufungen aller Farben und Schichten zusammen. Papierweiße Damen aus Altersheimen und junge Mädchen mit Muschelaugen und glatten braunen Wangen, dünne schwarze Männer, die in Hosen und Jacken aus der Kleiderspende versanken, Frauen in steifen schwarzen Kirchenkleidern, junge Männer von der Straße mit Afrofrisuren wie mittelalterliche Darstellungen der Sonne: Phoebus, umrahmt von einem krausen Nimbus aus Haupthaar und Bart. Er stellte sich neben einen jungen Mann – er mochte so alt wie sein Sohn sein –, der den säuerlichen Geruch einer durchzechten Nacht verströmte und sich die verfilzte Kopfhaut kratzte. Er nahm die weinbenetzte Hostie entgegen, wie auch dieser Mann, der mit dem gesegnet war, was lange Zeit eine Bürde gewesen war, da das Gesetz eine Mischung der Hautfarben verfluchte – das Leiden des Schwarzen, die Abtrünnigkeit des Weißen.

Sicherlich bewahrte Haralds Glaube ihn vor der Sünde der Diskriminierung. Allerdings hatte er sie nie bei anderen beanstandet, oder doch erst dann, als das Gesetz die Gesellschaft veränderte und der Protest für ihn ungefährlich geworden war. In all den Jahren, in denen er, wie es in der geläufigen Formulierung in Anerkennung von persönlichem Ehrgeiz heißt, in seiner Firma ›die Karriereleiter erklomm‹, hatte er anstandslos hingenommen, daß Schwarze keine Hypothekendarlehen bekamen, weil sie die Zinszahlungen nicht zuverlässig leisteten. Faule Kredite. Das war eine Tatsache. Die damalige Regierung hätte für Wohnungen sorgen müssen, deshalb stimmte er gegen diese Regierung, die ihren Pflichten nicht nachkam. Das war das Ausmaß seiner Verantwortung. Jetzt nahmen sich die neuen Gesetze vieler Faktoren an, die Armut zu einer Lebensbedingung der Schwarzen machten, so wie ihre Hautfarbe ihre Lebensbedingung gewesen war. Er gehörte zu den Menschen, die zwar nicht die Initiative ergriffen, aber reagierten. Er spielte eine prominente Rolle, als die Versicherungsgesellschaften zusammen mit den Banken das Risiko eingingen, den Menschen, deren einzige Sicherheit ihre Bedürftigkeit war, ein Dach über dem Kopf zu verschaffen. Der Gedanke, daß er daran mitwirken konnte, die Lebensbedingungen seiner Mitmenschen zu verbessern, verschaffte ihm einige Genugtuung, obgleich er es vorher nicht geschafft hatte, der Lehre Christi zu folgen und die Tempel ihres Leidens einzureißen. Er saß in einem Ausschuß, der aus Vertretern der neuen Regierung und des Finanzwesens gebildet worden war. Die Mitglieder waren Schwarze und Weiße, natürlich; das Risiko wurde nun gemeinsam getragen. Wenn nichts anderes sie zusammenbrachte, so sprachen sie zumindest alle die Sprache der Wirtschaft.

Ganz anders verhält es sich mit Motsamai. Hamilton. Dienstboten wurden von ihrer Herrschaft nur beim Vornamen gerufen, jetzt weiß jeder, daß das eine Herabwürdigung war. In *diesem* Fall ist der Gebrauch des Vornamens eines Schwarzen allerdings nicht ein Zeichen von Gleichheit, das wäre nicht genug – es ist ein Zeichen dafür, daß er dich, einen Weißen, akzeptiert, daß er dir ohne Einschüchterung Zugang zu seiner Macht gewährt. Die lockeren, inzwischen gut eingeführten Umgangsformen einer selbstverständlichen Gleichheit waren unwichtig im Vergleich zu der Tatsache, daß ihr Schicksal in seinen Händen lag. In Hamiltons Händen. Das einzige, was in dem Schweigen zwischen Harald und Claudia noch existiert, ist das Leben ihres Sohnes. Alle anderen Lebensumstände sind mechanisch (mit Ausnahme von Haralds Gebeten und der skeptischen Ablehnung, die sich in Claudia regt, wenn sie merkt, daß er betet). Aufgrund der alten Konditionierung – ein Gespenst, das von irgendwoher wiederaufsteigt – wird ihnen bewußt, daß die Position, die ihr Leben lang in ihr beider Sein eingegraben war, auf den Kopf gestellt worden ist: Einer dieser getrennt gehaltenen Fremden von der ›anderen Seite‹ hat die Grenze überschritten, und sie sind von ihm abhängig. Der schwarze Mann wird für sie handeln, für sie sprechen. *Sie* sind zu denjenigen geworden, die nicht für sich selbst sprechen, handeln können.

Die Beziehung zwischen dem Anwalt und seinen Klienten ist keine Geschäftsbeziehung der Art, wie Harald sie kennt, obwohl der beste verfügbare Verteidiger für seine Dienste sehr gut bezahlt wird. Claudia müßte die Beziehung besser verstehen, sie dürfte mehr der Beziehung zwischen Arzt und Patient ähneln, wenn Invalidität droht. Aber sie war entsetzt, als der Anwalt vorschlug, sie und Harald sollten zu ihm nach Hause kommen – um einmal in Ruhe miteinander zu reden, habe er gesagt, berichtete Harald.

Was Hamilton ihm gesagt hatte, war vertraulich. »Ich glaube nicht, daß Dr. Lindgard – Claudia – und ich schon richtig warm miteinander geworden sind. Ich habe nicht das Gefühl, daß sie Vertrauen hat – Sie wissen schon – in unsere Arbeit. Ah-häh. Ja. Ich möchte, daß sie mich kennenlernt, nicht hier, dieser Raum erinnert sie daran, was mit Duncan passiert, dieses Haus, dem der schlechte Geruch eines Gerichtsgebäudes anhaftet – das ist doch so? Ne? Ich möchte ganz entspannt mit ihr sprechen, möchte, daß sie mir die Dinge erzählt, die Frauen über ihre Kinder wissen und wir nicht, mein Freund ... Ich sehe es bei meinen Kindern. Sie laufen immer zu ihrer Mutter. Wir Männer bringen die Arbeit in unseren Köpfen mit nach Hause, selbst wenn wir sie nicht in unseren Aktentaschen haben, wir wirken nicht so verständnisvoll, wenn Sie verstehen, was ich meine. Jedes kindliche Trauma ist für meine Verteidigungsstrategie nützlich, in der es nicht darum geht, die Unschuld des Angeklagten zu beweisen – diese Möglichkeit haben wir nicht –, sondern zu zeigen, wieso der Angeklagte über das erträgliche Maß hinaus provoziert wurde. Ja. Zu einer Tat, die im Gegensatz zu seinem Naturell steht. Ah-häh. Alles. Alles, woran sich die Mutter erinnern kann, was, sagen wir mal, das anhängliche, warme und treue Wesen des Angeklagten bezeugen würde. Alles, was *das Ausmaß des Schadens* zu zeigen vermag, der ihm von dieser Natalie zugefügt worden ist. Wie sie diese Wesensmerkmale mißbraucht und willentlich seine Selbstbeherrschung zerstört hat – denken Sie an die Szene auf der Couch! Sie sind nicht mal ins Schlafzimmer gegangen, Mann! Sie wußte, daß jeder reinkommen und sehen konnte, was sie da trieb; sie wußte – davon bin ich überzeugt –, daß er vielleicht zurückkommen würde, um sie zu holen, und was für ein Anblick sich ihm bieten würde!«

Eine kurze Vorschau, die einen Eindruck davon vermittelte, was Motsamai vor Gericht für seine Klienten an Eloquenz aufbieten würde.

Harald mußte dem mit einer Geste Anerkennung zollen.

»Claudia hat soviel oder sowenig Zeit mit ihm verbracht wie ich. Auch eine Ärztin bringt berufliche Sorgen nach Hause und hat einen unregelmäßigen Arbeitstag. Und er war im Internat ... wenn man darüber nachdenkt – wieviel Zeit haben wir überhaupt mit ihm verbracht? Ich glaube nicht, daß sie etwas über Duncan weiß, was ich nicht weiß.«

»Ich glaube, das kann ich besser beurteilen. Entschuldigung! Mit Natalie beschäftige ich mich noch, damit bin ich soweit zufrieden, aber was ich von Duncans Mutter will, ist die andere Seite der Geschichte, was für ein junger

Mann er war, bevor er dieser jungen Frau in die Hände fiel.«

Wenn Motsamai etwas zu sagen hat, das möglicherweise Gefühle und Bestürzung heraufbeschwört, wendet er eine besondere Taktik an – das hat Harald mittlerweile gelernt – und treibt das Thema rasch voran, so daß es keine Pause der Vorwarnung gibt, in der man besorgt über das Kommende spekuliert. Das tut er jetzt, ohne den Ton oder die Stimmlage zu verändern. »Ich habe den Antrag gestellt, Duncan zur psychiatrischen Beobachtung einweisen zu lassen. Ehrlich gesagt, hatte ich deswegen nichts gegen eine Verschiebung des Prozesses einzuwenden. Das ist einer der Gründe ... Ich brauche Zeit, ich brauche ein volles psychologisches Gutachten für meine Argumentation. Das ist unabdingbar. Ich muß alles erfahren, was es über Duncan zu wissen gibt. Wie ich schon sagte – von Ihnen, von Claudia. Und ich muß das in Erfahrung bringen, was sie beide nicht wissen und was ich niemals von ihm selbst erfahren werde. Es wird ein offizieller Psychiater bestellt, und wir werden privat einen weiteren beauftragen. Ich habe einen erstklassigen Mann herangezogen, Ihre Frau wird von ihm gehört haben. Duncan wird nach Sterkfontein kommen – das ist die staatliche psychiatrische Anstalt, richtig. Ah-häh. Machen Sie sich keine Sorgen. Ich weiß, Ihnen wird das nicht gefallen. Er wird ein paar Wochen dort sein – also, vier Wochen. Und es ist besser, wenn Sie ihn da nicht besuchen. Seien Sie ganz unbesorgt. Das ist Routine in so einem Fall. Ihr Sohn ist nicht verrückt, Mann! Darauf zielt meine Argumentation nicht ab, nein! Ganz anders – was hat den Angeklagten dazu getrieben, so zu handeln.«

Duncan. Duncan. Wie ein sich herabsenkendes Brandeisen. »Er ist schuldig. Er war bei klarem Verstand.«

»Nein, nein, Harald. Wir plädieren auf ›nicht schuldig‹.

Das ist die Form. Wir geben zwar die wesentlichen Tatsachen, die seine Schuld beweisen, zu, wollen aber nachweisen, daß er vorübergehend die Fähigkeit, zwischen Recht und Unrecht zu unterscheiden, verloren hatte.«

Ihr Sohn ist nicht verrückt.

»Es sind nur ein paar Wochen. Und wie der Zufall es will – es ist vorteilhaft, in Hinsicht auf den Zeitplan. Der Prozeß. Ja... Ah-häh. Ich hab da meine Quellen.«

Das glasige Weiß seiner Augen signalisiert ein rasches, ermunterndes Lächeln, das ihm selbst und nicht dem Mann in Not gilt. »Es lohnt sich herauszufinden, welche Richter wann angesetzt sind. Wir Anwälte haben da ein altes Rezept – man kann auch sagen, eine Redensart: Man muß den Richter in dem moralischen Klima, in dem er sich bewegt, treffen. Ich will den Richter, auf dessen moralisches Klima ich mich in diesem außergewöhnlichen Fall verlassen kann.«

Ihr Sohn ist nicht verrückt, hat er gesagt.

Sie, Claudia, versteht das besser. Ich hab das erwartet, sagt sie.

Was ist das denn für eine Klinik?

Ziemlich unangenehm, sagt sie.

Mehr kommt von ihr nicht.

Am Telefon, das eine gewisse Distanz ermöglichte, teilte Harald dem Verteidiger mit, daß Claudia sehr angespannt sei und am Wochenende Ruhe brauche. Motsamai schien nicht gekränkt, forderte Harald aber auf, an dem Nachmittag in seine Kanzlei zu kommen, wann immer es ihm passe.

Harald seinerseits wollte ihm zeigen, daß keine Kränkung beabsichtigt war – schließlich hatte der Mann sie gastfreundlich eingeladen, wenn auch mit einem beruflichen Hintergedanken.

»Claudia ist in letzter Zeit sehr verschlossen.«

Aber Motsamai verstand, daß Harald nicht wußte, was er sagte, daß er nicht wußte, daß dies ein zorniger Hilferuf war und keine Warnung für den Anwalt, daß er bei seiner Frau keinen Erfolg haben würde. Motsamai ist an die wechselhafte Art seiner Klienten – Menschen in Not – gewöhnt, sie schwanken zwischen Vertrauen und Mißtrauen, Abhängigkeit und Zurückweisung hin und her.

»Der, der mit Ihnen im selben Boot sitzt, ist nicht immer derjenige, mit dem Sie auch sprechen können. Ich weiß nicht, warum das so ist. Aber so ist es, ich erlebe es häufig. Machen Sie sich keine Sorgen, das wird sich wieder ändern. Seien Sie nicht beunruhigt, Harald.«

Ah-häh. In der Stille hallt sein beschwichtigender Halbseufzer wider; manchmal klingt es wie ein menschliches Schnurren, manchmal wie ein Stöhnen, das er stellvertretend für seinen Gesprächspartner hervorbringt.

Harald war voller Ärger – über sich selbst, weil er etwas von sich preisgegeben hatte. Zu spät, um das Gesagte, das eine Privatangelegenheit zwischen ihm und seiner Frau hätte bleiben sollen, zurückzunehmen und die Deutung durch diesen Dritten (bei aller Urbanität ein wenig plump) von sich zu weisen. Für den Verteidiger gab es nichts Privates, weil alles nützlich sein könnte. Nichts ist privat, wenn es um ein Verbrechen geht. Auch die Privatheit der Isolation im Gefängnis wird bald aufgehoben werden, wenn Duncan den Psychologen ausgeliefert wird. Selbst nächtliche Notizen auf dem Nachttisch sind vor neugierigen Augen nicht sicher.

»Ich werd mich trotzdem mal in Ruhe mit ihr unterhalten. Ich schlag ihr einen Termin zu einem Zeitpunkt vor, an dem Sie nicht abkömmlich sind. Vielleicht sollte ich mal in ihre Praxis gehen, am Ende der Sprechstunde.«

»Viel Glück dabei.«

Er wußte nicht, daß der Verteidiger diesen Tag für den Besuch bei ihr gewählt hatte. Es gab keine feste Zeit, zu der sie abends nach Hause kam, Notrufe auf ihrem Beeper konnten sie jederzeit aufhalten. Als sie hereinkam, schleppte sie eine Einkaufstüte aus dem Supermarkt, aus der die stachlige Schale einer Ananas herausragte. Er erhob sich halb, um ihr die Last abzunehmen, aber sie war schon auf dem Weg in die Küche.

Er goß ihr einen GinTonic ein, Überbleibsel der Abende, an denen sie gern auf der Terrasse gesessen und beobachtet hatten, wie das Farbgemisch aus Dünsten und schmutziger Luft am Himmel verblaßte, und dem heiseren Wehklagen der Ibisse mit ihrem seidenen Gefieder gelauscht hatten, die in den Baumwipfeln der parkähnlichen Enklave hockten.

Möchtest du ihn hier trinken?

Sie kam wieder ins Zimmer, die Ananas in der Hand, und

gab ihm mit einer Kopfbewegung ein Zeichen, das Glas auf den Tisch zu stellen. Sie ignorierte ihn nicht, sie war nur zu beschäftigt. Sie zögerte, legte die Ananas in eine Schale, in der sie Platz machte, indem sie die Äpfel beiseite schob, nahm sie wieder heraus und ging langsam in die Küche zurück.

Einer der verschobenen Äpfel fiel aus der Schale und rollte über den Boden; er blieb bei seinen Füßen liegen, da, wo er sich wieder hingesetzt hatte.

Was hatte Claudia mit dieser verdammten Ananas vor? Hatte sie beschlossen, daß sie sie nicht essen durften? Alles, was sie aßen oder tranken, alles, was sie taten, die Luft, die sie atmeten, all das war *ihm* verwehrt, sie nahmen es, während er nicht daran teilhaben konnte, sie nahmen es von ihm, weil sie diese Dinge genießen konnten, während er, ihr Sohn, Duncan, bald mit schizophrenen und paranoiden Menschen zusammengesperrt sein würde. Sie wird Motsamai bitten, die Ananas in dieses andere Gefängnis mitzunehmen, vielleicht darf Duncan sie essen. Vielleicht wird geprüft, ob ein Messer im Fruchtfleisch versteckt ist, mit dem man Selbstmord begehen könnte, oder eine Feile für einen Fluchtversuch; diese Klischees der Kriminalromane sind Fakten für uns. Wenn es keine Ananas ist, dann Salat in einer Plastikschüssel, Weintrauben, ein Stück Ziegenkäse – weiß sie eigentlich, wie irritierend ihre vergeblichen Versuche sind, unser Leben in seines hineinzuschmuggeln?

Möge Gott mir Geduld mit ihr geben. Heute nacht, wenn sie in ihrer Unwissenheit neben mir liegt.

Hast du Motsamai gebeten, mich zu besuchen?

Claudia ist wieder da und nimmt ihren Drink auf. Sie schwenkt das Glas, so daß das Eis klirrt, und läßt den Blick durch das Zimmer wandern.

Warum sollte ich? Nein.

Wegen Duncan.

Es war seine Idee, er wollte das so. Ich konnte schlecht für dich ablehnen, oder? Es war deine Entscheidung, ob du ihn sprechen wolltest oder nicht. Ich hab ihm nur gesagt, du hättest keine Lust, ihn am Wochenende zu besuchen, ich hab irgendwas Höfliches und Plausibles gesagt.

Warum mich? Er kann doch genausogut mit uns beiden reden?

Aber er hat doch auch mit mir allein gesprochen. Die Male, als du nicht konntest. Und du hast mir nicht gesagt, daß er heute in die Praxis kommen würde – warum, weiß ich nicht, du wirst deine Gründe gehabt haben.

Sie sieht Harald sehr konzentriert an, als wartete sie auf eine Regung, die ihr nicht entgehen durfte.

Ich versteh dich nicht, Claudia.

Er will alles wissen, über Duncans Kindheit, seine Jugend, alles – von mir. Als wäre er nur aus mir entsprungen. Als hättest du damit nichts zu tun.

Das ist doch Unsinn. Das stimmt nicht. Du weißt sehr gut, warum er uns beide fragen muß, nach allem, woran wir uns erinnern, was wir wissen – er ist unser Sohn, wer sollte es sonst wissen! Damit er zeigen kann, was für ein schrecklicher Druck sich in ihm aufgestaut hat, der dann dazu führte, daß er getan hat, was er getan hat. Gegen sein Wesen, seine Erziehung. Was unser Sohn, wie er selbst sagt, getan hat. Aber Motsamai hat eine etwas herablassende Art Frauen gegenüber, wenn du also …

Ich fand ihn nicht herablassend.

Was ist es dann?

Als kleiner Junge, war er da glücklich in der Schule, zu Hause, war er je aggressiv, hat er sich mir anvertraut? Natürlich war er glücklich! Was denn sonst, er wurde doch geliebt. Die Frage kann nur jemand stellen, der seine Kinder verprügelt.

Sie sucht nach Worten. Er versucht, ihr zu helfen.

Er ist der Meinung, daß Frauen für Kinder zugänglicher sind als Männer, daß Kinder zu ihrer Mutter gehen – diese Vorstellung stammt auf jeden Fall aus seiner häuslichen Umgebung. Ich wette, er ist da eine Autorität, mit der man rechnen muß. So ist das bei denen.

Ihr ist wieder etwas eingefallen.

Ist der Junge religiös erzogen worden? Ist er zur Kirche gegangen?

Harald lächelt. Was hast du gesagt?

Daß du katholisch bist und ihn mit in die Kirche genommen hast und daß er, soweit ich weiß, damit aufgehört hat, als er alt genug war, um darüber selbst zu entscheiden. Daß ich ihn weder in die eine noch in die andere Richtung zu beeinflussen versucht habe.

Gut, das brauchen wir jetzt nicht zu erörtern.

Und ob er an Gut und Böse glaubt. Ob er an Gott glaubt.

Tut er das?

Du weißt genau, daß so eine Frage zwischen mir und Duncan nicht aufkommen würde.

Harald hebt steif die Arme, legt die Fingerspitzen zeltartig zusammen und hält sie vor Nase, Lippen und Kinn; er spürt seinen Atem warm auf den Fingerkuppen.

Keiner der beiden weiß, ob der erwachsene Duncan an ein höchstes Wesen glaubt, das am Ende über ihn richten wird, jenseits jedes weltlichen Gerichts.

Die Barriere aus Händen wird heruntergenommen.

Vielleicht will Motsamai uns gegeneinander ausspielen. Vielleicht muß er das. Woran sich also der eine (Harald übt blitzschnell Selbstzensur und vermeidet den Ausdruck ›nicht erinnern will‹) –, woran sich der eine nicht erinnert, das erfährt er vielleicht von dem anderen. Das ist alles.

Das Stadthaus ist selbst ein Gericht geworden, ein Ort, wo es nur Ankläger und Angeklagte gibt. Sie sinkt in den Sessel zurück, legt die Arme, wie um sich vorzubereiten, auf die Lehnen und fragt, was sie wirklich fragen will.

Habe ich Duncan etwas getan, was du nicht getan hast?

Was der Anwalt vorhat, ist klar: er will den Richter davon überzeugen, daß der geständige Mörder jemand ist, den sein Verbrechen aufgrund seines katholischen Hintergrunds mit Abscheu erfüllt. Das Geständnis selbst spielt dabei eine wichtige Rolle; mit dem Geständnis vor dem höchsten Gericht des Landes bekennt er seine Sünde gegen das Gesetz Gottes. Er überantwortet sich der Gnade Gottes. Jesus Christus ist für alle Menschen gestorben; einen Menschen zu töten ist eine Handlung, die gegen die christliche Ethik verstößt, mit der der Junge aufgewachsen ist und die er immer noch verinnerlicht hat.

Und vielleicht, wenn sie – die da ihm gegenüber im Wohnzimmer saß oder den Hund ausführte oder ihre Kleider aufhängte, bevor sie zu Bett ging, neben ihm lag, den Beeper in Reichweite (zum Teufel mit ihnen) –, wenn sie über die Wahrnehmung des Mikroskops und die Befunde des Pathologen zu der Einsicht (in der wahren Bedeutung von Erkenntnis) hätte hinausgelangen und erkennen können, daß vieles existiert, was menschliches Wissen übersteigt, was nicht im Reagenzglas oder im Gegenversuch mit Placebos nachgewiesen werden kann – wenn sie in dieser Dimension des Seins nicht verkümmert gewesen wäre, dann wäre der Junge mit siebenundzwanzig vielleicht ein Mann gewesen, der es nicht über sich gebracht hätte, zu töten und schrecklicher zu sein als das Wasser.

›Ich habe ihn weder in die eine noch in die andere Richtung zu beeinflussen versucht.‹ Drückte diese Aussage nicht ihre Haltung aus? Die Macht dieser Haltung. Mutter hat es wunderbar geschafft, eine liebende Mutter zu sein,

Gutes zu tun und anderen zu helfen, indem sie die Kranken heilte. Sie war sich selbst genug. Offenbar brauchte sie keine Instanz, der sie Rechenschaft ablegte, als es um die Kontrolle der Versuchungen ging, die jedes Kind und jeder Heranwachsende kennt – lügen, betrügen, seinen Willen mit Aggressionen durchsetzen. ›Sie gehen zur Mutter.‹ Was er dort vorfand, war eine Selbstgenügsamkeit der materiellen Art – und das schließt das Heilen und den fachmännischen Umgang mit dem menschlichen Körper ein –, die ihr ausreichte, ihm aber nicht. Wenn es das war, wofür Duncan sich entschieden hatte, als er aufhörte, zur Kirche zu gehen.

Aufhörte – aber das bedeutete nicht unbedingt, daß er aufhörte zu glauben und Gott verlor. Darüber weiß der Vater ebensowenig wie die Mutter. Dennoch – obwohl er in der Kommunion die Gemeinschaft nicht nur mit Gott, sondern auch mit den unbekannten Menschen um sich herum in der Kirche im falschen Viertel der Stadt findet, eine Kommunion mit dem Leben, die ihn vor der Möglichkeit bewahrt, anderen Menschen, jedem einzelnen von ihnen, was auch immer sie sind, Schaden zuzufügen – weiß er, daß es Männer und Frauen gibt, die nahe bei Gott bleiben, ohne an dem Ritual vor dem Priester teilzunehmen. Ihr Sohn glaubt vielleicht immer noch, trotz ihres Einflusses; mein Sohn.

Und dann ist da diese andere Sicht der Dinge: die des Anwalts, des besten Verteidigers, den man bekommen kann. *Er* weiß, was er will, was er braucht. Möglicherweise will er *zwei* moralische Einflüsse geltend machen: den christlichen Glauben des Vaters und den weltlichen Humanismus der Mutter. Die beiden moralischen Konzepte, auf die sich die ganze Welt beruft – was gibt es denn sonst noch? – um unseren Gewaltinstinkt unter Kontrolle zu halten – Bomben werfen, Feuer legen, anderen in allen Formen der Vergewaltigung unseren Willen aufzwingen, eine Waffe in die Hand nehmen und einem Freund, einem Hausgenossen, in den Kopf schießen. Was für eine starke Argumentation für die Verteidigung konnte ein Dramaturg wie Motsamai darauf aufbauen. Welche Macht der Perversion und des Bösen diese Frau Natalie verkörpern mußte, um den Angeklagten dazu zu bringen, die gesunden Prinzipien, die ihm von Kind auf eingetrichtert worden waren, in das Farngesträuch zu schleudern: erstens, das heilige Gebot ›Du sollst nicht töten‹, zweitens, den weltlichen Code, das menschliche Leben als höchsten Wert zu achten.

Ein Besuch, bevor er von dem einen Ort, an den er sich selbst gebracht hat, zum nächsten verlegt wird: vom Gefängnis ins Irrenhaus.

Der demütige Gang durch die Flure, wo immer ein schwarzer Gefangener auf den Knien den Boden putzt. Der Ort, wo aller Schmutz und alle Korruption des Lebens in Quarantäne gehalten werden, muß makellos sauber gehalten werden. Wenn es doch Desinfizierungsmittel gäbe, die den Schmerz von den Opfern und den Tätern, die hier gefangengehalten werden, abwaschen könnten. Was denkt Claudia: daß er es nicht getan haben kann? Hält sie immer noch daran fest? Was nützt das? Das bringt uns nicht weiter.

In einem Haus, im Büro des Versicherungsdirektors, in der Arztpraxis ist kein Tag so wie der vorhergehende. Die Blumen in einer Vase welken. Die Papierkörbe sind gestern geleert worden, ein Aschenbecher steht am falschen Platz. Eine Sendung neuer Diagnosen ist eingetroffen.

Das Besuchszimmer und der Tisch und die beiden Stühle und die beobachtenden Wände sind immer gleich. Die beiden Aufseher, auf jeder Seite des Angeklagten einer, sind dieselben Namenlosen; nur Duncan ist am falschen Ort, gehört hier nicht her. Duncan ist Duncan, sein Gesicht, der Klang seiner Stimme, seine Ohren – die Aufmerksamkeit der Besucher verleiht ihm einen Nimbus, versetzt ihn an die Orte, an die er eigentlich gehörte, wenn es im Leben eine Kontinuität gibt, in die Stadt, wo man ihn kennt, in das Stadthaus, wohin er sonntags zum Lunch kam, in sein Cottage. Sie bringen *ihn* mit; da sie noch nie zuvor im Gefängnis gewesen sind, wissen sie nicht, daß es genau das ist, was ein Gefangener von seinen Besuchern empfängt.

Es geht ihm gut, ja; es geht ihnen gut, ja. Seine Mutter fährt sich leicht mit der Hand über die Wange und gibt zu verstehen, daß sie seinen Bart bewundert, der drahtig und rotblond gewachsen ist, wie die Leuchtfäden in einer Glühbirne. Das Vorspiel ist vorüber.

Mit keinem Wort wird der Ort erwähnt, an den Motsamai ihn verwiesen hat, wo er beobachtet und seine Fähigkeit, Gut und Böse zu unterscheiden, wie sie es ihm beigebracht haben, bewertet werden soll. Sie reden um diese Tatsache herum.

»Der Anwalt hat mich in der Praxis besucht. Es war ein bißchen wie ein Kreuzverhör. Alles wollte er von mir wissen: wie du warst als Kind und als Jugendlicher.«

»Ja.«

Harald wollte etwas sagen. Er wurde von Mutter und Sohn ignoriert.

»Duncan, glaubst du, ich habe einen besonderen Einfluß auf dich ausgeübt? Durch meine Art?«

»Natürlich. Aber ihr hattet beide Einfluß auf mein Leben. Das kann ja nicht anders sein. Das ist doch keine Frage. Alles, was ihr für mich getan habt. Und warum ihr es getan habt. Was soll ich sagen? Ihr habt mich geliebt. Das wißt ihr doch alles. Ich weiß das alles.«

Eine solche Feststellung würde niemals an einem anderen Ort als in diesem unwirklichen Vorzimmer ihres Lebens getroffen werden.

Er sieht sie an, während sie beide warten – auf eine Anschuldigung oder ein Urteil.

»Der Brief.«

Mehr sagt er nicht. Aber es ist, als hätte er Linien gezogen, die sie in ein Dreieck einbinden. Er kann zeichnen, er ist Architekt.

»Du erinnerst dich also noch, als dein Vater und ich dich im Internat besucht haben, nach dem, was damals geschehen ist.«

»Aber vorher habt ihr mir geschrieben. Vielleicht hab ich den Brief sogar noch.«

»Erinnerst du dich, wer ihn geschrieben hat?«

»Dad ... das ist so lange her.«

»Aber du erinnerst dich daran.«

Plötzlich war er ganz zärtlich zu seiner Mutter. »Du hast das gleiche gesagt wie in dem Brief – das hast du vergessen –, neulich, als du hier warst.«

»Der Anwalt ... er hat mich gefragt, ob du an Gott glaubst.« Claudia bringt es über die Lippen.

Aber er lächelt (es ist jedesmal auf bestürzende Weise außergewöhnlich, wenn er hier lächelt, eine Indiskretion vor den beiden Aufsehern, den Uneingeweihten), und sie kann mit ihm lächeln.

»Ja. Für Motsamai ist nichts unwichtig. Er ist ein sehr gründlicher Mann.«

»Ich hatte das Gefühl, daß er etwas suchte. Und erwartete, es bei mir zu finden. Na, du bist ja schon seit langem erwachsen.«

Zu seinem Vater sagte er wie gewöhnlich – es war seine Form des Abschieds –, daß ihm die Bücher ausgingen. »Ich werd welche brauchen – da.«

»Anscheinend dürfen wir dich da nicht besuchen, obwohl sie mich als Ärztin eigentlich nicht daran hindern können. Denk daran. Wenn irgendwas, egal was, passiert, bestehe auf deinem Recht, uns anzurufen.«

»Hast du schon mal Thomas Mann gelesen? Ich bring dir den *Zauberberg* mit.«

Im Auto spricht Harald.

Er hat dir nicht geantwortet.

Worauf?

Aber er weiß, daß sie es weiß.

Sein Glaube. Gott.

Das war doch klar, oder? Wenn für Motsamai ›nichts unwichtig‹ ist, für Duncan ist diese – Frage oder was auch immer – unwichtig, sie existiert in seinem Leben nicht.

So willst du sein Ausweichen verstehen, als du aus heiterem Himmel damit anfingst. Die persönlichste Frage überhaupt. Du hast ihn auf deine Anklagebank gesetzt.

Aber Harald hat auch nicht auf die Frage geantwortet, die sie ihm vor einiger Zeit gestellt hatte. Das mußte heißen, daß er tatsächlich der Meinung ist, sie trage mehr Verantwortung als er für das, was mit Duncan geschehen ist, was aus Duncan geworden ist. Sie verfolgt den Gedanken laut. Was aus Duncan geworden ist – was immer das ist –, keiner von uns will zugeben, was es sein könnte. Ich meine, wie kann man, wie können wir erwarten …

Er, der Leser, korrigiert ihre Ungenauigkeit mit seinem überlegenen Wortschatz.

Wir sind zu naiv gewesen in unserer Sicherheit.

Claudia widersteht dem Wunsch zu sagen: Vielen Dank;

sich selbst herabzusetzen schadet der Gesundheit, soll er allein seinen Spaß daran haben.

Ihr Leben lang müssen sie beide die Moral als etwas betrachtet haben, was die Leidenschaften kontrolliert und beherrscht. Einerlei, ob diese unbewußte Überzeugung der Lehre von Gottes Wort entsprang oder dem rationalen Prinzip einer selbstauferlegten Zurückhaltung. Und diese Überzeugung behielt ihre unbezweifelte Kraft, bis das Äußerste an Überschreitung, an Rebellion geschah: die Katastrophe, die sich an der zerstörten Grenze aller Moral ereignet, die unaussprechliche Leidenschaft, die Leben nimmt. Die Prüfungen der Moral, die sie zu bestehen hatten – die der eine beim anderen erlebt hat –, waren lächerlich: Sollte Harald seinem Steuerberater gestatten, Ausgaben für sogenannte Bewirtung steuerlich abzusetzen? Sollte sie, die Ärztin, einen Patienten krankschreiben, der sich ein paar freie Tage genehmigt hatte? Aber was an einem, dem harmlosen Ende der Skala trivial ist – wo endet das? Darüber hatten sie beide nie nachdenken müssen, ihr Leben lang nicht, weil ihre Moral nie darüber hinaus geprüft worden ist. Mein Gott (sein Gott), nein! Wo fangen die Tabus wirklich an? Wo hatte ihr Sohn die Grenzen seiner Eltern überschritten und war weiter, viel weiter gegangen, als sie es sich jemals – bei ihrem eigenen Kind – hätten vorstellen können. Merkwürdigerweise haben sie jetzt das Gefühl, daß er ihnen wieder gehört, als wäre er noch einmal das kleine Kind, das sie damals nach ihrem Bilde formten. Da sie einst in dieser Erwachsenenverschwörung vereint waren, kann keiner von ihnen die Verantwortung dafür abschütteln, daß ihr Sohn die Grenzen überschritten hat; ebensowenig können sie sich freisprechen von den Selbstbeschuldigungen, die sie zermürben. Sie haben beide, jeder für sich, jegliches Interesse an ihren Tätigkeiten und die Fähigkeit, sich darauf zu konzentrieren, verloren, sie sind in ihrer Isolation aneinandergekettet, sie reiben sich aneinander. Irgendwelche Bemerkungen in Gesprächen mit anderen, in denen es – natürlich – um normale Alltäglichkeiten geht, treffen sie tief. Getroffen tragen sie diese Wunden nach Hause, in ihr Stadthaus, und aus dem Schweigen, im Kontrast zu dem Klirren von Besteck auf den Tellern oder zu der Stimme des Nachrichtensprechers auf dem Bildschirm, brechen Sätze ohne jeden Zusammenhang aus ihnen hervor.

Du hast doch Tabakaktien, oder? Du kennst Leute, die an Lungenkrebs gestorben sind. In den Büros bei dir hängen überall Schilder ›Bitte nicht rauchen‹, aber die Dividenden sind gut.

Da ist ein Zusammenhang; sie sind mittendrin. Er hätte es nie für möglich gehalten, daß sie zu Gehässigkeiten fähig wäre. Er ist wachsam, obwohl er noch nicht weiß, worum es genau geht, es muß mit dem einzigen Thema zu tun haben, das sie beide beschäftigt.

Er lacht. Müde, matt. Wir essen Hühnchen, die du gekauft hast. Wahrscheinlich stammt das hier aus einer Zuchtbatterie, wo es unter grausamen Bedingungen gelebt hat. In einem Käfig.

Das letzte Wort trifft. Was kümmert sie das Huhn, wenn sie mit ihrem Sohn in den Mauern eines Gefängnisses sprechen müssen.

Ich habe eine Frage – es interessiert mich wirklich: Ist Töten die einzige Sünde, die wir anerkennen?

Es ist die größte. Das meinst du doch, oder?

Nein.

Lügen, Diebstahl, Verleumdung, Betrug …

Weiter. Ehebruch, Gotteslästerung, du glaubst an die

Sünde. Ich nicht, denke ich. Ich glaube nur an Schaden. Füge niemandem Schaden zu. Und genau das ist ihm beigebracht worden, das weiß er – wußte er. Und jetzt – ist jemandem das Leben zu nehmen die einzige Sünde, die Menschen wie ich als Sünde anerkennen? Ungläubige. Nicht solche wie du.

Natürlich nicht. Ich hab gesagt, es ist die größte Sünde. Es gibt nichts Schlimmeres.

Vor Gott.

Sie sagt es drängend.

Vor Gott und den Menschen.

Ich dachte, für Gläubige gibt es den Ausweg der Beichte, Reue, Vergebung von oben.

Nicht für mich.

Ach, warum nicht?

Sie läßt nicht locker.

Weil es keine Wiedergutmachung für denjenigen gibt, dessen Leben verloren ist. Er kann nichts mehr bekommen. Nur derjenige, der getötet hat, kann Gnade empfangen.

In dieser Welt. Was ist mit der nächsten. Harald, du bist ja doch nicht wirklich gläubig.

Nicht in diesem Punkt, das stimmt.

Dann sündigst du, weil du zweifelst. Ist das neu?

Ihr Blick ist deutlich.

Nein, das war schon immer so. Du weißt nichts davon, weil es nie möglich war, mit dir über solche Dinge zu sprechen.

Das tut mir leid. Ich hab es immer geachtet, daß du das Bedürfnis hattest zu glauben. Mehr war mir nicht möglich. Ich war mir einfach immer zu sicher, daß es so etwas nicht gibt. Jetzt stellt sich heraus, daß du auch Zweifel hast, daß du für dich entscheidest, was zählt und was nicht zählt. Trotz deines Gottes.

Ach, Unsinn. Ich bin ein Mörder, weil du Leute kennst, die an Lungenkrebs sterben.

Von welchem Punkt an wird das, was man hingehen läßt, ernst, Harald? Wenn Gott dir gestattet, soviel Nachsicht mit dir zu üben, wie kannst du dann wissen, daß nicht jemand deinem Beispiel folgt und sich sagt, man braucht sich nicht an die Regeln zu halten, weil die Menschen, die sie einem beigebracht haben, das auch nicht tun. Natürlich wissen sie, wo sie aufhören müssen. Weil nichts in ihrem Leben über irgendeine Grenze hinausgeht. Sie sind in Sicherheit. Mit Zigaretten Geld zu machen ist schließlich keine große Sünde für einen Christen.

Claudia sieht ihn nicht an, während sie redet. Sie hat den Kopf abgewandt. Täte sie das, um ihre Tränen zurückzuhalten, würde das die Spannung lösen, die gleichermaßen feindselig und erregend ist; in ihm brodelt es wie in einem Geysir, gegen sie. Sie bietet ihm keine Tränen an, sie bekräftigt ihre Isolation dadurch, daß sie ihn nicht ansieht. Was geschehen ist, hat etwas in die Ordnung des Stadthauses gebracht, wofür es nicht gebaut worden ist; in dem Punkt hat sie recht: Ihr gemeinsames Leben war nicht genügend gerüstet, um so weit standzuhalten, bis an diesen Abgrund. Die Menschen haben den Ehrgeiz, daß ihre Söhne es weiter bringen als sie; ihrer hat daraus einen Schrecken gemacht.

Sie hat gesagt: Habe ich Duncan etwas getan, was du nicht getan hast? Er wollte ihr jetzt mit seiner beherrschten Stimme, die manchmal mehr Kraft hatte als jedes Brüllen, sagen: Und was habe ich *nicht* für ihn getan, was *du* nicht tun konntest? *Weil ich der Mann bin.* Dieser plötzliche Rückgriff auf weibliche Taktik. Sich den Schafspelz der Schwäche anlegen, wenn es einem paßt. Ich bin der Mann, deswegen trage ich die Verantwortung, ich kaufe Aktien, deren Rendite du ausgibst, Geld, das tötet, ich habe einen Mörder aus ihm gemacht, ein totes Huhn und ein Mann mit einer Kugel im Kopf, mit alldem ist der Weg zur Hölle gepflastert.

Die Feindseligkeit hatte jegliche Kommunikation in ihr Vakuum gezogen. Wenn er den Mund aufgemacht hätte, weiß der Himmel, was herausgekommen wäre.

Harald ist also imstande zu glauben, daß sein Sohn es getan hat und daß er bestraft werden muß. Kein Geständnis (es ist bereits abgelegt), keine Reue im Austausch für Vergebung ist möglich. So weit also geht das Mitgefühl von Haralds Gott und dessen einzigem Sohn, der nicht durch Penetration und Sperma gezeugt wurde (weil das menschlich und schmutzig ist), der aber alle menschliche Sünde auf sich nahm, um alle Sünder zu erlösen. So weit also geht der religiöse Glaube, nach dem der Vater in moralischer Überlegenheit gelebt hatte, indem er jeden Sonntag zum Beten und zur Beichte (was beichtete er?) ging und den kleinen Jungen mitnahm, um ihm die Grundwerte für sein Leben zu vermitteln, die von oben verfügte brüderliche Liebe und Barmherzigkeit, während die Mutter sich noch einmal im Bett umdrehte und weiterschlief. Sie trug die elende Abtrünnigkeit des Vaters in sich, so wie sie den Fötus getragen hatte, den er ihr eingepflanzt hatte, als sie neunzehn war.

Das große Auge der Sonne lag verschwommen unter einem Wolkenkatarakt, das diffuse Licht machte es schwer, jemanden zu erkennen, so daß Harald und Claudia sich einen Moment lang unsicher waren, wessen schwarzes Gesicht dies war. Sie befanden sich auf dem Parkplatz des Gefängnisses. Überall standen Polizeilastwagen herum; Harald schloß den Wagen mit dem vertrauten Druck auf den elektronischen Verriegler. In dem Gesicht zeichnete sich ein Wiedererkennen ab. Der Mann kam ihnen entgegen auf dem Weg zwischen Parkplatz und Eingang, ein Weg, der immer so lang erschien. ›Khulu.‹ Wie hieß er gleich: Dladla. Er hatte auf dem Grundstück gewohnt, zu dem Duncans Cottage gehörte. In dem Haus mit der Couch. Er hatte gerade Duncan besucht. Duncan war nach seinem Aufenthalt im Irrenhaus wieder in einer Zelle. Sie waren auf dem Weg zu ihm. Dladla strahlte bei dieser zufälligen Begegnung große Wärme aus. Harald hatte den Mann nicht mehr gesehen, seit er in dem Haus gewartet hatte und von jenem anderen Auge, dem des Computers, angestarrt worden war, und Claudia hatte ihn wahrscheinlich überhaupt nicht mehr gesehen, seit sie irgendwann einmal auf Einladung ihres Sohnes im Haus gewesen waren – in einer Zeit, bevor es geschehen war. Sie sah keinen Sinn darin, sich dem Anblick des Hauses auszusetzen, da war nichts, was sie erfahren konnte; es konnte nur so sein, als würde man gezwungen, in ein Grab zu blicken, in dem ein Mann nach pflichtbewußt durchgeführter Obduktion der Vergessenheit übergeben worden war. Das Opfer verschwindet, der Täter bleibt. Das, was das Zimmer mitangesehen hatte, würde nur Abscheu in ihr erregen, und sie konnte es nicht riskieren, einen solchen Abscheu gegen den, der sagte, er habe die Tat verübt, aufkommen zu lassen.

Nkululeko ›Khulu‹ Dladla. Auch er brachte etwas in das Gefängnis, was fehlte, nämlich Duncan *selbst*, wie er irgendwo außerhalb existierte. Jede grausige Erinnerung an das Haus, die ihn umgab, verflüchtigte sich im grellen Licht auf dem Gefängniskies; sie empfanden eine gewisse Dankbarkeit. Sie hatten sonst niemanden, nur Hamilton.

Ein in Gold gefaßter geschwungener Zahn eines erlegten Raubtiers hing, verschlungen mit einem verzierten äthiopischen Kreuz, auf der breiten Brust in dem offenen Hemd. Das Funkeln von Manschettenknöpfen und ein Ring mit rotem Stein – dieses sorgfältig gewählte Zierwerk war kombiniert mit der anderen, der anti-materialistischen Konvention von ausgefransten Jeans und Turnschuhen –, er verkörperte die Normalität, war eine Abwandlung zeitgenössischer Durchschnittlichkeit mit einem Überraschungseffekt; schlichte Freiheit, die angesichts der Sterilität dieses Ortes vor den blinden Mauern wie ein zwischen den Steinen hervorsprießendes Gänseblümchen wirkte.

»Nein, Mann, es geht ihm ganz gut. Glaub ich. Wirklich. Ich wär früher gekommen, aber ich wußte nicht, was er dazu sagen würde. Wenn er mich sieht, und so. Es geht ihm nicht schlecht.«

Dies war einer der beiden Freunde, die ihren Freund gefunden hatten, mit der Sandale, die an der Schlaufe vom Fuß herabbaumelte, von der Kugel aus einer Waffe getötet, die ganz ungezwungen allen gehörte, die in dem Haus ein- und ausgingen, brüderlich geteilt, wie die Zigaretten, die herumlagen, und die Drinks in der Küche. Er war einer der beiden Freunde, die zum Cottage liefen, um ihrem anderen Freund zu sagen, daß etwas Schreckliches geschehen war.

Und plötzlich, während sie so nah beieinander standen, im Schutz des Gefängnisses, das er gerade verlassen hatte und das sie gerade betreten wollten, kämpften die Muskeln in seinem Gesicht dicht vor ihnen mit dem Schluchzen, und seine Augen, erschrocken über das, was ihn überkam, wurden größer und füllten sich. Mit einem ungenierten Schniefen zog er durch die Nase hoch, wie ein Kind.

Claudia legte ihm die Hand auf den Arm.

Und Harald wollte nicht herablassend oder beleidigend erscheinen, indem er nichts sagte. Auch sein Blick hatte sich einmal, auf der Rückfahrt vom Gefängnis zu Beginn der Untersuchungshaft, auf diese Weise getrübt. »Er hat sich bestimmt gefreut. Das war nett von Ihnen. Danke.«

Duncans Verhalten schnitt jede besorgte Nachfrage danach, wie er die Tortur der Beobachtung unter Schizophrenen und Geisteskranken ertragen hatte, im Ansatz ab. Und er erwähnte mit keiner Silbe, daß vor ihnen ein anderer Besucher bei ihm gewesen war. Er hatte eine Liste von Dingen vorbereitet, die er besprechen wollte, und die Zeit saß ihm im Nacken. Sie wußten inzwischen ja so gut wie er, wie schnell die Aufseher von einem schweren Fuß auf den anderen zu treten begannen: zurück in die Zelle. Er sprach distanziert mit ihnen, von praktischen Überlegungen geleitet. Als hätten die Untersuchungen der Ärzte ihn aus seinem benommenen Zustand aufgerüttelt, dort, an dem Ort, wo der menschliche Verstand mit all den furchterregenden Verzerrungen seiner Komplexität offengelegt ist. Sie sollten mit Julian Verster Kontakt aufnehmen (sie wußten, wie sie ihn erreichten? Wenn nicht zu Hause, dann in der Firma, in dem Architekturbüro) und ihn bitten, die Dinge, die noch auf seinem, Duncans, Reißbrett waren, an sich zu nehmen. Seine Zeichnungen. Die Arbeit, an der er gesessen hatte. »Ich kann hier arbeiten. Sie können mich nicht daran hindern. Motsamai hat dafür gesorgt. Und sagt Julian, er soll mir alles bringen, was ich brauch, alles, bis zum letzten Bleistift. Motsamai hat mir einen Tisch beschafft.«

Harald notierte sich Rechnungen, die überfällig waren. Die Zeit war mit allem anderen in Duncans Leben zum Stillstand gekommen, und jetzt mußten sie sich den Dingen stellen, in denen sich alltägliche Zeit äußerte. Die Versicherung für den Wagen. Und er mußte aufgebockt werden. Um die Reifen zu schonen. Die Batterie sollte ausgebaut werden. Es sei denn, sie wollte ihn benutzen – einen Moment lang nahm der Sohn die Mutter wahr, erinnerte sich, als wäre das ernst zu nehmen gewesen, an die Ausgelassenheit seiner Mutter, als sie sich einmal an das Steuer des gebraucht gekauften italienischen Sportwagens gesetzt hatte; ein Wagen für das bewegte Leben eines jungen Mannes.

»Die Versicherungspolice muß in einer Schublade liegen. Im Schlafzimmer. In einem Ordner, da sind auch andere Sachen drin.«

Harald braucht sich das nicht zu notieren, er ist schon einmal dort gewesen und hat sich angesehen, was nicht für seine Augen bestimmt war.

Er bat sie, einige Briefe einzuwerfen. Die Gefängnisregeln gestatteten ihm, ihnen die Briefe auszuhändigen. Während der Untersuchungshaft genießt man noch einige persönliche Rechte, und Harald schob die Briefe unbesehen in die Tasche seines Jacketts. Sein Sohn sah zu, wie sie hineinglitten, als verschwände ein Schiff an seinem Horizont; es gibt keinen Horizont in Gefängnismauern. Er weiß, daß die beiden, sobald sie gegangen sind, nachsehen werden, an wen er geschrieben hat. Und sie werden wissen wollen, brennend gern wissen wollen, was in den Briefen steht, was jemand wie er den Leuten, deren Namen sie erkennen oder auch nicht, zu sagen hat. (Jeder will wissen, was in ihm vorgeht, jeder.) Sie wollen es wissen, weil er das, was er denkt, auch schreibt, und was er in der Zelle denkt, ist das, was er ist, das Geheimnis, das er für sie ist, meine arme Mutter, mein armer Vater.

Sie hatten einem zwölfjährigen Jungen versprochen, daß sie, was er auch war, was er auch tat, immer für ihn da sein würden. Und jetzt sind sie hier und sitzen ihm gegenüber, im Besuchszimmer des Gefängnisses.

Ein Plan.

Der Plan, den ihr Sohn in einer Gefängniszelle zeichnen will – Bürogebäude, Hotel, Krankenhaus –, macht eine Aussage über etwas, das entstehen wird. Nach vorn schauend. Vertrauen. Formen aus Stahl und Zement und Glas. Auch eine Voraussetzung von Zukunft.

Boten.

Die Sekretärin des Verteidigers hatte die Mitteilung gefaxt, und Harald Lindgards Sekretärin brachte sie ihm an den Schreibtisch. Leise und rücksichtsvoll betrat sie das Büro und legte das Blatt auf den Tisch, wie sie es auch mit Briefen tat, die sie zur Unterschrift vorlegte, aber natürlich wußte sie, worum es in der Mitteilung ging. Mr. Motsamai halte ›die Nachmittagsstunden‹ für ihn und seine Frau frei, ab halb vier. Und wie immer werde der Aufseher in der Tiefgarage der Kanzlei einen Platz für sie reservieren, wenn Mr. Lindgards Sekretärin die Autonummer telefonisch durchgab. So verhängnisvoll die Nachricht auch sein mag, die ein Bote übermittelt, er trägt keine Verantwortung, er kann nicht helfen; sie kann nur den Garagenwärter anrufen und ihm die Nummer durchgeben, die sie natürlich, es ist Teil ihrer Arbeit, im Kopf hat.

Harald holte Claudia von der Praxis ab. Obwohl die Botschaft sie kurzfristig erreichte – er hörte, wie die Fragen der Arzthelferin, Mrs. February, was sie mit den Terminen machen solle, wann Frau Doktor zurückkommen werde, mit einer wegwerfenden Geste beantwortet wurden. Diesmal sagte es Claudia: »Zum Teufel mit ihnen.« Aber er sah das nüchtern als einen Schritt fort von den Prinzipien, die ihr Halt gaben – dem Ethos des Arztberufes.

Worüber sprachen sie im Auto? Keiner von beiden würde sich daran erinnern. Vielleicht sprachen sie gar nicht, richteten sich im Schweigen ein. Sie saßen schon in seinem Büro, als Motsamai – Hamilton – hereinkam, belebt von einem ausgiebigen Lunch, wie ein Schauspieler, der ein begeistertes Publikum verlassen hat.

»Bin aufgehalten worden!«

Warf den Regenmantel über den Stuhl, breitete die Hände aus, ein Lächeln, das noch zu den letzten Höflichkeiten und Scherzen zu gehören schien, die beim Verlassen des Restaurants ausgetauscht worden waren. Vielleicht hatte er Wein getrunken.

Es war, als hätte er vergessen, weshalb er sie zu sich bestellt hatte. Während er im Stehen die in seiner Abwesenheit hereingekommenen Papiere auf dem Schreibtisch durchsah, wurde er ruhiger. Und dann erst schien er ihre Anwesenheit wirklich zu bemerken, drehte sich zu ihnen herum, schüttelte Harald die Hand, nahm sie in beide Hände, und wandte sich dann Claudia zu. »Tee. Sie trinken doch Tee. Oder möchten Sie einen Obstsaft?«

Das Tablett wurde gebracht, das Pflichtritual absolviert in Vorbereitung auf – was? ›Die Nachmittagsstunden.‹ Ein beträchtlicher Batzen seiner Zeit, freigehalten für das, was er ihnen zu sagen hatte.

»Sie haben Ihren Sohn diese Woche gesehen, richtig? Ich habe den Eindruck, er hält sich tapfer.«

»Was immer das heißt.«

Sie weiß es vielleicht nicht, aber er, Harald, voller Ungeduld, weiß es: wieso drum herum reden! »Er ist entschlossen, den Entwurf fertig zu zeichnen, an dem er gearbeitet hat, Sie haben das ermöglicht, wenn ich es richtig verstanden habe. Ich weiß nicht, was die Firma dazu sagen wird.«

»Wieso, er steht doch auf ihrer Gehaltsliste. Mann! Das will ich auch hoffen! Das wär ja noch schöner, wenn sie ihn rauswürfen, bevor er verurteilt ist. Das würde ich nicht hinnehmen, da können Sie ganz sicher sein.«

»Auch wenn er selbst das Urteil nicht abwartet und sich schuldig erklärt.«

»Ach, kommen Sie, Harald, ich hab es Ihnen doch immer wieder erklärt. Das ist nicht das Prinzip. Die Tatsachen müssen trotzdem vom Gericht geprüft und bestätigt werden. Sie müssen bedenken, daß es Fälle gibt, in denen ein Angeklagter für jemand anderen die Sache auf sich nimmt – wo es um viel Geld geht, oder auch, sicherlich, im Falle von Kapitalverbrechen, bei einer Liebesangelegenheit, irgendwas, wo eine Seite alles tut, um die andere zu decken.«

»Sie glauben doch nicht, daß diese Möglichkeit hier besteht.« Es ist keine Frage, Claudia schließt trocken jede grundlose Ermutigung für sich aus.

»Das nicht. Nein. Ich wiederhol das nur unter einem anderen Aspekt, auf dem unser Fall ja basiert – dem der mildernden Umstände. Umstände, die vor Gericht dargelegt werden. Wie ich bereits mit Ihnen besprochen habe. Wie ich in dem Bericht des Psychiaters lesen konnte. Wie ich in den Gesprächen, die ich diese Woche hatte, weiter bestätigt fand. Verster. David Baker und so weiter. Leute, die in dem Haus wohnen, und solche, die dort ein- und ausgingen. Was von einem Kreuzverhör erwartet werden darf und was nicht. Ob ich es für notwendig erachte, diesen oder jenen als Zeugen aufzurufen.«

»Es gibt nur einen, den Gärtner. Wenn man jemanden einen Zeugen nennen kann, der sagt, er habe etwas gesehen, aber nicht gefunden.«

Harald drückte die Wadenmuskeln an den Stuhl, um seine Verärgerung über Claudia zu kontrollieren. Der Anwalt bereitete das vor, was er ihnen sagen wollte, das deutete sich in der Art an, wie er sich zurücklehnte und dann seinen Körper nach vorn über den Schreibtisch beugte, der einen professionellen Abstand von ihnen, seinen Leuten in Not, wahrte; eine Nähe, bei der er, während er ihr Vertrauen gewann, klaren Kopf behalten mußte. Er hätte es so für sie zusammenfassen können: Der beste verfügbare Verteidiger ist jener, der für diejenigen denkt, die nicht wissen, was sie denken sollen.

»Ich hab sie alle hier gehabt, einen nach dem anderen. Mit Ausnahme von Baker, Jespersons Partner, scheint keiner wirklich böse auf Duncan zu sein, was mich zugegebenermaßen überrascht hat. Auch wenn sie meinen, sie könnten ihre Gefühle vor mir verbergen – ich durchschaue das. Schließlich ist einer von ihnen tot, man könnte sich vorstellen, daß sie mit Duncan nichts mehr zu tun haben wollen – ihn nie wiedersehen wollen. Ah-häh …«

»Einer hat Duncan besucht. Wir sind ihm vor dem Gefängnis begegnet.«

Motsamai nickte Claudia bestätigend zu, er mußte ihn geschickt haben.

»Ah-häh. Einer mußte zu ihm gehen. Einer aus dem Haus, von den zwei Männern, die übriggeblieben sind von den Bewohnern. Eine Art Familie. Was immer im Haus vor sich ging.«

»Er hat Dladla nicht erwähnt, obwohl der gerade bei ihm gewesen war.«

»Wahrscheinlich war es ein kleiner Schock. Aber auch etwas, woraus er Mut schöpfen kann, Sie wissen, was ich meine. Später. Wenn er sich überwunden hat, darüber nachzudenken, da drinnen. Die Zeit ist so lang, so viele Stunden, wenn man drinnen ist … Na ja. Dladla war letzte Woche bei mir und gestern noch mal. Wir haben miteinander gesprochen. Ein langes Gespräch. Er hat mir erzählt, was Duncan nicht erzählt hat und was ich aus dem Mädchen nicht rausbekommen habe. Miss Natalie James hat mir nichts über die Details ihrer Beziehung zu Duncan verraten. Dladla sagt, sie hat versucht, sich nach der Sache mit dem Kind umzubringen. Ich weiß nicht genau, was sie gemacht hat, Tabletten oder ob sie ins Wasser gegangen ist, es war in Durban, sagt er, aber Duncan hat sie gefunden und ins Krankenhaus gebracht. Er hat sie wieder ins Leben geholt. Buchstäblich. Sie verdankt Duncan ihr Leben; oder gibt ihm die Schuld dafür. Kommt drauf an, wie es für sie war. Mein Eindruck sagt mir, daß sie ihn vielleicht dafür bestrafen wollte. Die Inszenierung auf der Couch könnte damit zu tun gehabt haben. Oh ja. Bei Frauen wie ihr. Ein nachweislich labiler Charakter. Ich sagte ja bereits – ich vermute, sie wollte, daß er sie sah. Und jetzt stellt sich heraus, daß es noch einen anderen Grund dafür gibt, warum sie diesen Weg gewählt haben könnte, sich an ihm zu rächen.«

Der Monolog verlangsamt sich. Alle drei saßen in einem dahinrasenden Fahrzeug, das jetzt bremste, während es auf eine gefährliche Kuppe zusteuerte, hinter der es wieder beschleunigen würde.

»Also. Dladla war gestern hier. Ja. Wir haben uns unterhalten. Auf englisch, und dann auch in unserer Sprache – wenn es schwierige Dinge zu sagen gibt, ist es besser, man gebraucht die Wörter, die einem am nächsten sind.«

Motsamai schlug sich mit der flachen Hand auf die Brust.

»Er hat mir viel erzählt. Ich dachte, ich wüßte schon alles aus meinen Gesprächen mit Duncan – aber dieser Mann hat mir ein paar Sachen erzählt. Ich glaub nicht, daß Sie das wissen. Sie hätten mir das gesagt, Sie hätten gewußt, daß ich das wissen muß – so ist das.«

Er sieht die beiden mit dem herablassenden Mitgefühl eines Erwachsenen an, der argwöhnt, daß ein Kind vielleicht nicht ganz ehrlich war. Er hält den Kopf gesenkt, aber die blanken Augen unter der in Falten hochgeschobenen Stirn funkeln sie an.

Sie wußten nichts. Nichts. Das war's, so war das! Es war eine Anschuldigung, sie ging nicht von dem Anwalt aus, sondern zwischen ihnen hin und her, Harald, Claudia, noch ein Mord, ein gewöhnliches Leben erschüttert, zerstört: Du, ein Vater, du wußtest nichts von deinem Sohn, der eine Waffe mit anderen teilte wie einen Sechserpack Bier; du, eine Mutter, du wußtest nichts von deinem Sohn, der diese Waffe abfeuerte.

Aber Hamilton, ihr Hamilton Motsamai, war nicht an diesem Ausbruch zwischen ihnen beteiligt, obwohl er, Analytiker-Priester-Beichtvater, der er war, ihn vielleicht spürte, mit dieser besonderen Sensibilität seiner Herkunft von der ›anderen Seite‹.

»Khulu weiß noch etwas.« Jetzt steuert er sie den steilen Abhang hinunter, kann nicht mehr anhalten. »Es ging nicht nur um Natalie. Khulu sagt, daß Duncan und Jespersen einmal ein Paar waren. Jespersen hat die Beziehung beendet, nicht Duncan. Khulu sagt, Duncan habe das schwer getroffen. Er ist nicht ausgezogen aus dem Cottage, obwohl der andere – Jespersen hatte mit ihm in dem Cottage gewohnt – wieder ins Haus zog. Aber er hat gelitten, Khulu sagt, er habe es gesehen. War deprimiert. Auch wenn er zeigen wollte, daß er genauso frei war wie die anderen – ›Für uns ist das nichts Besonderes, wir können den Partner wechseln, bleiben trotzdem Freunde‹, so hat der Mann das ausgedrückt –, aber Duncan hatte diese Fähigkeit nicht. Und dann kam es so, daß er ans Meer fuhr und das Mädchen fand, das gerettet werden mußte. Er hat sich selbst gerettet. Vermutet Khulu. Er weiß nicht, ob Duncan sie vorher schon kannte, er glaubt, das sei möglich, als sie noch mit dem anderen Mann zusammen war, dem Vater des Kindes. Er kam also zurück, verliebt in eine Frau, und brachte sie in die Hausgemeinschaft. Keiner hatte was dagegen, es gab keine Vorurteile, er war frei zu tun, was er wollte, und alles ist wunderbar, Miss Natalie paßt gut da rein. Das heterosexuelle Paar lebt im Cottage und das schwule Trio im Haus. David Baker und Carl Jespersen sind ein Paar, Jespersens Affäre mit Duncan ist Vergangenheit, für Duncan genauso wie für die anderen. Und dann, und dann … ist es Jespersen, der mit der Frau schläft. Mit Duncans Frau. Mit seiner Frau, sag ich, denn schließlich leben sie da in dem Cottage wie jedes normale Paar. Oh, wir hören, daß sie noch andere kleine Abenteuer hatte. Aber das hier ist Carl Jespersen. Erst trennt er sich von dem Mann, dann treibt er es mit seiner Frau. Er läßt sich überraschen, wie er auf ihr liegt – tut mir leid, Claudia – auf der Couch in dem Zimmer, in dem sie alle so gut Freund sind!«

Motsamai hört Applaus, erregt bewegt er die Schultern unter den Polstern seines Jacketts, die ihnen eine elegantkantige Form verleihen. In einer früheren Generation hätte er als Schwarzer diesen Esprit nur auf der Kirchenkanzel ausleben können. Er hatte die beiden völlig in seinen Bann geschlagen. Sie hätten ihn nicht unterbrechen können, selbst wenn sie gewollt hätten. Jetzt erwartet er eine Reaktion von ihnen. Aber seine Rhetorik allein beherrscht diesen Kanzleiraum, der mit den Gefühlen von Menschen in Not vertraut ist. Das Paar vor ihm ist sich zu entfremdet. Keiner will dem anderen seine Reaktion verraten.

Schließlich war es Harald, der sprach. Worte sind Steine, die einer nach dem anderen fallen.

»Ist es von Bedeutung, wessen Partner er umgebracht hat.«

In ihrer absoluten Aufmerksamkeit, die jede Einzelheit

seines Verhaltens vergrößerte, bemerkten sie beide, wie Motsamais Muskeln sich unter dem Jackett und in dem engen Kreis von Hemdkragen und Kravattenknoten entspannten.

»Ah, ich bin froh, daß Sie das so aufnehmen. Harald, Claudia. (Er rief sie beide zur Ordnung, förmlich.) So sollte es sein. Ich bin beeindruckt. Genau das brauchen wir, wenn wir im Interesse meines Klienten weiterarbeiten wollen, effizient, ohne Sentimentalitäten. Vor mir liegen schwierige Entscheidungen. Weil es nämlich von Bedeutung ist! Es könnte sogar von wesentlicher Bedeutung sein! Dieser Faktor. Der Staatsanwalt – er wird keinen Sinn darin sehen, einen der Freunde vorzuladen: als Zeugen wofür? Die Argumentation der Staatsanwaltschaft wird auf dem Geständnis ruhen. Das reicht. Es ist die Entscheidung der Verteidigung, ob Dladla in den Zeugenstand gerufen wird oder nicht. Dladla wird zu diesem Aspekt nur befragt werden, wenn die Verteidigung beschließt, das Thema zur Sprache zu bringen. Meine Entscheidung und die meiner Kollegen ist hier von Bedeutung. So sollte man das, was Sie eben gehört haben, betrachten. Nur darauf kommt es an. Sie haben recht, glauben Sie mir. Oh, sehr recht.«

Harald stand auf, als hätte ihm jemand ein Zeichen gegeben, so daß Claudia sich zur Tür wandte. *Wo entlang, wo entlang*. Sie erhob sich. Motsamai – Hamilton – trat zu ihnen, um sie sanft zu führen.

»Sprechen Sie mit niemandem darüber.«

Claudia strich sich eine Strähne aus der Stirn und hinter das Ohr, dabei sah sie ihn an. »Wenn Sie Dladla in den Zeugenstand rufen, was für eine Wirkung wird das auf den Richter haben? Können Sie seine Einstellung zu derartigen Komplikationen einschätzen?«

»Oh, solche Verhältnisse, wie sie in dem Haus offenkundig herrschten, sind doch geläufig. Das kennen wir doch alle. Männer mit Männern. Das ist nichts Besonderes, nichts, dessen man sich schämen müßte, nichts Verwerfliches, heutzutage – die neue Verfassung erkennt das ausdrücklich an. So ist das. Das ist das Gesetz.«

Abwärts.

Abwärts in dem nach unten gleitenden Lift. Sie waren wieder allein. Zusammen eingeschlossen.

Was für ein Chaos.

So, als wäre man durch einen Zufall im Leben eines anderen darauf gestoßen.

Hast du das ernst gemeint: ist doch egal, wessen Partner umgebracht worden ist?

Ihr Ärmel berührte den seinen.

Ja, sicher. Warum hat er sich auf ein Leben und auf eine Gefühlswelt eingelassen, der er einfach nicht gewachsen ist. Wofür hat er sich denn gehalten?

Harald kann es aussprechen, ihr gegenüber.

Claudia zog die Schultern weit hoch, drauf und dran, sich mit einem häßlichen Kichern selbst zu beschämen. Hamilton hat geglaubt, das mit der Homosexualität würde uns noch härter treffen als die Sache selbst.

Vielleicht ist schwuler Sex in seinen Augen kriminell.

Der verspiegelte Kasten, der ihre privaten Bilder aus allen Winkeln auffing wie eine Kamera, die sie identifizierte, hielt mit einem Ruck, und Harald trat in einer übertrieben förmlichen Geste zurück, um ihr den Vortritt zu lassen.

Im Wagen tippte er den Code der Diebstahlsicherung ein; sie legten ihre Sicherheitsgurte an. Deswegen hab ich nach dem Richter gefragt. Ich dachte an die alte Garde, die guten Christen der Dutch Reformed Church, von denen sitzen bestimmt noch einige auf der Bank. Aber ein schwarzer Richter ist in dem Punkt wahrscheinlich auch ziemlich konservativ.

Ein Chaos ist etwas, vor dem man steht und nicht weiß, wo man anfangen soll: was man zuerst umdrehen und aufheben soll, um das Bruchstück dann wieder hinzulegen, vielleicht an eine Stelle, wo es gar nicht hingehört. Hamiltons ›Enthüllung‹ konnte sie nicht mehr schmerzen, wo schon der Schlag von jenem Freitag seine Wirkung getan hatte. Betäubt davon, war der Rest nur ein Nachbeben. Wie der Anblick von Duncan, als er zwischen zwei Polizeibeamten den Gerichtssaal betrat, wie ihr erster Besuch im Gefängnis. Was konnte noch geschehen, nachdem dieses Schreckliche geschehen war; was konnte sich damit messen. Abends sprachen sie leise miteinander, obwohl niemand sie in dem Stadthaus hören konnte; es war solide gebaut, nichts drang durch seine Wände. Sie lagen in der Dunkelheit, nun nicht mehr isoliert. Gingen das Chaos gemeinsam durch. Das kann man nicht allein.

Darüber wollte Motsamai etwas erfahren, als er neulich in die Praxis kam.

Das glaub ich nicht. Da wußte er es noch nicht. Das war ja, bevor er Dladla gesprochen hatte.

Aber vielleicht hatte er schon eine Vermutung, nachdem er Duncan so oft ausgequetscht hatte. Er hat seine Methoden, Dinge aus Menschen herauszuholen, ohne daß sie merken, daß sie etwas preisgeben. Sagt er. Er prahlt, klar, aber es ist etwas daran, es ist wie die Fähigkeit, Diagnosen zu stellen: manche Ärzte haben sie und andere nicht.

Sie konnten den Faden immer wieder aufnehmen, am Wochenende, am Abend. Im Wohnzimmer wanderte Harald herum, vielleicht stellte er die Alarmanlage ein, bevor sie zu Bett gingen, stand vor einem Bild, stand plötzlich vor dem Schrank mit den alkoholischen Getränken und fing an, die Flaschen umzustellen, so daß sie klirrten. Er stieß auf eine, die ganz weit nach hinten gelangt war und in der sich noch ein Rest befand, kaum mehr als ein Daumenbreit. Er goß die farblose Flüssigkeit in ein Glas von der Größe eines medizinischen Meßglases und roch daran. Der Rest – dazu drehte er die Flasche auf den Kopf, damit auch der letzte Tropfen herausfloß – kam in ein anderes Glas; er hielt es ihr hin, aber sie schüttelte den Kopf.

Möglicherweise hat er es in der Schule ausprobiert. In Jungenschulen kann man sich dem sicherlich nur schwer widersetzen. Aber ich hätte gedacht – wir haben beide gedacht! –, daß an einer Schule wie seiner die ersten sexuellen Erfahrungen mit Mädchen gemacht würden. Schließlich waren genügend Mädchen da ... Es gab Sexualkundeunterricht. Die Mädchen haben doch bestimmt schon die Pille genommen, oder nicht?

Er kam mit dem Glas zu ihr, und sie nahm es. Sie tranken und zogen ein Gesicht, als sie das scharfe Destillat aus dem frostigen Norden seiner Vorfahren kosteten. Die einzige Verbindung dazu war jetzt die Herkunft des Mannes, der erschossen auf der Couch gelegen hatte.

Glaubst du, es war ein Experiment? Und nicht mehr?

Also, er fühlte sich immer zu Frauen hingezogen, oder? Wenn man das nach den Mädchen beurteilen kann, in die er schon mit fünfzehn oder sechzehn verliebt war. Er hat stundenlang telefoniert, und manchmal, wenn ich im falschen Moment in sein Zimmer kam, hab ich ihn beim Knutschen mit kleinen Blondinen überrascht.

Claudia griff nach dem Glas Wasser auf dem Tisch neben sich und spülte den Alkohol mit großen Schlucken herunter. ›Knutschen‹ gehörte zum Vokabular ihrer Jugend.

Das ist das, was wir gesehen haben. Was wir sehen sollten, aber da kann ja noch was anderes gewesen sein. Vielleicht wollte er ein Geheimnis haben. Wenn man heranwächst – das weiß ich noch –, gehört es dazu, daß man einen Teil seines Lebens für sich haben will, ohne daß jemand es kennt, auch nicht, um zu sagen – und damit einzugreifen –, das ist in Ordnung, mein Schatz, wenn du damit glücklich bist.

Aber er war rasend verliebt in eine Frau. In diese Frau. Daran gibt es keinen Zweifel. Verster hat uns davon erzählt. Eine ernste Bindung. Er hat sich mit ihren Seitensprüngen abgefunden, weiß der Himmel, womit noch. Anscheinend war er völlig verrückt nach ihr. Zwischen den beiden muß es eine sehr starke sexuelle Anziehung gegeben haben ... so stark, daß es zerstörerisch war, wie das wohl möglich ist, wenn ... Die Sache mit dem Mann, davor. Heißt das nicht, daß er von den Leuten in dem Haus fasziniert war? Eine Modeerscheinung seiner Generation, die Idee, daß Homosexualität die eigentliche Befreiung bedeutet und der üblichen Langeweile überlegen ist. Warum wollte er mit diesen Männern zusammenleben? Es ist doch jetzt klar, daß er das Cottage nicht wegen des Mädchens gemietet hat. Er ist zu den Männern gezogen, weil ihre Freiheit vorgibt, all die alten Geschichten zwischen Mann und Frau hinter sich zu lassen – Ehe und Scheidung, schreiende Kinder.

Bei uns hatte er keine Scheidungen und keine schreienden Kinder zu erdulden.

Er wollte ein Mann unter Männern sein. Unter diesen Männern. Emanzipiert. Überlegen. Frei.

Oder er wollte alles ausprobieren. Wer weiß. Ich hab solche Patienten, sie fühlen sich zum Beispiel zu Drogen hingezogen. Sie zeigen kein richtiges Suchtverhalten, auch keine physiologische oder genetische Veranlagung, es ist mehr eine Art Mutprobe, sie wollen die Erfahrung machen. Danach geht dann alles drunter und drüber.

Eine gewisse Lethargie, die ihrerseits wie eine harmlose

Droge war, hielt sie in ihrem Bett und in ihrem Stadthaus fest, eine Art Rückzug. Sie sahen sich selbst – Harald, Claudia, Duncan – teilnahmslos, wie aus weiter Ferne. Sie ging in ihre Klinik, er zu seinen Konferenzen. Duncan war in seinem Gefängnis. Eine Entdeckung bringt einen nicht ans Ziel. Sie stellt einen nur vor ein neues Rätsel.

Als sie im Besuchszimmer saßen, quälte es sie nicht, daß er ihnen nichts erzählte, obwohl es die Abmachung gab, daß er immer zu ihnen kommen konnte ... auch wenn er jemanden umbrachte. Was bedeutete es schon, was er mit seiner Sexualität anfing! Aber während sie vor ihm und den Aufsehern saßen, spürten sie nun, daß sie von ihm abgestoßen waren, von dem, der diese Tat begangen, der getötet hatte. Der flüchtige Groll, den sie in der ersten Verwirrung empfunden hatten, flutete zurück und zerfraß das, was man natürliche Gefühle nennt.

Noch eine Entdeckung. Jeder spürte sie in dem anderen, aber sie hielten es zurück. Der Anwalt, der glaubte, daß sie ihm alles anvertrauten, durfte das nicht wissen. Dieser Ekel war ihr Verbrechen gegen das eigene Kind, und sie waren Komplizen darin. Das Siegel des Schweigens, das zwischen ihnen gestanden hatte, war erbrochen; sie schlossen sich im Stadthaus ein und redeten, sie fuhren aufs Veld hinaus, wo sie mit dem Hund spazierengingen und, gemeinsam ausschreitend, jeder zu dem Zweifel des anderen neue Zweifel hinzufügte, die sie angesichts von Neigungen an dem Kind, an dem Heranwachsenden, dem erwachsenen Mann beobachtet und nicht erwähnt hatten. Der Charme, mit dem der kleine Junge seine Freunde herumkommandiert hatte – alle Spiele mußten seine Spiele sein, er mußte sie auswählen und gegen die anderen durchsetzen, eine Tendenz, die da nicht endete; ein Mangel an körperlichem Mut, den er hinter Prahlerei verbarg: Besteht die einzige Befreiung für diejenigen, die Angst haben, darin, daß sie als Erwachsene gewalttätig werden, wenigstens einmal? Die Unsicherheit des jungen Erwachsenen bei der Berufswahl: *was er werden wollte*. Was willst du werden? Und so wählte er Architektur, etwas, das mit Ideen in großem Rahmen zu tun hatte (und das seine Mutter, die Ärztin, als ein Wesensmerkmal begrüßte, das er von seinem kultivierten Vater, der kein gewöhnlicher Geschäftsmann war, geerbt hatte), und zum Glück erwies er sich als talentiert, so wie er charmant gewesen war, und besser in seinem Beruf als sein Kollege in demselben Büro, Verster, der sein Bote gewesen war. *Was er werden wollte*. Ein Fehler anzunehmen, wie man es gemeinhin tat, daß sich dies nur auf den Beruf bezog.

Anscheinend wußte er nicht, was er werden wollte.

In Claudias Augen hatten die Beobachtungen ihres Mannes, ihres Komplizen, mit der Sexualität ihres Sohnes zu tun. Selbst in dieser seltsamen neuen Form der Nähe, mittlerweile ein Ersatz für die frühere (und neu belebt auf eine Art, die man besser nicht genauer untersuchte), konnte er ihr nicht sagen, woran er denken mußte: »Der Mensch sei, wie er habe sein wollen und bis zu seiner Vertilgung sein zu wollen nicht aufhören werde; er habe eben ›für sein Leben gern‹ getötet ...«

Die Aussagen, die durch endlose Wiederholung all ihrer Bedeutung entleert zu sein scheinen, sind die wahrsten. Alltagsweisheiten sind unwiderlegbar. Das Leben geht weiter. Es blieb nicht an jenem Freitag abend für immer stehen – diese Lösung bietet sich nicht. Nie. Da hilft weder Haralds Hinwendung zu göttlichen Ratschlüssen, die am Los des Menschen nichts ändern können oder wollen, noch Claudias rationale Erfahrung, daß es Leben noch in scheinbar hoffnungslosen Fällen gibt.

Hamilton sagte ihnen, er sei mit der Vorbereitung seiner Argumentation nun soweit und würde auf dem Nachhauseweg bei seinen Klienten vorbeikommen und sie auf den neuesten Stand bringen, warum nicht, es mache ihm keinerlei Umstände. Also stellten sie das Tablett mit Gläsern, Eis, Soda und Flaschen bereit. Hamilton trinkt ganz gern ein Gläschen. Ein paar Tage zuvor hatte Claudia, als sie an einer Ampel warten mußte, spontan einen Mann herbeigewinkt, der tänzelnd einen leuchtenden Strauß flammendroter Lilien feilbot, und Blumen gekauft, wie sie es früher auf dem Rückweg von der Praxis häufiger getan hatte. Sie standen unter einem Lampenschirm. Hamilton betrat die Bühne des Lebens, das weitergeht, wie er auch sein gut ausgestattetes Büro in seiner Kanzlei betrat, als wäre jeder Schauplatz auf seine Gegenwart vorbereitet. Gegen einen Schluck war nichts einzuwenden; er kostete den Brandy, schnalzte mit der Zunge und erhob sich aus seinem selbstgewählten Sessel, um sich einen Schuß Soda zu nehmen.

»Meine Neuigkeit ist, daß der Termin jetzt feststeht. Heute in einem Monat.«

»Eher ging's nicht?«

»Ich weiß, daß Ihnen das lang erscheint, aber Duncan versteht das. Und der Richter ist der, den ich wollte. Also ...«

»*Was* versteht Duncan, Hamilton?« Harald wollte sich nicht einfach mit einer beschwichtigenden Bemerkung abspeisen lassen. »Wir haben wohl kaum die Möglichkeit, es von ihm selbst zu erfahren. Aber das wissen Sie ja, darüber haben wir ja mehr als einmal mit Ihnen gesprochen. Versteht er, daß Sie darauf bauen, Sie könnten das Mädchen dazu bringen zu zeigen, daß sie es war, die ihn an den Rand des Wahnsinns und damit zu dem getrieben hat, was er tat? Das wird *sie* schon tun, mit ihren eigenen Worten. Ich meine, glaubt er das wirklich: daß *sie* es war, daß sie der Grund dafür war. Daß er besessen war – in gewisser Weise. Ich seh nicht recht, wie es Duncan helfen soll, wenn Sie sie benutzen, er aber das Manöver mit dieser – ich weiß nicht, wie ich es nennen soll – mit dieser Rechtfertigung nicht akzeptiert.«

»Nein, nein, nicht die Rechtfertigung der Tat. Die des geistigen Zustands, des geistigen Zustands, Harald. Es war keine vorsätzliche Tat. In ihm ist etwas zerbrochen – und sie hat ihn dahin gebracht, das war sie! Da auf der Couch mit Jespersen! Das war ihr Werk!«

Motsamai hatte die Beine weit gespreizt und beugte sich zu ihnen vor, mit der ganzen Emphase seines Körpers, wie er es auch an seinem Schreibtisch in der Kanzlei tat, und der Schweiß der Tagesarbeit glänzte auf dem Obsidian seines Gesichts. Seine schwarze Haut war wie ein Stempel der Autorität in diesem Zimmer. »Er sagt, er ist schuldig. Das ist alles. Ich werde zeigen, warum. Ich werde zeigen, wer außerdem noch schuldig ist. Und wie.«

»Er haßt sie also jetzt. Auch wenn er nicht bereit ist, ihr

die Schuld für sich und seine Tat zu geben. Haßt sie für das, wobei er sie gesehen hat.« Claudia sah Harald an.

Motsamais Antwort galt ihnen beiden, aber seine Aufmerksamkeit war einen Moment lang nach innen gerichtet. »Er spricht nicht von ihr. Er will nicht an sie denken, das ist mein Eindruck. Da komm ich bei ihm nicht weiter. Ich nehm also an, er überläßt das mir. Er weiß, daß ich sie ins Kreuzverhör nehmen werde.«

»Er haßt sie. Oder er liebt sie.«

Claudias lakonisches Entweder-Oder interessiert Motsamai nicht.

»Natürlich weiß er auch, daß ich Khulu Dladla vorladen werde. Ah-häh.«

»Wegen des Abenteuers mit Jespersen.«

»In der Tat. In der Tat werde ich das tun, Harald. Jespersen hat zu diesem geistigen Zustand beigetragen, und zwar err-heblich. Er *und* das Mädchen. Eine tödliche Kombination. Und haben wir nicht guten Grund zu der Annahme, daß er, nicht zufrieden damit, seinen Partner fallenzulassen, einen besonderen Reiz darin sah, mit der Frau zu schlafen, mit der sein ehemaliger Partner jetzt zusammen war? Vielleicht war es Verachtung oder eine Art Rache, der Partner hatte die Hausgemeinschaft im Stich gelassen, sozusagen, und war zum weiblichen Geschlecht übergelaufen. Zog Frauen vor! Wer kennt sich denn noch aus mit diesen bisexuellen Variationen. Sie hatten beide eine Liebesbeziehung mit Duncan. Vielleicht trugen beide ihm etwas nach, Sie wissen, wie das ist, selbst in normalen Liebesdingen – mein Gott, wenn ich Ihnen einige der Motive schildern könnte, auf die ich in den Schriftsätzen stoße, die mir als Verteidiger vorgelegt werden. Mann! Vielleicht hatten sie beide irgendwas gegen Duncan und wollten ihm das auf diese schamlose Art zeigen. Jedenfalls hätte ihnen nichts Besseres einfallen können, um einen Mann wie ihn zu kränken und zu erniedrigen und bis zur Selbstzerstörung zu treiben. Ein Schuldbekenntnis kann eine Art Selbstmord sein. Genau das seh ich hier, und es ist meine Aufgabe, meinen Klienten davor zu bewahren. Deshalb werd ich Miss Natalie James ins Kreuzverhör nehmen und Mr. Nkululeko Dladla aufrufen.«

Selbstmord. Aber er hatte die Waffe nicht im Cottage auf sich selbst gerichtet, er hatte sie weggeworfen. Claudia und Harald fühlen sich in die Szene zurückversetzt.

Selbstmord. Der Staat macht das vielleicht für einen, wenn man des Mordes überführt wird. Harald redet für beide.

»Wir haben nie über die Strafe gesprochen. Wenn Sie mit Ihrem Plädoyer auf mildernde Umstände Erfolg haben. Oder wenn Sie den nicht haben.«

Hamilton Motsamais Gesicht, sein tiefer Baß mit all den Modulationen für sein stöhnendes, zärtliches Ah-hähhäh...mmhäh umfing sie wie eine Umarmung. »Ich weiß, woran Sie denken. Aber die Strafe ist schon seit einiger Zeit nicht mehr verhängt worden, es gibt seit 1990 ein Moratorium, wie Sie wissen, als die Abschaffung der alten Verfassung unumgänglich war. Das alles kommt demnächst vor das neue Verfassungsgericht. Die allererste Verhandlung wird sich um die Frage drehen, ob sie nach der Interimsverfassung nicht schon gesetzwidrig ist. Die Todesstrafe. Ich glaube bestimmt, daß das Gericht zu der Entscheidung kommt, daß sie gegen die Verfassung verstößt. Sie wird abgeschafft werden. Aus und vorbei, bevor wir das Urteil bekommen. Ah-häh. Nur, zur Zeit steht sie noch im Gesetzbuch.«

Wie Sie wissen, hatte der Verteidiger gesagt. Aber warum hätten sie sich darum kümmern sollen, außer in der allgemeinen Art zivilisierter Menschen? Insgeheim waren sie sich nicht sicher, ob ohne dieses äußerste Maß an Vergeltung eine abschreckende Wirkung auf Verbrecher möglich war, doch hatten sie pflichtschuldig die Menschenrechte und eine aufgeklärte Sozialpolitik unterstützt, die in der Vergangenheit des Landes mit Füßen getreten worden war. Im Namen des Staates, in dem sie lebten, waren so viele Grausamkeiten verübt worden. So viele Menschen waren zu Tode geprügelt, mit tödlichem Ausgang verhört und gefoltert worden; ein sterbender Mann war nackt tausend Kilometer weit in einem Polizeiwagen durch das Land gefahren worden. Die Häftlinge in den Gefängnissen sangen in der Nacht vor dem Hinrichtungsmorgen. In Pretoria wurden Männer erhängt, während die zweite Scheibe Weißbrot aus dem Toaster sprang. Die Strafe, die unbekannte Individuen traf, stand in keinem Verhältnis zu den Verbrechen des Staates. Nichts davon hatte auch nur das geringste mit ihnen zu tun. Mörder, Kindesschänder, Vergewaltiger – auch wenn Dr. Lindgard ein paarmal beruflich mit den Opfern in Berührung gekommen war und ihrem Ehemann davon berichtet hatte, bestand nicht die geringste Wahrscheinlichkeit, daß sie oder er mit den Tätern in Berührung gekommen waren. (Und sollten sie nicht vielleicht doch, zum Wohl der Allgemeinheit, aus dem Verkehr gezogen werden?)

Die Todesstrafe. Und auch jetzt schien sie noch immer nichts mit ihnen, mit ihrem Sohn, zu tun zu haben. Ihre

Gedanken waren wie besessen darum gekreist, warum er es getan hatte, wie er, einer ihresgleichen, ihr eigen Fleisch und Blut, eine solche Schreckenstat begehen konnte – es war ihnen unmöglich gewesen weiterzudenken. Nur abstrakt und verwirrt hatten sie hin und wieder flüchtig den Gedanken gestreift, welche Strafe über ihn verhängt werden könnte. Für sie bestand die Strafe in der Zelle, die sie nie gesehen hatten, und dem Besuchszimmer, das der einzige Ort war, wo er für sie physisch existierte. Selbst für Harald, der in seinem Glauben die Tat im Zusammenhang mit Gottes Vergebung betrachtete und die Häresie beging zu leugnen, daß es diese Gnade für den Täter gab: ›Nicht für mich.‹ Die Todesstrafe: als Destillat am Boden der Flasche, die im Schrank in den hintersten Winkel geschoben worden war.

Hamilton Motsamai ist gegangen. Die Tür schloß sich hinter ihm, Schritte verklangen, das Auto mußte durch die Sicherheitstore des Wohnparks davongefahren sein. Zwischen ihnen und der Todesstrafe stand nur er. Nicht nur er war von der ›anderen Seite‹ gekommen, alles war von der ›anderen Seite‹ auf sie zugekommen, die Nacktheit vor der letzten Katastrophe: Ohnmacht, Hilflosigkeit vor dem Gesetz. Das sonderbare Gefühl, das Harald beschlichen hatte, als er in der Eingangshalle des Gerichts, dieser weltlichen Kathedrale, auf Claudia wartete, nämlich daß er einer unter den Vätern von Dieben und Mördern war, hatte sich bestätigt. Der Entschluß, den Gottesdienst in der Kathedrale mit Menschen von der Straße zu feiern, womit er eigentlich dem Mitleid seiner Vorortnachbarn ausweichen wollte, erwies sich jetzt als Impuls, den ihm zukommenden Platz unter denen einzunehmen, die am meisten vom Unglück gebeugt waren. In Wahrheit bedeutete all dies, daß er und seine Frau nun nicht mehr zu den Privilegierten gehörten, sondern selbst auf der anderen Seite standen. Weder die weiße Haut noch die Befolgung der Lehren Gottes, des Vaters und des Sohnes, noch die fromme Respektabilität des Liberalismus, noch Geld, das ihnen Sicherheit gewährt hatte – diese andere Form der Segregation –, konnte ihren Status verändern. Auf seine Art war dieser Status so endgültig wie die Zwangsumsiedlungen unter dem alten Regime; sie hatten keine Möglichkeit da zu bleiben, wo sie einst waren, innerlich zu überleben, *wie sie waren*. Selbst das Geld – damit konnten sie sich nur den besten verfügbaren Anwalt leisten. Sie konnten sich Motsamai leisten. Motsamais mildernde Umstände standen zwischen ihnen – Duncan, Harald, Claudia – und der Entscheidung eines anderen Gerichts, eines Gerichts, dessen Entscheidung nicht auf der Grundlage irgendwelcher Umstände, die die Tat eines einzelnen milderten, getroffen werden würde, sondern auf der Grundlage der kollektiven Moral einer Nation, die sich in der Verfassung abbildete – das Recht des einzelnen auf Leben, auch wenn dieser einzelne einem anderen das Leben genommen hatte. Es war die Entscheidung darüber, ob der Staat das Recht hatte, selbst zum Mörder zu werden und einem Menschen das Leben zu nehmen, indem er ihn in den frühen Morgenstunden in Pretoria aufknüpfte.

Die Todesstrafe.

Motsamai vertraut darauf, daß sie abgeschafft werden wird. ›Aus und vorbei‹ (vielsprachig wie er ist, war das, was ihm auf der Zunge lag und in die von ihnen bevorzugte Sprache übersetzt wurde, wahrscheinlich das ausdrucksstärkere Afrikaans-Englisch: ›aus und *klaar*‹). Aber während der Mann, der auf der Couch erschossen wurde, unter der Erde ist und Duncan in einer Zelle sitzt, ist es noch im Gesetzbuch vorgesehen, ist es noch das Recht des Gesetzes, das Recht des Staates: zu töten.

So wie das zuvor lediglich die Ebene der allgemeinen, abstrakten Frage der Moral einer zivilisierten Nation war, mit der Harald und Claudia sich beschäftigten, solange es ausgeschlossen war, daß es je auf sie selbst oder ihresgleichen angewendet werden könnte, so hatte an diesem Abend die allgemeine Frage keinen Raum in der blendenden Unmittelbarkeit: Duncan in einer Zelle, auf sein Urteil wartend. Sie waren zwei Geschöpfe, die vom Scheinwerferlicht der Katastrophe erfaßt worden waren. Und nichts stand zwischen Duncan und dem Richter, der das Urteil sprechen würde, außer Motsamai und seiner Zuversicht. Zuversicht – drückte der Begriff nicht eher den Menschen Motsamai aus als den Anwalt, sein Mitgefühl, das er von der ›anderen Seite‹ mitgebracht hatte? War das nicht die Innenseite seiner herablassenden Autorität, die ja die Schale seines Egos bildete und die er hatte härten müssen, um es soweit zu bringen und als der beste verfügbare Verteidiger für diesen Fall unter einer ganzen Anzahl von weißen Anwälten zu gelten?

Keiner der beiden konnte den Widerwillen vergessen, den sie empfunden hatten, als sie Duncan das letzte Mal gesehen hatten in jenem Besuchszimmer, das nur auf eine solche Konfrontation eingerichtet und sonst ganz nackt war. Sie konnten dem nicht entkommen. Das Gefängnis, alles daran war Konfrontation, alles – Täter und Kerkermeister, der Täter, der zum Opfer des Kerkermeisters wird, der Sohn, der zum Verräter der Liebe der Eltern wird, Eltern, die zu Verrätern des mit ihm geschlossenen Bundes werden. Die Ablehnung, die sie plötzlich in sich spürten, nein, schon die letzten Male in sich gespürt hatten, die Abneigung gegen ihn im Besuchszimmer. Es war

Ekel, was sie – Harald und Claudia – wieder zusammengebracht hatte, Ekel vor ihrem Kind, ihrem Sohn, dem Mann, der aus ihrer ersten Leidenschaft entstanden war. Der Schmerz darüber, daß ihre Ehe aus dieser Ablehnung, aus dem Krankhaften dieser geheimen Zurückweisung neues Leben schöpfte, schlug in lähmende Trauer um. Er lag da und hatte die Arme um sie geschlungen, ihr Rücken und ihre Beine waren an ihn geschmiegt, die Füße berührten sich wie Hände, und sie waren stumm. Unmöglich, es auszusprechen: zum Tode verurteilt. So lagen sie eine lange Zeit. Schließlich merkte sie, daß er eingeschlafen war, seine Hand auf ihrem Körper zuckte in unterdrückter Anspannung, wie die Beine des Hundes, wenn er vom Laufen träumte. Harald betet nicht mehr. Das wurde ihr plötzlich bewußt, und es war schrecklich. Sie weinte, leise, um ihn nicht zu wecken, sie rang nach Luft, und Tränen rannen ihr in den geöffneten Mund.

Der Plan.

Duncan hat einen Tisch, eine Reißschiene, ein justierbares Zeichendreieck, ein Lineal und eine Kreisschablone in seiner Gefängniszelle, und während er auf den Prozeß und die Urteilsverkündung in einem Monat wartet, zeichnet er einen Plan. Begreift er, daß er womöglich sterben wird? Ist es ein Aufbegehren – ein Plan, eine Zukunft –, weil er das begreift? Oder ist es eher so, daß er eine verrückte Idee hat, eine nicht ausdrückbare Hoffnung in aller Verzweiflung, nämlich daß er diesen Ort verlassen und in sein Leben zurückkehren wird? Daß er frei sein wird von dem, was er gesagt hat, obwohl er ihnen gesagt hat, er habe einen Mann umgebracht? Die Zeit wird mit einem Schlingern zurückspulen, wie die Kassetten, die er sich offenbar mit dem Mädchen abends im Bett angehört hat – sie lagen auf dem Bambustisch, zusammen mit den Zeitschriften und dem Notizbuch –, und die Party an jenem Donnerstag wird nicht anders enden als andere Partys zuvor.

Ein Toter, hat Harald gesagt, kann keine Gnade empfangen, weil er nicht da ist. Ein Toter hat keinen Plan.

Alles ist verändert. Deswegen kommt es Harald nicht so ungewöhnlich vor, daß dieses alte Gebäude, das einen der im Norden der Stadt aufragenden Hügelkämme beherrscht – rotgesichtig wie die Väter des Empire, die es erbaut haben, der Eingang mit breiten Eingangstreppen, die Veranden mit hölzernen Verzierungen –, seinen Charakter verändert hat. Es ist die Fassade des alten Quarantänekrankenhauses, die er im Näherkommen betrachtet, aber es ist nicht mehr ein Ort der Isolation für Menschen, die unten in der Bevölkerung Krankheiten verbreiten könnten; es ist jetzt der Sitz des Verfassungsgerichts. Es wird die Antithese des im Fieber verwirrten und orientierungslosen Verstandes beherbergen: Hier soll über das äußerste Maß an Gerechtigkeit verhandelt werden, das überhaupt existiert; es wird ein Gericht sein, vor das jeder Bürger jedes ihn betreffende Gesetz bringen kann, damit es im Lichte der in der neuen Verfassung verankerten Rechte des einzelnen geprüft wird. Das Verfassungsgericht, die letzte Instanz, wird der höchste Schiedsrichter über menschliches Verhalten unten in der Stadt, im ganzen Land sein. Seine Gerechtigkeit wird sich auf die Moral des Staates selbst gründen. Land und Wohnung, Redefreiheit, Bewegungsfreiheit, freie Berufswahl – zweifellos wird das Gericht zu diesen Fragen angerufen werden, aber das sind lediglich Komponenten des Eigentlichen, wozu sich dieses Gericht bekennt wie kein anderes: Das Recht auf Leben. *Das Recht auf Leben*: es ist in die Gründungsschrift des Staates eingemeißelt, es ist das erklärte ethische Prinzip des Landes, in der Verfassung verankert.

Gesundheit, nicht Krankheit, Leben, nicht Tod – darum geht es hier.

Die erste Entscheidung, mit der sich das Gericht, das zum ersten Mal zusammentritt, befassen wird, ist der Antrag zweier Männer, die in Gefängniszellen in Pretoria sitzen und auf ihre Hinrichtung warten. Sie leben unter einem Moratorium. Sie wissen nicht, ob und wann das Moratorium enden wird, nach dem Gesetz gibt es die Todesstrafe noch. Keiner der beiden hat ein Kapitalverbrechen aus Beweggründen begangen, die über seine Eigeninteressen hinausgingen. Sie sind keine politischen Gefangenen. Beide sind das, was man gewöhnliche Gewaltverbrecher nennt, und sie sind von ordentlichen Gerichten des Mordes überführt worden. Sie bestreiten ihre Schuld nicht. Sie fechten das Recht des Staates an, sie im Gegenzug zu ermorden. Die Argumentation ihrer Anwälte läuft darauf hinaus, daß die Todesstrafe gegen die Verfassung verstößt. Gegen das Recht auf Leben.

Soviel hat Harald den Zeitungen entnommen. Er geht zu dem alten Quarantänekrankenhaus wie zu einem heimlichen Rendezvous. Für ihn ist es ein Auftrag. Rasch geht er die Stufen hinauf, in der Halle weiß er nicht, welchem der mit Teppichen ausgelegten Flure er folgen soll. Das Gebäude muß von Grund auf renoviert worden sein: es ist von einer repräsentativen Eleganz, kein Hauch von Desinfektionsmitteln liegt mehr in der Luft. Eine Reihe von Aufzügen, davor das Fußbodenmosaik aus bunten Steinen, Topfpalmen. Die Atmosphäre erinnert weniger an die Korridore, die zu dem Gerichtssaal B 17 führen, als vielmehr an die Managerseminare, die er in Tagungsräumen von großen Hotels besucht hat. Frauen und Männer, Bürokraten, laufen mit dem blinden Blick hin und her, wie ihn Kellner kultivieren, die nicht herbeigewinkt werden wollen. Aber ein Direktor wie Harald hat eine Präsenz, die wie ein Kleidungsstück ist, das man nicht ablegen kann, obwohl er selbst das Gefühl hat, daß es leer an ihm hängt. Eine junge Frau erkennt dies und wendet ihm lange genug ihre Aufmerksamkeit zu, um Auskunft über Stockwerk und Saalnummer zu geben.

An seinem Ziel, das er schließlich und offenbar zu früh erreicht, herrschen Betriebsamkeit und ein wichtigtuerisches Hin und Her. Neuerdings wird er von einem ihm fremden Ort an den nächsten geschoben. Dies ist ein gut ausgestattetes U-Boot. Von einer niedrigen Decke scheint helles Licht auf ein elliptisches Podest, auf dem leere Bürosessel mit steilen Rückenlehnen zu beiden Seiten eines imposanten Sessels für den Vorsitzenden angeordnet sind. Hinter dem Podest scheinen Bühnenvorhänge einen nicht öffentlichen Eingang zu verbergen. Auf dem Parkett davor stehen Tische mit Aufnahmegeräten für die Protokollführer und, durch eine symbolisch gemeinte hölzerne Barriere abgetrennt (Standardausrüstung, so hat er gelernt, in Räumen des Gesetzes), sind die Stuhlreihen für das Publikum aufgestellt, das kommt, um Zeuge der Gerechtigkeit in letzter Instanz zu werden – oder aus anderen Gründen, wie er.

Die meisten Stühle sind leer, dennoch wird er gebeten, sich von dem, den er gewählt hat – weder zu weit entfernt noch zu nah am Podest –, zu erheben, weil jemand in dieser Reihe Reservierungskärtchen auslegt. Die Säulen, die die Decke stützen, gilt es zu vermeiden, er zögert, bevor er erneut wählt, und jetzt kommt es ihm vor, als wäre er in einer Art Theater, in dem es darauf ankommt, freien Blick auf die Bühne zu haben. Ein Saaldiener stellt Wasserkaraffen auf den geschwungenen Tisch vor den Sesseln; ein Mikrophon wird geprüft, brummt und pfeift; die Saaldiener rufen sich gegenseitig kumpelhafte Anweisungen in einer Mischung aus Englisch und Afrikaans zu ... die Gedanken wandern ... also auf dieser Ebene ist der öffentliche Dienst (und die Aufseher zu beiden Seiten des Häftlings im Besuchszimmer gehören dazu) immer noch das Vorrecht dieser weißen Männer und Frauen, die einst das auserwählte Volk waren. Alte Männer, die als Pförtner noch ihren Dienst versehen, die jüngeren Männer und Frauen der letzten Generation, deren Anstellung beim Staat ihnen nach ihrer Schulzeit eine bequeme Stellung sicherte. Hin und her eilen sie, vor und hinter Harald. Die jungen Frauen tragen offenbar in schweigender Übereinkunft Uniform, eine Kluft, die je nach Laune und dem Wunsch, die sexuelle Attraktivität hervorzuheben, abgewandelt ist. Schwarzweiß, wie die Gestalten im Gerichtssaal auf den Lithographien von Daumier, von denen er und Claudia auf einer Europareise bei den Bouquinisten in Paris Reproduktionen gekauft haben; sie sollten sie Hamilton schenken, es wäre die richtige Ergänzung zu den Ikonen juristischen Prestiges in seiner Kanzlei mit der weiten polierten Fläche – dem Schreibtisch – und dem Wiederbelebungsschrank, aus dem im rechten Augenblick mit großer Freundlichkeit Brandy an einen Mann ausgeschenkt wird, der in dem, was ihm gerade enthüllt worden ist, zu ertrinken droht. Harald ruft sich in die Gegenwart zurück, sieht auf die Uhr. Nach und nach kommen Leute herein und nehmen die Plätze um ihn herum ein.

Er kennt niemanden, erkennt aber das eine oder andere Gesicht von Zeitungsbildern oder aus Fernsehdiskussionen – diese Zuhörer sind aus Prinzip gekommen, es sind Leute, die Menschenrechtsorganisationen angehören oder politisch in Positionen für oder gegen Fragen wie der, über die hier verhandelt werden soll, engagiert sind. Er und seine Frau haben sich nie einer der Gruppen angeschlossen, die privaten Meinungen öffentlichen Ausdruck verliehen, wo, so nimmt er an, Meinungen in Überzeugungen umgewandelt werden. Jetzt sitzt er hier, zwischen diesen Männern und Frauen. Von rechts kommt plötzlich der Geruch von Lilien, eine parfümierte Frau läßt sich nieder und nickt dem Nachbarn, der sicherlich ein Verbündeter ist, warum sollte er sonst gekommen sein, höflich zu. Sie hat langes rotes Haar und ist sich dessen auffallender Fülle bewußt, mit einer anmutigen Geste streicht sie es wiederholt im Nacken hoch, während sie in der Mappe auf ihrem Schoß nach etwas sucht. Links von ihm sitzt ein paar Minuten lang ein Schwarzer, der abwechselnd den Blick auf seine verschränkten Arme senkt und dann wieder den Kopf hebt und um sich schaut. Als er den Platz freimacht, setzt sich ein älterer weißer Mann dorthin und breitet seine Körperfülle und weiten Kleidungsstücke aus. Ob er arm ist oder ob die verwaschenen riesigen Jeans, die er über Fleischmassen und dicken Knien trägt, das karierte Arbeiterhemd und die abgestoßene Lederweste ein Ausdruck seiner Ablehnung materieller Werte sind, kann Harald, der außerhalb eines Milieus lebt, in dem Bekleidung so etwas symbolisiert, nicht sagen. Jedenfalls rückt er ein wenig zur Seite, um den Mann nicht in Verlegenheit zu bringen. So vergehen die Minuten; nicht daran denken, nicht daran denken, warum er, Harald, hier ist. Er ist sich vollauf bewußt, wie außergewöhnlich seine Anwesenheit ist und welche, den Menschen hier unbekannte Gründe er hat, unter ihnen zu sitzen.

Er ist allein, so allein wie nie zuvor in seinem Leben.

Und nun kommen sie in langer Reihe herein und streben auf die Sessel hinter der schimmernden Arena zu. Lächelnd und leise miteinander redend, suchen sie nach den ihnen zugewiesenen Plätzen – Männer und Frauen, die hier die Richter sind. Nicht alle sind Richter in dem Sinne, daß sie in einem ordentlichen Gericht auf der Richterbank sitzen, aber alle sind für die Zwecke dieses Gerichts dazu ernannt worden. Es ist unmöglich – wegen der Vergangenheit, aber mehr noch wegen der Veränderungen in der Gegenwart –, sie nicht als erstes im Hinblick auf ihre Farbe wahrzunehmen. Eine schwarze Frau mit hohen Wangenknochen und einem entschlossenen Mund, die angesichts ihrer Hautfarbe gegen alle Wahrscheinlichkeit Erfolg hatte; ein schwarzer Mann mit breitem Kopf auf gedrungenen Schultern, die Haltung traditioneller Würde hier ins Akademische gewandelt (nur er, Hamilton, erscheint vor dem inneren Auge nicht mehr als schwarz; die Abhängigkeit von ihm hat seine Person von der Wahrnehmung der Hautfarbe gelöst). Da ist eine forsche weiße Frau mit einem vertraut klingenden irischen Namen; sie könnte eine der feministisch orientierten leitenden Angestellten sein, die jetzt in Konzernvorständen auftauchen; dann ein blasser Inder mit eindringlichem Blick und dem ironischen Mund, den man mit Intelligenz assoziiert. Ein alter weißer Richter mit geduldiger Miene strahlt Distinktion aus, er hat alles gehört, was Menschen in Not erzählen können. Ein anderer sieht jungenhaft aus, er hat die Augenbrauen fragend hochgezogen, während er Mikrophon und Karaffe umstellt, aber er muß mittleren Alters sein, in demselben Alter wie Harald (nur daß Harald jetzt keine Altersgenossen mehr hat). Andere nehmen ihre Plätze ein, ohne daß sie besonders auffielen, außer einem: ein Mann mit dunklem Teint (Italiener oder Jude?), dessen Gesicht durch Narben zu einem Grinsen verzerrt ist, das eine Auge leuchtend dunkel, das andere blind verschwommen; eine strahlende Vitalität geht von ihm aus, die schamlos wirkt, gestikuliert er doch mit einem Stummel, wo ein Arm war. Sie alle tragen grüne Roben mit schwarzen Schärpen und einem rotschwarzen Band um den Ärmel – eine Art Judokleidung mit weißem, gerüschtem Beffchen, die man wohl entworfen hat, um dieses Gericht von jedem anderen zu unterscheiden. Wo der Vorhang sich teilt, betritt der Vorsitzende Richter als letzter den Saal, und nur er stellt eine Verbindung zu einem der Vergangenheit angehörenden Leben dar. Harald hat ihn einmal kennengelernt, er stand mit ihm auf der erlesenen Gästeliste für einen Empfang bei einem ausländischen Konsul. Er ist ein Mann mit einem dieser seltenen Gesichter – man vergißt leicht, daß es sie gibt –, die nicht die Projektion eines Egos sind, das sich anderen, der Welt, aufdrängt. Er scheint gut auszusehen, aber vielleicht auch nicht; es ist eine natürliche Ruhe, die seine Züge zu diesem harmonischen Eindruck fügt. Sein Blick ist direkt auf die Zuschauer gerichtet, als Bestätigung, daß er einer von ihnen ist. Er lächelt nicht, aber hinter den Gläsern haben seine Augen diesen Ausdruck, und auch den von Anteilnahme – aber vielleicht ist es auch das Distanzierende der dicken Brillengläser, das Harald das Gefühl gibt, dieses Mitgefühl sei da und berühre ihn.

In einer Hinsicht ist dies eine seltsam abstrakte Anhörung. Themba Makwanyane und Mvuso Mchunu – so heißen die Mörder – sind nicht anwesend. Sie sind in den Todeszellen. Die Eingabe wurde von den Anwälten, die sie vertreten, formuliert. Sie wird unterstützt von Gruppen wie »Anwälte für die Menschenrechte«, der »Gesellschaft für die Abschaffung der Todesstrafe« und der Regierung selbst, einer Regierung, die die Gesetze des Landes anficht – ein Paradox, das durch die vom alten Regime übernommenen Gesetze entstanden ist.

Themba Makwanyane und Mvuso Mchunu – wer sind

sie? Für dieses Tribunal ist es egal, wer sie sind, was sie getan haben, die Mörder von vier Menschen; sie sind ein Testfall für den wichtigsten moralischen Grundsatz menschlicher Existenz.

Das uralte Gebot. Du sollst nicht töten.

In der Versammlung unter der niedrigen Decke ist nur ein Mensch anwesend, für den die Verhandlung nicht auf der höheren Ebene abstrakter Rechtsgrundsätze stattfindet. Aber die Eloquenz, mit der die Argumente vorgetragen werden, zieht Harald manchmal auf die höhere Ebene; die Atmosphäre ist die einer lebhaften Debatte, in der die Befürworter der Abschaffung sich auf Paragraphen der Verfassung berufen, in denen die Grundrechte garantiert werden. (Von Lilienduft umgeben, schreibt die junge Frau neben ihm etwas auf, das er von der Seite her lesen kann: *Paragraph 9 garantiert das Recht auf Leben, Paragraph 10, Schutz der Menschenwürde, Paragraph 11 erklärt unmenschliche oder entwürdigende Behandlung oder Bestrafung für ungesetzlich.*) Der Rücken des Juristen, der für die Abschaffung eintritt – mehr kann man, während er sich an die Richter wendet, aus der fünften Reihe nicht sehen –, wogt vor Überzeugungskraft, als er seine Deutung von Paragraph 9 vorträgt: Der erste Grundsatz ist das Recht, vom Staat nicht getötet zu werden. Der Befürworter der Todesstrafe deutet denselben Paragraphen als die Verpflichtung des Staates, Leben zu schützen, indem er die Todesstrafe beibehält, um Gewaltverbrechen einzudämmen. Der Brief eines Bürgers des Staates wird gefühlsbetont verlesen: »Unser Land kann nur durch die Todesstrafe vor einer Welle des Verbrechens bewahrt werden.« Die Richter unterbrechen, stellen kluge Zwischenfragen und legen ihre eigenen Ansichten dar. Die Befürworter der Todesstrafe sehen sich plötzlich einem unlösbaren Problem gegenüber, als der Richter, der bei dem Versuch eines Agenten des vorherigen Regimes, ihn zu ermorden, ein Auge und einen Arm verloren hat, nicht den Grundsatz: »Arm um Arm, Auge um Auge« vertritt und auch nicht den Wunsch äußert, den Attentäter am Galgen zu sehen. Nur der Vorsitzende Richter hält sich zurück, widmet allem, was gesagt wird, seine vollkommene Aufmerksamkeit und faßt die Argumente zusammen, wenn die Diskussion zu weitläufig wird. In Paragraph 33 gibt es eine Klausel, die tatsächlich eine Einschränkung der verfassungsmäßigen Rechte zuläßt – eine Infragestellung der letzten Instanz (sie schreibt wieder: *nur insoweit, als dies in einer offenen und demokratischen Gesellschaft, die auf Freiheit und Gleichheit gegründet ist, vertretbar ist*). Der Anwalt der Abschaffung kürzt die Diskussion über den Ermessensparagraphen ab und erklärt, daß selbst wenn es eine »Mehrheit« für die Beibehaltung der Todesstrafe gäbe, dies nicht unbedingt bedeute, daß diese Position die richtige sei: Dem Gericht wird vor Augen gehalten, daß es darüber zu entscheiden hat, ob die Todesstrafe verfassungsgemäß und nicht ob sie aufgrund der Stimmung im Volke gerechtfertigt sei.

Die Sitzung wird unterbrochen. Mittagspause. Sobald der Vorsitzende durch den Spalt im Vorhang verschwunden ist, lockert sich die Atmosphäre im Saal. Grüppchen stehen zusammen und blockieren die Gänge zwischen den Stuhlreihen. Einer der Richter kommt von dort, wohin sie sich zurückgezogen haben, und nimmt ein Dokument von einem Boten entgegen; er lächelt und hebt die Hand, um Freunde zu grüßen, aber als die sich ihm nähern wollen, schüttelt er den Kopf und verschwindet: ein Richter sollte sich nicht über den Fall unterhalten. Der Lilienduft schlängelt sich mit einer hastigen Entschuldigung seitlich durch die Reihe und beginnt an Harald vorbei mit jemandem zu sprechen, der auf sie wartet: »Was für eine blutrünstige Meute …« Einige Leute erkundigen sich, ob es in dem Gebäude die Möglichkeit gibt, eine Tasse Kaffee zu bekommen; eine attraktive Frau mit einem gebieterischen Haupt weißmelierter Haare öffnet ihre Tragetasche mit Mineralwasser und Obst für ihre Begleiter und gibt dem Saaldiener, der ihr sagt, daß Essen und Trinken im Gerichtssaal verboten sei, eine amüsiert-freche Antwort.

All dies formiert sich um Harald herum und löst sich dann wieder auf.

Sie sind verschwunden, auf der Suche nach der Befriedigung ihrer Bedürfnisse – Toiletten, Essen, Trinken –, wie in jeder Pause. Allein in den leeren Stuhlreihen, ist er nicht länger unbeachtet, sondern der Mittelpunkt der Arena, des verlassenen Halbkreises von Sesseln, die jetzt durch die Wesensmerkmale der Männer und Frauen, denen sie zugewiesen wurden, gekennzeichnet sind. Er steht auf, geht die Treppe hinunter, statt den Aufzug zu nehmen, tritt hinaus in die Unwirklichkeit des Sonnenscheins und der so ganz anderen Stimmen schwarzer Männer, die an einer Grube arbeiten, wo irgendwelche Installationen, Wasser oder Strom, für Reparaturen freigelegt sind. Sonne und Männer an der Arbeit – das ist und war schon immer das Klima der Stadt, das hat schon fast Ewigkeitswert. Sie werden hier immer graben und singen. Ein paar Augenblicke lang kann man, von der Sonne geblendet, leicht die Illusion haben, es hätte sich nichts verändert. Diese Namen, Themba Makwanyane, Mvuso Mchunu, zwei schwarze Kriminelle, sitzen in ihren Zellen; der junge Architekt ist im Büro seiner Firma irgendwo da unten in der lebendigen Stadt und zeichnet Pläne.

Die Todesstrafe ist ein Thema für Diskussionen beim

Abendessen – für die anderen, die wie Harald wieder in den Gerichtssaal streben. Ihre Haltung – ob sie wollen, daß der Staat mordet, oder ob sie den Staat als Mörder ächten wollen – ist objektiv und wird von beiden Seiten als Verantwortung und Verpflichtung gegenüber der Gesellschaft begriffen. Nichts Persönliches. Die Todesstrafe ist ein Thema, dieses Gericht wird über sie entscheiden – unter einer anderen Verfassung irgendwann in der Zukunft, unter einer anderen Regierung, wird man die Entscheidung vielleicht rückgängig machen – Gott weiß, Gott allein weiß, wie der Mensch sein Wort ›Du sollst nicht töten‹ verdreht, gedeutet und umgedeutet hat. Diese Männer und Frauen, die jetzt von den Cafés, die sie in der Umgebung gefunden haben, in das Gebäude zurückschlendern, sind nur mit einer abstrakten Frage beschäftigt, einem leidenschaftslosen Wert, der seinem überlegen ist. Das weiß er, und der Gott, vor dem er sich sein Leben lang verantwortet hat, weiß es auch. Wie für ihn, wie für Claudia und ihn, ist es diesen Menschen unvorstellbar, daß die Streitfrage jemals konkret in ihr Leben eintreten könnte – wen gibt es unter ihnen oder ihresgleichen, der so unzivilisiert handeln, der morden würde als Reaktion auf Zorn, Schmerz, Eifersucht, Verzweiflung? Diejenigen, die für die Beibehaltung der Todesstrafe eintreten, fürchten den Tod durch andere, die Befürworter der Abschaffung schrecken vor dem Recht zurück, das Verbrechen zu wiederholen, indem der Mörder ermordet wird; keine Seite kann sich vorstellen, je selbst einen Mord zu begehen.

Die einzigen Menschen, mit denen er etwas gemein hätte, wären die Eltern von Themba Makwanyane und Mvuso Mchunu, wer immer die sein mögen, diejenigen, für die das, was hier in einer gelehrten Debatte verhandelt wird, nicht bloß Thema ist, sondern ständige Gegenwart, die gewaltsam in ihr Leben eingedrungen ist – durch die Söhne, die vier Menschen umgebracht haben, und durch den Sohn, der eine Kugel in den Kopf des Mannes auf der Couch geschossen hat. Es war unwahrscheinlich, daß diese Eltern sich unter den Zuhörern im Saal befanden, es ist fast sicher, daß sie arm und ungebildet sind, zu ängstlich, um sich einer Debatte auszusetzen, die ihnen unverständlich sein mußte und an der sie nur der Punkt interessierte, ob der Sohn eines frühen Morgens in Pretoria gehängt werden würde oder nicht.

Er stand noch einen Moment da, nachdem alle anderen schon wieder im Gebäude verschwunden waren. Das Glitzern des Sonnenlichts auf dem Metall der Autos signalisierte die unaufhörliche Aktivität der Stadt, deren Chor zu einem Murmeln wurde. Es erreichte ihn wie ein nur halbverstandenes Gespräch.

Der Tod ist die Strafe des Lebens. Fünfzig. Er ist fünfzig; das kann man sich leicht merken, aber in diesem Moment, an diesem Ort erfährt er, was das bedeutet. In zwanzig Jahren wird seine Lebensspanne zur Neige gehen. Er akzeptiert das in der Demut seines Glaubens, obwohl viele mit Medikamenten und Implantaten, Claudias Bereich, eine Verlängerung anstreben. Viel Zeit liegt noch vor ihm. Fünfzig, aber immer noch wacht er jeden Morgen mit einer Erektion auf, lebendig. Fünfzig. Daß die Strafe mit siebenundzwanzig erlitten werden könnte – das ist es, was ihm Argument für Argument in Gestalt einer politischen Debatte dargelegt wird. Er geht wieder in den Gerichtssaal zurück, um zu hören, was außer ihm niemand hört.

Am Ende des zweiten Tages der Anhörung wurde die Entscheidung ausgesetzt. Mit einer Rasierklinge schnitt Harald Artikel über die Verhandlung aus den Zeitungen aus und fügte sie, für Claudia, seinem mündlichen Bericht hinzu. Er brauchte sein heimliches Rendezvous nicht zu gestehen; seit Hamilton bedacht beiläufig zugegeben hatte, was immer noch im Gesetzbuch stand, akzeptierten beide, daß ihre Gedanken ständig darum kreisten. Die Verschwörung begrub ihre Scham, verwandelte sich und hatte ein neues Ziel: wie man unter Einsatz aller verfügbaren Mittel verhindern konnte, was immer noch im Gesetzbuch stand. Sie mußten sich informieren. In einer Zeitung wurden verschiedene Berichte über die Tätigkeiten und Äußerungen der Richter in der Vergangenheit veröffentlicht und die Vermutung geäußert, daß sie sich bereits vor ihrer Berufung zum Verfassungsgericht für die Abschaffung der Todesstrafe entschieden hatten. Das Urteil sei nur noch eine Formsache. Dies alles waren Spekulationen, die sich auf die persönliche Vorgeschichte der Richter und auf Hörensagen gründeten, und natürlich waren sie aller Wahrscheinlichkeit nach auch die Quelle von Hamiltons Einschätzung, die er wie eine feste Zusicherung formuliert hatte.

Aber Harald hatte eine leidenschaftliche Stellungnahme gehört, in der auf die Petition für die Wiedereinsetzung der Todesstrafe hingewiesen wurde, die, noch während das Gericht tagte, von immer mehr Menschen unterzeichnet wurde. Er las täglich von Raubüberfällen, Vergewaltigungen, Entführungen – Morden –, Verbrechen, die der

Petition noch mehr Unterschriften eintragen würden. Gefängnisstrafen schrecken nicht ab, lebenslängliche Haft wird immer umgewandelt, Gefangene werden wegen ›guter Führung‹ entlassen und können erneut töten: nur ›ein Leben für ein Leben‹ ist Schutz, ist Gerechtigkeit. Er berichtete Claudia davon. Und verstummte. Plötzlich fragte er:

Wo werden heute eigentlich Menschen mit ansteckenden Krankheiten hingebracht?

Ganz langsam lächelte sie, für ihn. Die meisten dieser epidemischen Krankheiten existieren nicht mehr. Deswegen gibt es keine Quarantänekrankenhäuser mehr. Man wird als Kind geimpft. Was uns aus medizinischer Sicht Sorgen macht, wird nur durch Intimverkehr übertragen, wie du weißt; es wäre also nicht richtig, die Virusträger von normalen Kontakten mit anderen Menschen fernzuhalten. Aber das ist auch etwas, wovor Menschen Angst haben.

Es existiert ein Labyrinth der Gewalt, das kein Fremdkörper in der Stadt ist, sondern eine Form der Kommunikation innerhalb der Stadt darstellt. Sie leben nicht mehr in Unkenntnis dieser Tatsachen hinter Sicherheitstoren. Die Gewalt ist zu ihnen gekommen. In beiden regt sich ein schreckliches Aufbegehren dagegen, die Tatsache hinnehmen zu müssen, daß Duncan, wie verzweifelt man sich auch dagegen wehrt, in dem Labyrinth eingeschlossen ist, zusammen mit den Männern, die einen anderen ausgeraubt und erstochen und die Leiche aus dem sechsten Stock eines Hauses geworfen haben – Nachrichten von heute. Morgen, wie gestern, wird es andere geben von einem, der seine Frau erdrosselt oder der die Hütte, in der seine Frau und Kinder schliefen, in Brand gesteckt hat. Gewalt – man könnte ihre unterschiedliche Dichte messen, wenn es ein Meßgerät gäbe, ähnlich wie das, womit die Luftverschmutzung gemessen wird. Der Zusammenhang, in den ihr eigener Zusammenhang, Duncan, Harald, Claudia, hineinpaßt, ist ein natürlicher. Er liegt in der schalen Luft eines Wohnzimmers um drei Uhr früh, mit dem trockenen Teppichgeruch, einem Rest Kaffeearoma und dem Knarren von Holz unter atmosphärischem Druck. Der Unterschied zwischen Harald und Claudia, wie sie früher waren, als sie den Sonnenuntergang betrachteten, und wie sie jetzt sind, liegt darin, daß sie durch intimen Kontakt mit dem Träger eines Virus, der nicht der ist, den Claudia erwähnte, selbst in das Labyrinth geraten sind. Wieder einmal stößt Harald auf einen Text. Er findet ihn, als er eines Nachts leise, um sie nicht zu stören, das Bett verläßt und ein Buch in die Hand nimmt, das er schon einmal gelesen hat, an das er sich aber nicht mehr erinnern kann. »… der Übergang von einem Wertsystem zu einem neuen muß jenen Nullpunkt der Wertatomisierung passieren, er muß über ein Geschlecht hinweggehen, das, bar jeder Beziehung zum alten wie zum neuen Wertsystem, eben in dieser Beziehungslosigkeit, in dieser an Wahnsinn grenzenden Gleichgültigkeit gegen fremdes Leid, in dieser radikalsten Wertentblößung die ethische und damit die historische Legitimation für die grausame Nichtachtung liefert, der alles Humane in Zeiten der Revolution ausgesetzt ist. Und vielleicht muß es so sein, weil bloß ein Geschlecht von solch absoluter Stummheit fähig ist, den Anblick des Absoluten und den aufbrechenden Feuerschein der Freiheit zu ertragen: Glanz, der über die tiefste Finsternis und nur über die tiefste Finsternis hinzuckt …«

Ohne die Nichtachtung all dessen, was menschlich ist, in den Zeiten, die erst jetzt in die Vergangenheit übergegangen sind, hätte ein Mensch die Unmenschlichkeit der Angriffe des Regimes auf Körper und Geist, seine gewalttätigen Übergriffe und Verhöre, seine Verstümmelungen und Morde, oder das Bedürfnis des Staates, in den Städten Bomben zu legen und aus Guerilla-Hinterhalten zu töten, nicht ertragen. Ist es das, was dieser Text Harald sagen will? Was geschieht danach, nach dieser Nichtachtung all dessen, was menschlich ist, das durch soviel Schmerz, solch quälerische und leidenschaftliche Verzweiflung erlernt wurde – die vorsätzliche Kultivierung einer grausamen Roheit, sei es, um die gegen einen selbst gerichteten Schläge zu ertragen oder sie anderen zufügen zu können? Ist es das, was über seine Zeit hinaus blindwütig überlebt? Nicht nur das Niederbrennen von Hütten und die Morde in atavistischen politischen Rivalitäten in einem Teil des Landes, sondern auch die Fahrzeugentführer, die Leben ebenso wie Wagenschlüssel nehmen, die Taxifahrer, die im Kampf um Fahrgäste Konkurrenten umbringen: Erlaubt all das einem jungen Mann, eine zufällig daliegende Waffe in die Hand zu nehmen und einem Geliebten (dem Geliebten einer Geliebten, in Gottes Namen, wer kann das sagen) in den Kopf zu schießen? Ein junger Mann, der den furchterregenden Bedingungen dieser Revolution nicht einmal unterworfen war, der weder selbst Schläge hinnehmen mußte noch anderen Leid verursachte, da er mit Einwilligung seiner Eltern nie weiter in Konflikte gestürzt wurde als in seiner Militärausbildung, wo das Ziel, auf das er schießen mußte, eine Scheibe in Menschengestalt war. Gewalt entweiht die Freiheit, das ist die Aussage des Textes. Das ist es, was das Land sich selbst antut. Er weiß, daß er Teil davon ist, nicht, weil er fordert, daß die Tat seines weißen Sohnes im Sinne eines kollektiven Phänomens entschuldigt werden kann, als eine Verirrung, die von jenen übertragen wird, in denen Leiden zu Gewalt mutiert, sondern weil Gewalt die gemeinsame Hölle all derer ist, die sich ihr ergeben haben.

Ihn loseisen.

Der Ausdruck aus dem Jargon der Verbrecherwelt war genau der richtige für die Entschlossenheit, die sie jetzt zeigten. Irgendwie, auf Biegen und Brechen – ja, die alte Metapher wurde offen akzeptiert und ließ Skrupellosigkeit erwarten. Seit Harald Claudia die Gerichtsurteile vorgelesen hatte, auf die sie bisher nie einen Blick geworfen hatten, da sie keine Sensationslust kannten, wurde ihnen bewußt, wie die Gesetzeslücken und abstruse Interpretationen von Gesetzestexten Angeklagte retteten, die in jeder anderen Hinsicht eindeutig schuldig waren. Sie wurden losgeeist.

Während Claudia anfangs nur zögernd einer Einladung in die Kanzlei des Verteidigers gefolgt war, bettelten sie und Harald bei Hamilton Motsamai nun geradezu um seine Zeit. Was sie jetzt von ihm wollten, war Gerissenheit, eine besondere Schlauheit, die ein Laie nicht haben konnte und die manche Leute, deren verallgemeinernde Vorurteile sie früher angewidert hatten, Anwälten bestimmter Rassen zuschrieben. Jüdische oder indische Anwälte, die konnten das. Standen einem schwarzen Anwalt dieselben Tricks zu Gebote? War es ein geschärfter Verstand, den man bei der Ausbildung zum Juristen und durch Erfahrung erwerben konnte? Oder gehörte es zu den stereotypen Wesensmerkmalen bestimmter Rassen, die sich ursprünglich aufgrund der Notwendigkeit, Gesetze zu umgehen, durch die sie diskriminiert wurden, entwickelt hatten? Wenn das so war, warum sollte dann nicht Hamilton alle natürlichen Instinkte der lebensrettenden List und

Schlauheit entwickelt haben? Wer, wenn nicht er? Warum sollte man annehmen, daß er für immer darauf verzichtet hatte, im Tausch gegen die erhabene professionelle Redlichkeit der weißen Mitglieder des Anwaltsstandes, die nie auf der ›anderen Seite‹ gelebt hatten? War es in seiner Kanzlei vorhanden, listig, hinter dem Blick aus den gerahmten Fotografien, die von seiner Anwesenheit unter distinguierten Kollegen des Grays Inn in London zeugten? Harald war davon überzeugt. Wie Hamilton sich das Mädchen vornahm, wie er sie dazu gebracht hatte, ihre Gefühle preiszugeben, war für ihn ein Hinweis. Doch Claudia, obwohl sie Motsamai inzwischen in mancher Hinsicht traute, war sich nicht sicher, überlegte, ob nicht einer der anderen, von denen mit Bewunderung und Abfälligkeit zugleich gesprochen wurde, der richtige Anwalt sei, um alle Mittel, wirklich alle, zur Verteidigung ihres Sohnes auszuschöpfen. Ein Jude, ein Inder. Obwohl sie es nicht sagte, verstand ihr Mann sie; viele der stereotypen Haltungen, die sie in ihrem alten, gesicherten Leben leicht hatten von sich weisen können, erwiesen sich jetzt als hilfreich, da die Werte jener Zeit nicht mehr galten. Wenn es einen Mord gegeben hat, was zählt dann noch? Nur das, was den Sohn retten kann. Die Stadthausmoral der Ärztin und des Direktors war trivial.

Hamilton reagierte mit lebhafter Begeisterung auf ihre neue Haltung. Als hätte er selber sie die ganze Zeit in diese Richtung gedrängt, ah-häh, ah-häh, das nette, anständige weiße Paar aus ihrer Un-Welt. Er verstand nicht, oder gab vor, nicht zu verstehen, daß sie ihrer Meinung nach eine versteckte Forderung an ihn stellten, alles, auch Unmoralisches (wie sie es sahen), zur Verteidigung ihres Sohnes zu tun. Die Unwissenheit gebildeter Leute, weißer wie schwarzer, hinsichtlich der Konventionen des Rechts war immer wieder überraschend; wahrscheinlich könnte Claudia das gleiche über die Kenntnisse der Leute in medizinischen Fragen sagen. Sie hatten immer noch nicht begriffen, welcher juristische Spielraum einem fähigen Strafverteidiger zur Verfügung stand. Wie sonst konnte man die Vertretung eines geständigen Mörders übernehmen?

»Könnten Sie nicht den, wie heißt er doch gleich – Julian –, der uns benachrichtigt hat, den Duncan gleich angerufen hat an dem Abend, benutzen? Ich hab das Gefühl, er mag das Mädchen nicht, er hat häufig miterlebt, wie sie ihm eine Szene gemacht hat, was für ihn schockierend war, und sich Duncan gegenüber – wie soll ich sagen – wild und provozierend aufgeführt hat, in der Art, die Ihrer Meinung nach wichtig ist.«

»Mein Hauptargument, ja.« Er ermuntert Claudia.

»Vielleicht können Sie aus ihm was rauskriegen. Obwohl ich den Eindruck hab, er sagt nur ungern was, weil er bestimmte Vorstellungen von Freundschaft und Vertrauen und so weiter hat. Loyalität gegenüber dem, was in dem Haus vor sich ging; vielleicht hat er Angst, daß die anderen ihm Vorwürfe machen ...«

»Oh, Sie haben ganz recht. Ich bin schon an ihm dran. Stiller Typ. Aber der Punkt ist, was Sie über das Haus sagen, über die Bewohner oder die häufigen Besuche – es stimmt, daß er von ihnen gemocht werden wollte, aber seine eigentliche Zuneigung gilt Duncan, Duncan ist derjenige, der ihm wichtig ist. Aber ich bezweifle, daß es sich lohnt, ihn als Zeugen vorzuladen.«

Harald ist mehr an dem anderen, an Khulu, interessiert. »Gibt der nicht mehr her? Wenn ich Richter wär, würde ich dem, was er sagt, mehr Gewicht geben. Und er hat in dem Haus gelebt, er ist nicht einfach jemand, der zufällig mit Duncan zusammenarbeitet, ein Kollege, der außerhalb steht, ein Freund, der nicht immer da war, um zu beobachten, was sich da abspielte. Khulu dagegen ...«

»Und Khulu ist schwul. Ah-häh. Er kennt sich mit den Moralvorstellungen der Leute aus, oder wie man das nennen soll, was man tut und was nicht, in der Art, wie sie ihr Leben gestalten und die Dinge zwischen sich regeln.«

Ich meine
Könnte nicht
Nicht, daß
Ah-häh
Ich meine
Moment mal
Aber wenn
Lassen Sie mich erklären

Sie werden lebhaft, es ist gleichzeitig eine Beratung und ein Wettbewerb. Zum Segen für seine Klienten in Not ist Duncan zum Thema geworden, gegenwärtig unter ihnen, obwohl er nicht anwesend ist. Er ist in seiner Gefängniszelle – wie immer.

Der Aushilfsklempner und Gärtner: Lohnt es sich, ihn vorzuladen? Zu welchem Zweck? Ach, soll doch der Staatsanwalt ihn sich nehmen ...

Motsamai ist plötzlich sehr attraktiv, wenn er lacht. Eine Rolle, die er für andere Gelegenheiten bewahrt, setzt sich über die Etikette hinweg, vielleicht die seiner Herkunft, die durch das afrikanische Bartbüschel unterstrichen wird, oder die andere, die er perfekt beherrscht, nämlich die der kollegialen Bonhomie des Juristenstandes in ihren Restaurants.

Der vulgäre Ausdruck von der Straße wird hier nicht verwendet: Eisen Sie ihn los. Doch er wird allseitig in seiner Begrenztheit verstanden. Was seine Klienten sich wünschen, kann Duncan nicht die Freiheit geben, das wissen sie und ihr Verteidiger; Freiheit von dem, was er laut seiner Aussage getan hat, Freiheit von dem, was ihn umschließt, wie einst der Mutterleib, ungesehen ... Bestraft werden muß er, sei es nach dem Willen des Gottes seines Vaters oder den von Menschen gemachten Gesetzen, nach denen seine Mutter lebt. Mit dem Ausdruck kann man höchstens die Mittel meinen: daß man ihn mit allen Mitteln außer Reichweite dessen zu stellen versucht, was immer noch im Gesetzbuch steht. Sein Leben für ein Leben.

»Und von Ihnen beiden brauche ich auch mehr. Das wissen Sie ja. Ah-häh ... viel mehr. Über diesen Bereich (er spreizt die erhobene Hand) haben wir noch nicht genug gesprochen. Wie war er als Heranwachsender, wie war er wirklich? Welche Probleme haben Sie womöglich damals schon gesehen? Dinge, die seine Reaktionen später beeinflußt haben könnten, Konflikte und so weiter. Einiges von den Dingen, die Sie vergessen haben, die für Sie erledigt waren.«

Es war, als würden durch den Einklang in dem Raum Jalousien hochgezogen, als fiele eine schattenlose Klarheit auf sie.

Es gab nie Konflikte.

Er war ein glückliches Kind.

Aber das wurde nicht ausgesprochen.

TEIL 2

Warum kommt Duncan in der Geschichte nicht vor? Er ist der Strudel, um den die anderen kreisen: Harald, Claudia, Motsamai, Khulu, das Mädchen und der tote Mann.

Seine Tat hat ihn zu einem Vakuum gemacht, und ein Vakuum ist die Antithese von Leben. Und wenn sie nicht verstehen können, wie er tun konnte, was er getan hat – er versteht es auch nicht. Höchstens das Mädchen; sie könnte, sie würde vielleicht verstehen. Sie war auch bereit zu töten; sich selbst. Das ist das, was der an einem anderen begangenen Tat am nächsten kommt. Der Tat selbst, nicht ihrer Bedeutung. Er erinnert sich nicht mehr an die Tat selbst; der Anwalt glaubt ihm das oder möchte, muß ihm glauben, aber der Staatsanwalt, der Richter und die Beisitzer – wer immer sie sind, die sich dies anhören werden –, sie werden ihm nicht glauben. Er hat nicht, wie der Anwalt es in seiner Frage formulierte, ›vorsätzlich‹ gehandelt. Die Tat war so schnell ausgeführt, ein Höhepunkt, der sofort überschritten war, das unerträgliche Gefühl nicht mehr faßbar, vorbei. Er weiß noch, wo die Waffe gelegen hatte, aber das war am Abend zuvor; irgendein Idiot hatte davon gesprochen, daß er sich eine kaufen wollte. Er hatte sich erklären lassen, wie man das Ding benutzte. Die Hauswaffe. Sie lag immer irgendwo herum. Es hatte keinen Sinn, sie zum Schutz da zu haben, wenn sich im entscheidenden Moment keiner an ihren Aufbewahrungsort erinnern konnte. Er sieht noch, wie sie da lag, vergessen, auf dem Tisch, zwischen Flaschen und Gläsern, am Abend zuvor. Und als sie – Jespersen, Natalie – zusammen den Abwasch gemacht, aufgeräumt und auf der Couch miteinander geschlafen hatten, ließen sie die

Waffe dort liegen. Der Moment kam. Sie hatten sie für ihn liegengelassen.

Die Waffe sieht er nicht, wenn er sich den Moment vor Augen ruft, als er die beiden fand. Aber wie er sie antraf, das steht ihm genau, in jeder Einzelheit vor Augen. Sie sind beide bekleidet (so mag sie es gern), sie bieten sich gegenseitig nur die Geschlechtsteile dar, ihr Rock ist aus dem Weg geschoben und seine Hose bedeckt noch halb seinen Hintern, während er sich in ihr zu schaffen macht. Sie geben Laute von sich, die ihm – er kann nicht umhin, es zu hören – von beiden vertraut sind, und genau in dem Moment, als sie merken, daß jemand da ist, werden sie von dem ergriffen, was sie nicht aufhalten können, es geschieht da vor ihm; ihm ist, als wäre es immer so, wenn man sich selbst sehen könnte, Zuckungen, ein epileptischer Anfall. Er floh davor. Er bildete sich ein, er habe das Mädchen zugleich lachen und weinen gehört. Er saß im Cottage im Dunkeln und wartete darauf, daß sie sich hereinschlich und sagte: Das war schon alles, siehst du! Aber diesmal ist das nicht schon alles.

Wie oft hatte sie sich mitten in der Nacht, in ihren schrecklichen Stunden nach ihren guten Stunden, über ihn gebeugt und wild den Kopf mit den fliegenden Haaren geschwenkt, eine Furie (meinetwegen, heb mich doch auf ein Podest oder sonstwas in deiner klassischen griechischen post-post-modernen Architektur oder wie sie heißt), hatte gelacht und geweint – für sie war das ein- und dasselbe – und ihm ins Ohr geschrien, als wäre er taub: ›Du Schwuchtel du! Geh doch wieder zu deinen Knaben! Mach schon, geh doch ins Haus, wenn ich dir nicht passe und du mich ummodeln willst in deinem Allmächtigkeitswahn.‹ Sie, für die alles erlaubt war, hatte keine Skrupel, ihn für das zu beschimpfen, was sie eigentlich als unbedeutend betrachtete. Im Vertrauen auf die Freiheit der Erfahrungen und Gefühle, zu der sie sich bekannte und die sie praktizierte, hatte er etwas getan, was er nie hätte tun sollen – er hatte ihr von dem Vorfall, nein, ehrlich gesagt, war es mehr als das, von der Zeit mit Jespersen erzählt. Hatte ihr eine Waffe gegeben, die sie über seinem Kopf schwingen, ihm an die Kehle setzen konnte, und wenn sie bei ihm die gewünschte Reaktion sah, warf sie sie beiseite, als wäre alles nur ein Witz.

Der schreckliche Strom ihrer Beschimpfungen war eine Folter, die ihn in der Zelle heimsuchte. Hier konnte er ihr nicht entrinnen. Und sie war beredt wie kaum jemand, den er kannte, es war wie ein Fluch. Du hast mich zurückgezerrt du hast darauf bestanden daß ich mir meinen Tod aus der Lunge kotz du hast mich nach der Irrenanstalt mit den psychopathischen Ärzten ins Leben zurückgeholt du planst du hast die ganze Zeit geplant mich zu retten in der Missionarsstellung nicht nur auf meinem Rücken geschmackvoll verheiratet deine Kinder weil ich meins weggegeben habe wie eine Hündin die ihre Jungen frißt ich soll die ›Laufbahn‹ einschlagen die du für mich erfunden hast weil das einer Frau zusteht der du das Leben gerettet hast *dafür* hast du mir meinen Tod weggenommen für das wofür ich nach *deinem* Willen leben soll du hast gesagt ich muß aufhören mich selbst zu bestrafen aber ich hab Neuigkeiten für dich wenn ich bei dir bleib dann deshalb weil ich das will ich will es weil es die schlimmste Strafe ist die ich mir ausdenken kann ich wälz mich darin, damit du das nur weißt …

Es endet nicht dort. Es fließt aus allen Nächten, in denen sie sprachen, bis drei Uhr morgens, im Rausch ihrer Worte, sie brauchten kaum etwas anderes. Und die ganze Zeit, während sie gegen ihn wütete und tobte, hörte er wieder, was er ihr, statt ihr mit der Hand auf den Mund zu schlagen, entgegengeschleudert hatte – dem einen Gewaltakt widerstand er, nur um einen anderen statt dessen zu begehen: Ich hätte dich sterben lassen sollen. Ich wünschte, ich hätte dich sterben lassen – er war sich der unermeßlichen Trauer in einem ihrer Gedichte bewußt, das sie für ihn geschrieben hatte: ›Ich bin die Flamme einer Kerze / die sich im Luftzug bewegt / den du nicht sehen kannst / Du sollst derjenige sein /der mich beruhigt /damit ich brennen kann.‹ Er hatte das für sie nicht tun können, er war es nicht.

Ich hätte dich sterben lassen sollen.

Heißt das, daß er sie töten wollte? Daß er einen Blick zurück auf Euridice werfen wollte, die er aus dem Schattenreich geholt hatte, damit sie ihm nicht weiter folgen konnte? Wollte er sie abschütteln – und er liebte sie so sehr; hatte er in ihr sein Verhängnis gewählt, so wie sie sagte, sie habe ihres in ihm gewählt?

Das wäre vorsätzlich gewesen. Wie oft hatte er der Hand, die sich gegen ihren Mund erhob, Einhalt geboten. Sie hatte recht, wenn sie ihn wegen seiner Herkunft aus dem Bürgertum verhöhnte. Da geht es doch nur um Fügsamkeit, sagte sie und lachte. Deine Eltern – was für selbstgerechte Spießer. Dein Vater ist mit dir in die Kirche gegangen, er ist praktizierender Christ, aber wahre Christen sind Rebellen, sie sind ins Gefängnis gegangen für das, was sie als falsch erkannten, statt ihre kleinen, erbärmlichen Sünden dem Priester hinter einem Vorhang vorzutragen, der so tut, als vertrete er Gott im Himmel. Deine Mama ist eine gute Liberale, und das heißt, daß sie das, was in diesem Land geschehen ist, beklagt hat, oh ja, aber dann hat sie es anderen überlassen, ihr Leben zu riskieren, um es zu verändern.

Und du (hatte er das wirklich zu ihr gesagt?), du bildest dir ein, du bist Anarchistin, und Anarchie hat keine Form, sie ist das Chaos, das du bist, und dafür hab ich mein Reißbrett im Stich gelassen.

Den ganzen Tag wartete er im Cottage darauf, daß sie zurückkam, aber sie kam nicht. Die anderen Male, als sie eine Affäre hatte, verschwand sie für ein paar Tage und kam dann mit einer kleinen Tragetasche zurück, die für ein Wochenende mit einem Liebhaber ausreichte; sie war nie reumütig (sie war ein freier Mensch), aber ruhig und offenbar erfreut, ihn zu sehen. Einmal brachte sie ihm sogar ein Souvenir mit, ein Fossilfragment, das sie gefunden hatte. Sie kam mit diesen unmöglichen Gesten durch. Darauf folgte eine Nacht der Gespräche. Und die ganze Zeit hatte er großes Verlangen nach ihr, wollte aber nicht zu schnell dorthin, wo ein anderer Mann gewesen war. Nach ein, zwei Tagen schliefen sie wieder miteinander, und sie tat so, als wäre nichts passiert. Das war schon alles.

Schließlich, am späten Nachmittag, stand er von ihrem gemeinsamen Bett auf, wo er den ganzen Tag gelegen hatte, und ging zum Haus hinüber. Aber vorher führte er die seltsamen alltäglichen Handgriffe aus, öffnete eine Dose Hundefutter und füllte damit den Napf vor der Tür; der Hund sprang voller Vorfreude um ihn herum, aus reiner Lust am Appetit, am Lebendigsein. Er ging zum Haus hinüber. Er wollte mit niemandem sprechen, aber er hörte sich selbst im stummen Monolog, und diesmal sollten die Worte nicht mitten in der Nacht und nicht zu ihr gesprochen werden. Er wußte nicht, was er sagte, was er sagen würde. Er war verwundet bis in die Kehle hinunter, die zugeschnürt war. Wenn er überhaupt eine Absicht hatte, dann die, daß er wissen wollte, was derjenige, der sein Schweigen hörte, zu sagen hatte. Es war Jespersen. Jespersen lag auf derselben Couch.

Und so traf er wieder auf ihn.

Der Mann hob den Kopf und lächelte, er öffnete die Augen weit unter hochgezogenen Augenbrauen und zog die

Mundwinkel nach unten – der vertraute, attraktive Ausdruck von Schuldgefühl in der Darstellung eines vollendeten Mimen. Was er sagte, war: Oh je. Tut mir leid, Bra. Die Form der Anrede, von den schwarzen Besuchern des gemeinschaftlichen Hauses übernommen, eignete sich gut dazu, eine allgemeine Verbrüderung zwischen ihnen zu bekräftigen, die alle Übertretungen auffangen sollte.

Es war genau die Art, es waren die gleichen Worte, mit denen Jespersen ihm gesagt hatte, daß die Monate, in denen sie ein Paar gewesen waren, vorbei waren.

Alles verwirrte sich. Seine Gedanken waren nur um sie gekreist, er war erfüllt von ihr bis dorthin, wo die zugeschnürte Kehle ihm das Sprechen unmöglich machte, sie war es, gegen die sich die Anschuldigung richtete, die er vor sich hertrug, der Kadaver seiner Gefühle. Als er nun diese Worte hörte, diesen Gesichtsausdruck sah, spürte er wieder den Schmerz jenes früheren Schlages, und während der Mann in einem der japanischen Baumwollgewänder, die Duncan noch sehr gut kannte, entspannt dalag und die Zehen an dem kräftigen Fuß in seinen Lieblingssandalen bewegte, erlebte er aufs neue den Schmerz der Zurückweisung, obwohl er seit langem gedacht hatte, daß dies eine vergessene Phase in der Entwicklung dessen sei, was Leben bedeutete, wenn die Leidenschaften und Frustrationen der Jugend zu dem schrumpfen, was sie eigentlich sind. Jespersen war derjenige, der verloren war, verloren im Körper des Mädchens. Jespersen war auch ein Kadaver des Lebens. Dieser Mann hatte mit eigener Hand alles zerstört, alles, den Sinn seiner selbst, den Sinn, den das Mädchen hatte, zerstört in den Verzerrungen, in den abstoßenden Zuckungen ihrer Kopulation.

Gerede. Jespersen mit seinem melodischen norwegischen Englisch sagte vernünftige, einleuchtende Dinge. Wir sind keine Kinder mehr. Wir besitzen einander nicht. Wir wollen doch frei leben. Wir sollten spontane Regungen, die Menschen zusammenbringen, nicht unterdrücken, ob es nun Sex oder ein langer Spaziergang ist, das ist es doch, eh? Der Spaziergang ist vorbei, der Sex ist vorbei, es war nett, und das war's, oder? Nur daß wir leider ein bißchen zu impulsiv waren. Ich mein, sie achtet doch normalerweise darauf, daß es etwas privater zugeht. Das wissen wir doch alle … du weißt es, Bra. Es hat ja auch früher nichts zwischen dir und ihr geändert. Siehst du, man soll nie jemandem nachspüren, nie, das ist ein Fehler, das tun die Menschen, die ihre Gefühle zu einem Gefängnis machen und einen anderen darin einschließen. Hättest du es nicht zu dem gemacht, was es jetzt ist – sie ist ein tolles Mädchen, wirklich, sie hätte nie weiter darüber nachgedacht, und ich auch nicht, ich stelle keine Ansprüche, es war einfach ein Teil von dem schönen gemeinsamen Abend, gehörte zu dem Spaß und den paar Drinks, während wir aufgeräumt haben. Nimm dir doch einen Drink.

Gerede.

Während des Geredes hörte er ständig ein anderes Plappern in seinem Kopf, als drehte jemand den Knopf an einem Radio mit rasender Geschwindigkeit von Sender zu Sender, Fetzen, Geplärr aus der Vergangenheit, aus der Nacht, aus anderen Nächten, Verzweiflung, Selbsthaß, unaussprechliche Zärtlichkeit, blanker Ekel, unerträgliche Wut, ohne irgendeine Logik. Die Verbindungen im Gehirn brannten durch. Er wußte nicht, was er dachte, fühlte – unter dem Gerede, Gerede, Gerede. Es war die große Apokalypse alles Redens in all den Nächten bis drei Uhr morgens. Das wollte er beenden, das war es, als er zu der Waffe griff, die die ganze Zeit am Rande seines Blickfelds dalag, und ihrem Liebhaber, seinem und ihrem, in den Kopf schoß.

Das war schon alles.

Natürlich würde er so etwas nie tun. Deswegen gibt es auch nichts, was man den armen beiden erklären könnte, wenn sie mit ihm im Besuchszimmer sitzen. Er wußte nicht, was in ihm war, noch in ihm ist – wie sollten sie es dann wissen? Der gerissene Anwalt mußte sich eine Erklärung einfallen lassen. Wir sind jetzt in deinen Händen, Bra. Der Anwalt war es, der ihm berichtete, die Obduktion habe bestätigt, daß Carl, Carl Jespersen durch einen Schuß in den Kopf zu Tode gekommen sei. Deswegen glaubte er es jetzt. Er hatte nicht gesehen, daß Carl blutete. Er hatte nicht gewartet, um zu sehen, welche Wirkung der Griff nach der Waffe gehabt hatte. Er war geflohen, wie er als Kind in den Garten geflohen war, als er eine Lampe im Schlafzimmer seiner Mutter umgeworfen und kaputtgemacht hatte. Wenn die Todesstrafe vollstreckt wird, sollte man sein Gehirn vielleicht der Forschung überlassen; vielleicht kann man darin eine Erklärung finden, die nützlich ist. Der Gesellschaft nützlich. Alles, was er für die zwei im Besuchszimmer tun kann, ist zu hoffen, daß sie nicht zu sehr ins Rampenlicht gezerrt werden, wenn der Prozeß beginnt. *Er* hat einen gewissen Status als Vertreter des Big Business und ist für Journalisten interessant, *sie* hat einen gewissen Status auf dem Gebiet öffentlicher Mildtätigkeit. Die Leute wollen sehen, was Pressefotografen von Menschen solchen Status' zeigen können, deren Sohn etwas getan hat, was er nie tun könnte. Aber vielleicht bleibt es auch unbemerkt; was ist schon ein Mord in einem Einfamilienhaus (der in den Vororten typische Schauplatz), ein undurchsichtiger Streit zwischen Liebespartnern, ein Eifersuchtsdrama unter Schwulen, etwas dieser Art, im Vergleich zu der aufsehenerregenden öffentlichen Gewalt, wo man Leute filmen kann, die tot auf der Straße liegen, erschossen im Kreuzfeuer der neuen Killergangs, die von Taxifahrern und Drogenhändlern angeheuert werden und ihre Taktiken von den staatlichen Einsatzgruppen des alten Regimes übernommen haben, einschließlich einer Palette von Methoden, mit denen sie politische Gegner ›dauerhaft unschädlich‹ machen, von Auto- und Paketbomben, mit denen sie ihre Opfer in die Luft jagen, bis hin zu Überfällen, in denen mit Messern auf die Opfer eingestochen wird, um sicherzugehen, daß die Kugeln ganze Arbeit geleistet haben.

Wenn etwas in den Windungen des Gehirns gefunden werden könnte, was erklärt, wie sie alle, all diejenigen wie er selbst, diese Dinge tun konnten, wie sie Menschen verletzen und verstümmeln und – die höchste Leistung – töten konnten.

Eine Hauswaffe. Wie sollte man sich in dieser Stadt verteidigen, wenn sie nicht da war, sich gegen den Verlust der Stereoanlage, des Fernsehgeräts und des Computers, der Uhr und des Schmucks wehren, dagegen, geknebelt, vergewaltigt, erstochen zu werden. Wenn sie nicht da gewesen wäre, läge der Mann auf der Couch nicht unter der Erde der Stadt.

Er war ein glückliches Kind. Das stimmt doch, oder? Claudia brauchte Harald diese Frage gar nicht zu stellen. Natürlich war er das. Was sollten sie sich eigentlich wieder in die Erinnerung rufen, was sie nach Meinung des Anwalts für ›vergessen‹ und ›erledigt‹ hielten? Als ob es etwas Verstecktes gäbe, versteckt vor ihm, vor ihnen. Was wollte Duncan von ihnen? Was brauchte er von ihnen?

Hast du den Brief noch?

In einem dieser Karteikästen, in dem alten Schrank, die wir beim Umzug mitgenommen haben. Aber es ist nur noch die erste Seite da.

Ja, er erinnerte sich daran; es war unvermeidbar gewesen, daß sie daran dachten, in all ihrer Verwirrung nach diesem Freitagabend. *Es ist etwas Schreckliches passiert*, hatte der Junge geschrieben. Sie hatten sich darüber gestritten, wer damals zu ihrem Sohn gesagt hatte: *Wir sind immer für dich da. Immer.*

Ich dachte, vielleicht ist das was für Hamilton. Aber wahrscheinlich nicht. Es war wohl doch kein besonderer Schock, der Junge hat ziemlich ruhig darauf reagiert, was immer diese Sache mit dem Kind, das sich erhängt hatte, für ihn bedeutet hat. *Wir* waren viel verstörter als er.

Er kann sich ja trotzdem so gefühlt haben, auch wenn er das nicht so geschrieben hat. Verwirrt, verängstigt.

Aber er konnte es uns nicht schreiben. Gut. Aber warum nicht?

Kinder sagen Dinge nicht direkt. Sie erzählen etwas, und die Erwachsenen sollen es deuten. Ich kenn das, so ist es auch, wenn ich versuche, Kinder zu diagnostizieren.

Er hob den Kopf, sein Blick wanderte im Zimmer umher, verneinend, suchend. Einer von ihnen – Claudia, er selbst, dieser dumme Streit, bei dem jeder sich selbst zu rechtfertigen versuchte – beide hatten den Bund mit dem Jungen geschlossen: Es gibt nichts, was du uns nicht sagen kannst. Nichts. Aber er war nicht in der Lage gewesen, ihnen von den Dingen zu erzählen, die für ihn zu jenem Freitagabend geführt hatten, als ihm etwas Schreckliches geschehen war. Er hatte ihnen nicht erzählt, daß er einen Mann liebte oder ihn zumindest begehrte, daß er diese Gefühle zugelassen hatte, obwohl man ihm beigebracht hatte, daß er seine Gefühle ruhig zeigen sollte – daß Jungen nicht weinen, ist Unsinn. Er hatte ihnen nicht erzählt, daß er ein Mädchen aus dem Wasser geholt hatte, daß er mit ihr gegen ihre Todessehnsucht gekämpft hatte. Er brachte junge Frauen zu einem Drink auf der Terrasse des Stadthauses mit, man sprach eine Weile über Ereignisse des öffentlichen Lebens in der Stadt, über die Ferien, vielleicht Politik, man erzählte sich Anekdoten und lachte gemeinsam, tauschte Meinungen über ein Buch aus, das beide gelesen hatten – und vielleicht sahen sie die Frau wieder, vielleicht auch nicht. Diese, die er anscheinend auf Dauer bei sich aufgenommen hatte, hatten sie auch nicht häufiger gesehen; manchmal kam er allein vorbei – für den eigenen Sohn ist man immer zu Hause – und setzte sich zum Essen zu ihnen an den Tisch. Dann entstand die alte, vertraute Nähe, ein Wiedererkennen unter den dreien, könnte man sagen, und sie sprachen miteinander, ganz unter sich, über Familienangelegenheiten, über ihre unterschiedlichen Erfahrungen in der Arbeitswelt. Seiner Mutter sagte er womöglich, daß er sich Sorgen mache, weil sie so viel arbeitete, und mit seinem Vater besprach er die Möglichkeit, sich von der Firma, in der er angestellt war, zu lösen und ein eigenes Architekturbüro aufzumachen, in dem er seine Vorstellungen eher verwirklichen konnte. Einmal hatte Harald gesagt: »Du bist wohl in dieses Mädchen verliebt?« Und er schien das Bekenntnis, von außen kommend, zu begrüßen. »Ich glaube ja.«

Aber indem er das so sagte, sagte er auch, daß die Liebe schwierig war. Harald und Claudia hätten das heraushören können. Aber da war ihr Glaube an Freiheit, an das Recht auf eine Privatsphäre. Das war ihre Form der Liebe.

Der Bund mit dem Jungen war bedeutungslos gewesen.

Es war die wichtigste Verpflichtung in ihrer beider Leben. Ohne sie waren all die Menschen, deren Altersbeschwerden sie linderte, all die Frauen und Kinder, deren unterschiedlichste Wunden sie versorgte, nichts, und ohne sie war Haralds Liebe zu Gott nichts. Und *wenn* er zu ihnen hätte kommen können, nein, wenn er zu ihnen gekommen wäre, hätten sie verhindern können, was geschehen war? In welchem Stadium der Verworrenheit, die sein Leben verschlang, wäre das möglich gewesen? Wann – wo – war der Punkt erreicht, von dem es kein Zurück mehr gab? Als er das Mädchen gerettet, wiederbelebt hatte, war es damals möglich gewesen, ihn daran zu hindern, sie in einem endgültigen Sinn ›retten‹ zu wollen, indem er sie mit dem Leben versöhnte? Während es doch offensichtlich Selbstzerstörung war, was sie antrieb, genau die Energie, die sie für ihn so anziehend machte?

Oder gab es einen früheren Punkt, der zeitlich vor dem Mädchen lag? Sie dachten – all dies kam häufig zwischen ihnen zur Sprache – über die homosexuelle Episode nach. Wenn es das war: eine Episode. War das der Punkt, an dem man hätte Einhalt gebieten sollen, mußte man sie als den Beginn der Zersetzung seiner Persönlichkeit betrachten oder diagnostizieren – und kam ihrer beider Beurteilung von Homosexualität als ›Zersetzung‹ nicht aus heterosexueller Sicht? Hätte er ihnen von dieser Anziehung erzählt, wäre es dann richtig gewesen, ihn weltoffen zu beraten und die Vermutung zu äußern, daß es in seinem Fall die Atmosphäre in dem Haus war, ein Trend, der Reiz von Männerbindungen in einer Phase seines Erwachsenenlebens und an einem Ort, wo soziale Gruppenzugehörigkeit im Wandel begriffen war? In dem Haus war alles, wie man so sagt, kein Problem: Schwarz und Weiß, im Bett sind sie Brüder.

So hätte es sein können.

Doch dann dachte Harald allein darüber nach, in der Nacht, und kam wieder ins Bett, wo sie wachlag. Vielleicht – wenn wir eine Chance gehabt hätten, wenn es ihm möglich gewesen wäre, zu uns zu kommen – vielleicht wäre es ein Fehler gewesen, die Sache mit Jespersen nur als Episode zu sehen. Vielleicht bedeutete sie für ihn Stabilität.

Du meinst, das Leben in dem Haus. So, wie es war?

Ja. Die Rettung des Mädchens: das war ein Versuch, so zu werden, wie er eigentlich nicht ist. So wie wir. Ich weiß nicht, wie es ist, wenn man merkt, daß man das Verlangen hat, mit einem Mann zu schlafen. Ich weiß nicht, ob ich dann den Wunsch gehabt hätte, vor mir selbst davonzulaufen. Bei unserer Erziehung. Vielleicht hätte er bei Männern bleiben sollen. Vielleicht war das für ihn das Richtige. Wenn nicht Jespersen, dann hätte es einen anderen geben können, und sie hätten möglicherweise ein besseres Leben zusammen in dem Cottage gehabt als dieses schreckliche Chaos, in das er mit der Frau hineingeriet.

Sie stand auf.

Was hast du vor?

Sie zog die Vorhänge vom Fenster zurück, es war eine

glänzendschwarze Nacht, wie nasse Kohle, und ein Flugzeug auf dem Weg zum Flughafen zog mit seiner eigenen Konstellation von Landelichtern an den Sternen vorbei. Die Welt sah zu. Meinst du, das hätte er von uns gewollt?

Komm wieder ins Bett.

Sie waren sich sehr nahe, sie machten neue Entdeckungen am anderen, so war es seit den Anfängen nicht mehr gewesen, als sie jung waren und die gefährliche menschliche Intimität eine neue Erfahrung für sie war.

Das Verfassungsgericht hat sich zur Beratung zurückgezogen, und Harald und Claudia haben keine Informationen darüber, wie lange das dauern kann.

Für sie hat ihr Sohn bereits vor Gericht gestanden – sein Prozeß fand vor einem anderen Gericht statt und nicht da, wo er tatsächlich erscheinen muß – und wartet auf die Entscheidung der letzten Instanz, die über jedem Urteil stehen wird, das ein Gericht in seinem Fall ergehen lassen kann. Motsamai behandelt sie verständnisvoll herablassend und bekräftigt, was er schon einmal gesagt hat. »Ich weiß, daß Sie mir nicht glauben. Ah-häh ... Ich weiß, was Sie denken: Was kann der schon wissen, wenn die Frage vor der höchsten Institution, die wir haben, außer dem Präsidenten und Gott höchstpersönlich, erörtert wird und die Richter bisher zu keiner Entscheidung gekommen sind? Aber die Beratung kann viele Wochen dauern. Meine Sorge für meinen Klienten hat damit nichts zu tun. Was herauskommen wird, ist die Abschaffung der Todesstrafe. Mein Bestreben ist es, über jeden Zweifel zu beweisen, daß dieser junge Mann durch die Umstände dazu getrieben wurde, gegen seine Natur zu handeln. Diese Frau und der Mann, der früher einmal mehr als nur ein Freund war – dieses Paar hat ihn derart hintergangen, daß er nicht mehr klar denken konnte!«

Es waren noch andere Leute in Not da, die darauf warteten, mit ihm sprechen zu können. Er brachte die zwei zur Tür seiner Kanzlei. »Hören Sie, ich möchte Ihnen meine Frau vorstellen und meinen Sohn – wir haben ihn fürs Medizinstudium angemeldet, ich weiß nicht, ob er dafür geeignet ist, vielleicht könnten Sie uns einen Rat geben, Claudia? Wie wär es mit Freitagabend? Ich glaube, Sie werden etwas Gutes zu essen bekommen. Ich komme vom Berufungsgericht in Bloemfontein zurück, sagen wir also, gegen halb neun, so ungefähr?«

Urban und sicher ging er über ihre persönliche Lage hinweg; er wußte, wie es war: Sie hatten sich von ihren Freunden zurückgezogen, deren verständnisvolle Mienen nur verdeutlichten, daß die Basis der alten Freundschaft nicht mehr existierte, weil es keine gemeinsame Normalität mehr gab. Es war nicht immer nötig oder wünschenswert, das Verhältnis zu den Klienten auf einer förmlichen Ebene zu belassen. Eine Verteidigung anzunehmen, bedeutete, eine Vertrauensgrundlage zu schaffen, ein Geben und Nehmen mit der Familie des zu Verteidigenden, während man natürlich die professionelle Objektivität wahrte. Dieses weiße Paar hatte nicht die Widerstandsfähigkeit, die Schwarze sich über Generationen erworben hatten, als sie aufgrund ihrer Hautfarbe Menschen in Not waren. Er weiß, wie er die beiden behandeln muß. Sie werden das Gefühl haben, etwas für ihn tun, ihn bei der Berufswahl seines ehrgeizigen Sohnes beraten zu können. Das war der Sinn seiner beiläufigen Bemerkung.

Als sie im Besuchszimmer sitzen, läßt sich keiner von beiden anmerken, daß sie in Gedanken bei den Überlegungen des Verfassungsgerichts sind. Es war nicht das erste Mal, daß sie diese Taktik anwenden mußten; es gibt so viele Themen und Reaktionen, die sie nicht vor jemandem ansprechen können, dessen Leben so unvorstellbar ist und der sich einem nur für eine halbe Stunde zwischen zwei Gefängniswärtern zeigt. Der Häftling ist ein Fremder, der nicht mit dem konfrontiert werden sollte, was sich nur in der Freiheit besprechen läßt. Mit Sicherheit wußte Duncan von der ersten Sitzung des Verfassungsgerichts, er bekam schließlich Zeitungen; aber auch er spricht nicht davon – ebenfalls aus Takt, es muß in beide Richtungen funktionieren, wenn die Besuche überhaupt möglich sein sollen. Vielleicht liegt es aber auch daran, daß sie nicht einmal ansatzweise verstehen können, was die Verhandlungen des Gerichts für ihn bedeutet haben müssen, während er die Berichte las. Ein Mann, der sich schuldig bekennt – erklärt er damit, daß er bereit ist zu sterben? Oder sieht er sich, was nur ihm allein möglich ist, mit Makwanyane und Mchunu in der Todeszelle sitzen und auf seinem Recht auf Leben beharren, unabhängig von dem, was er getan hat?

Statt dessen fragen sie ihn, ob er mit den Plänen, die er zeichnet, gut vorankommt, und er sagt, ja, doch, sehr gut, die Arbeit gehe gut voran.

»Es ist schon erstaunlich, daß du das alles schaffst.« Harald bewundert ihn; Bewunderung ist eine Form der Ermutigung, die zulässig ist.

»Das Problem ist nur, daß ich keine Möglichkeit hab, mit den anderen zu sprechen, wenn es Probleme gibt. Mit denen im Büro, wie wir das immer gemacht haben. Es wird also ganz und gar meine Arbeit sein … ein bißchen exzentrisch vielleicht.«

»Kann nicht jemand von der Firma kommen und mit dir darüber sprechen? Warum nicht?« Harald ist bereit, einen der Geschäftsinhaber um diesen Gefallen zu bitten (wenn Duncans Kollege Julian Verster der Richtige gewesen wäre, hätte er das bestimmt gesagt). Das Gefängnis ist schließlich keine Krankheit, man steckt sich da nicht an.

»Nein, nein, das ist nicht nötig. Wenn ich mit dem Entwurf fertig bin, nimmt Motsamai ihn mit und die gucken ihn sich im Büro an.«

Was er damit sagen will, ist dies: Auch wenn die letzte

Instanz zu seinen Gunsten entscheidet und gewährleistet, daß sein Leben nicht jetzt endet, so versteht er doch, daß es ertragen werden muß. Also muß er arbeiten. Aber was das für ihn bedeutet, nachdem er einmal sein geordnetes Leben dem Chaos geopfert hat, ist etwas, was sich nicht vermitteln läßt.

Als sie hinter den kräftigen Gesäßmuskeln des üblichen Aufsehers durch die Flure den Rückzug antreten, beneidet Claudia – und vielleicht geht es Harald ebenso – eine Frau, die in dieselbe Richtung geht: demütig verbirgt sie ihr Gesicht in einem Kopftuch, während sie, in Tränen aufgelöst, wie ein beladenes Tier laut aufheult.

Claudia fand, daß sie nicht gut absagen konnten. In letzter Zeit blieben sie lieber allein zu Hause. Das war besser so. Kürzlich hatte Harald Karten für ein Konzert gekauft, in dem Kammermusik von seinem Lieblingskomponisten, César Franck, gegeben wurde. Aber die Pfade, die die Musik nimmt, sind so vital, so viel stärker als die Bilder in einem Film oder einem Theaterstück, die eher zerstreuen – es trieb sie nur tiefer in ihre Isolation.

Er meint es gut. Harald war mit dieser Verbindung von geschäftlichem Interesse und einer gewissen persönlichen Sympathie vertraut, die zu solchen Einladungen führte.

Harald und Claudia waren nie zuvor im Haus eines Schwarzen gewesen. Diese Geste auf beiden Seiten – der Schwarze, der einlud, der Weiße, der annahm – war typisch für die linksgerichteten Kreise unter dem alten Regime, zu denen sie nicht gehört hatten, und auch für die hastig gebildeten Kreise neuer Liberaler, deren Umschwenken sie mit Skepsis beobachteten. Wenn sie in der Vergangenheit schon nicht den Mut gehabt hatten, gegen die täglichen Schrecken der Zeit einzuschreiten, wie die Linken es über Dinnerpartys hinaus taten und dabei Beruf und Leben aufs Spiel setzten, so versuchten beide nun wenigstens diesen Mangel (an Mut: Harald gab das vor sich zu, wie er das auch in anderen Dingen tat, wenn er den moralisch bequemeren Weg gewählt hatte) nicht dadurch zu kaschieren, daß sie jetzt Schwarze zu sich nach Hause einluden. Im Vorstand seiner Versicherung saßen schwarze Kollegen, die nicht mehr damit zufrieden waren, daß ihre Namen auf den Briefköpfen standen; sie stellten jetzt Fragen und beeinflußten Entscheidungen. Und Claudia – ihre Erfahrungen gingen weit über seine hinaus, sie wußte, wie sich die Körper der Schwarzen anfühlten, wußte auch, daß sie wie ihr eigener waren, hatte es immer gewußt. Auch das war eine Anklage, denn sie hatte darüber hinaus nichts getan. Es war aber auch eine gute Voraussetzung für die Gegenwart. Sie brauchte keine Gesten am Dinnertable, um ihren Glauben an die Gleichheit nachzuweisen.

Die Adresse, die Motsamais Sekretärin ihnen gab, war in einem Vorort, dessen Häuser in den dreißiger und vierziger Jahren von weißen Geschäftsleuten einer wohlhabenden zweiten Generation gebaut worden waren. Ihre Väter waren in den Jahren eingewandert, als sich aus der Goldschürferei der Abenteurer eine Industrie entwickelte, die Gewinne für Aktionäre abwarf und eine Stadt von Verbrauchern schuf; sie waren Händler und Kaufleute und handelten mit Mais, ohne den die Millionen von Schwarzen, die ihre Getreideäcker verloren hatten, nicht auskommen konnten; sie stellten Baumaterialien, Bekleidung, Möbel her, sie importierten Zigarren, Radios, Schmuck, Teppiche. Ihre Söhne, die eine Schulbildung genossen hatten, waren durch die Erfolge ihrer Väter zu Wohlstand gekommen und konnten sich den Bau von Häusern leisten, die ihrer Meinung nach die Vornehmheit alten Geldes ausdrückten. Auf solche Häuser hatten ihre Väter in einem anderen Land vielleicht von ihren Katen und Hütten geblickt: auf den Palast des Grafen, das Herrenhaus des Gutsbesitzers. Die Architekten, die sie beauftragten, setzten diese Ideen im Zusammenspiel mit ihren eigenen Vorstellungen von Prestige und Wohlstand um – mit den Säulen der Plantagenhäuser in den Südstaaten der USA und den verschnörkelten Balkonen, von denen in Italien die damaligen Faschisten ihre Reden hielten. In den Gärten gehörten Swimmingpool und Tennisplatz zur Standardausrüstung.

Für manche war die Zeit des Reichtums vorbei, so daß Teile des Grund und Bodens verkauft worden waren; einige der Söhne waren wieder ausgewandert, jetzt nach Kanada oder Australien. Manche der Enkel hatten sich eine antimaterialistische Haltung zugelegt – eine dritte Generation kann sich das leisten – und den Vorort verlassen, um im Einklang mit ihrem sozialen Gewissen zu leben und zu arbeiten. Es gab eine Zwischenzeit, in der die Häuser nicht dem Zeitgeschmack entsprachen; man betrachtete sie als Relikte der Neureichen, während neueres Geld Landgüter mit Stallungen bevorzugte, außerhalb der Stadt. Man nahm an, daß diese Häuser bald abgerissen und durch Bürotürme ersetzt werden würden.

Aber es sah so aus, als ob das unvorhergesehene Ende der Rassentrennung eine Rettung für den Vorort bedeutete. Eine neue Generation mit noch neuerem Geld trat auf den Plan, und diesmal waren es keine Einwanderer aus einem anderen Land. Es waren die, die schon immer hierher gehört hatten und von ihren Bretterbuden in den Townships, in die man sie verwiesen hatte, immer nur auf die Säulen und Balkone geblickt hatten. Eines dieser Häuser hatte Motsamai gekauft. Ob er nun die Architektur bewunderte oder nicht (die Eltern hatten nicht die Kriterien ihres Sohnes, um den Geschmack anderer zu beurteilen), jedenfalls bot das Haus ausreichend Raum für einen erfolgreichen Mann und seine Familie und war mit den jetzt üblichen Einrichtungen versehen worden: Tore, die sich elektrisch öffneten und schlossen und Schutz boten vor denjenigen, die immer noch in den Hütten der Townships und den Squatter-Camps lebten.

Das begeisterte Geplärr des Fernsehers gehörte zur Gesellschaft, und das wechselnde Hell und Dunkel auf dem Bildschirm war ein zusätzliches Gesicht unter ihnen. Sie hatten sich alle in einer Hälfte des Wohnzimmers versammelt, eine Reaktion auf den überdimensionalen Raum, in dem Inseln von Sesseln und spindelbeinigen Tischchen gruppiert waren. Hamilton Motsamai hatte sein Jackett ebenso abgestreift wie die Rolle seines Arbeitstages, an dem er durch das Land gereist war, um beim Berufungsgericht in Bloemfontein eine Eingabe zu machen. »Fühlen Sie sich ganz wie zu Hause, Harald!«

Eine Hausbar, die wohl schon zur ursprünglichen Einrichtung gehört hatte, war mit Flaschen der besten Marken gefüllt; ein junger Mann, der schmal wirkte im Vergleich zu dem selbstbewußten Überschwang seines Vaters, wurde angehalten, Getränke zu reichen. Motsamai stellte andere vor, die er zu sich rief – einen Schwager, jemandes Schwester, eines anderen Freund; es war unklar, ob sie alle Gäste waren oder zu den Bewohnern des Hauses zählten. Motsamai wechselte verärgert in seine Muttersprache und rügte ein paar Jungen, die bäuchlings auf dem Teppich lagen, ausgelassen mit den Beinen in der Luft paddelten und sich am Auftritt einer Popgruppe im Fernsehen erfreuten. Sie waren nicht aufgestanden, um die Gäste zu begrüßen.

Die Ehefrau und eine Tochter – so viele neue Gesichter auf einmal – brachten Schüsseln mit Kartoffelchips und Erdnüssen herein. Motsamais Frau war eine Schönheit alten Stils, vollbusig, das Haar entkraust und nach europäischem Stil zu einer matronenhaften Frisur neu gelockt, aber die Tochter war groß und schlank, die Brüste, als Quelle menschlicher Nahrung von der Natur meist pflichtbewußt betont, verloren sich unter weiter Kleidung, die langen Dreadlocks waren von einem Nofretete-Profil zurückgenommen, die schrägstehenden weltklugen Augen des Vaters blickten selbstsicher unter geschminkten Lidern hervor, und das zierlich vorspringende Kinn war eine Zurückweisung all dessen, was früher, in der Vergangenheit, ihr Leben bestimmt hätte.

Motsamais Frau – Lenali, ganz richtig – verlieh ihrem Unmut über das Verhalten der Kinder lebhaften Ausdruck.

»Das macht doch nichts, sie haben ihren Spaß, wozu sie unterbrechen.« Hatte sie, Claudia, vor ach so langer Zeit nicht ganz genauso reagiert, wenn ihr Sohn die langweiligen Konventionen der Erwachsenenwelt ignorierte?

»Diese Kinder, sie sind schrecklich, das können Sie mir glauben. Ich weiß nicht, was sie in der Schule lernen. Keinen Respekt. Sie haben ja auch einen Jungen, Sie wissen, wie das ist, die Mutter kann überhaupt nichts ausrichten, und der Vater – na ja, der hat wichtigere Dinge im Kopf, so ist es doch, immer dasselbe! Hamilton beklagt sich immer nur bei mir! Ich weiß nicht, ob's bei Ihnen auch so war!«

Diese Frau weiß nicht, was mit dem Jungen, mit dem es ›auch so war‹, geschehen ist. Oder vielmehr, wenn sie es weiß (und Hamilton hatte ihr doch sicherlich etwas über die Klienten erzählt, die er eingeladen hatte), so tut sie zumindest nicht so, als existierte der Sohn nicht, als würde durch die Tat, zu der er sich bekannt hat, all das, was er einmal war, null und nichtig gemacht – so wie Claudias und Haralds alte Freunde es halten. Duncan ist kein Tabu, nicht hier, nicht heute abend.

»Ich dachte immer, das liegt daran, daß unser Sohn Einzelkind ist und zuviel Zeit mit Erwachsenen verbracht hat und sich nur dagegen wehren konnte, indem er sie ignorierte. Er hat sich geweigert, die Tanten zu küssen, die ihm über den Kopf strichen und ihn fragten, was er werden will, wenn er groß ist ... er hat sich einfach in sein Zimmer verkrochen.«

»Ach, ich finde, die Teenagerzeit ist die schlimmste! Ich meine, in unserer Kultur küßt man die Tanten nicht, aber man muß sie anständig begrüßen.«

Harald, im Gespräch mit anderen, hörte, daß Claudia über Duncan sprach und lachte.

»Sie sind in derselben Branche wie Hamilton?« fragte der Schwager, oder war es ein anderer Verwandter?

»Nein, nein, im Versicherungsgeschäft.«

»Auch keine schlechte Branche. Man zahlt und zahlt, sein Leben lang, und wenn man lange genug lebt, dann haben die Versicherungsleute einem mehr abgeknöpft, als sie wieder auszahlen, so ist das doch.«

Ein Professor warf den Kopf zurück und lachte.

»Das ist das Gesetz der abnehmenden Erträge.«

Menschen, die sich nach Bildungsgrad und Umgangsformen unterschieden und dennoch entspannt zusammentrafen – das gab es in dem gesellschaftlichen Leben nicht, das Harald gekannt hatte. Wenn man da einen Schwager hatte, der Fleischpacker bei einer Großhandelsschlachterei war (der erste Mann hatte seinen Beruf genannt), würde man ihn nicht an einem Abend einladen, wenn man Verträglichkeit zwischen einem Klienten aus der Geschäftswelt und einem Wissenschaftler erwartete, der als Professor Seakhoa vorgestellt wurde und trocken einen Grundsatz zitierte, mit dem er eine Naivität auf ironische Weise korrigierte. Hamilton legte beiden, Harald und dem Fleischpacker, eine Hand auf die Schulter. »Aber Beki, mein Freund hier klopft nicht bei Leuten an die Tür und verkauft ihnen Sterbeversicherungen, er ist Direktor und sitzt in einem Büro im fünfzehnten Stock von einem dieser Verwaltungsgebäude, wo über Wertpapiere in Höhe von Millionen für die Industrie und den Wohnungsbau da unten verhandelt wird – da geht es um große Entwicklungsprojekte.«

»Na, um so besser, ne. Dann verdient er noch mehr. Die Regierung muß ja schließlich zahlen.«

Neue Gesichter erschienen in dem Gewoge im Raum, es waren Freunde der Jugendlichen, mit Stimmen in hohen Tonlagen. Der Professor, der über seinen eigenen Witz lachte, daß sein Bauch wackelte, drehte sich zu ihnen um und neckte sie. Claudia – wo war Claudia? Harald suchte sie nervös mit den Augen – sie sprach mit dem Sohn, bestimmt über die Aussichten einer medizinischen Laufbahn; sein Vater hatte ihn sich geschnappt und ihr ausgeliefert. Ein rascher Blick in ihr Gesicht, als sie einen Moment lang abgelenkt war und sich dem Angebot von *samoosas* zuwandte: Claudias Miene mit der gekrausten Stirn war voller weitherziger Energie; wahrscheinlich war sie im Begriff, dem Jungen vorzuschlagen, er solle zu ihr in die Klinik kommen, sich einen weißen Kittel überziehen und da, wo es sinnvoll sei, zupacken, um so selber auszuprobieren, was es hieß, Arzt zu sein und den Menschen und dem Land zu dienen. Sie lachte wieder, anscheinend als Ermutigung auf etwas, das der Junge gesagt hatte.

Ein winziger, hellhäutiger Mann hatte bereits reichhaltiges Essen ausfindig gemacht und saß da, einen vollbeladenen Teller auf den Knien balancierend. Wachsam aß er einen Hühnerschenkel, wie eine Katze, die sich etwas vom Tisch geholt hatte. Alle schlenderten plaudernd und freundlich miteinander kollidierend in einen anderen Raum, der fast so groß war wie der, aus dem sie kamen; hier waren Fleisch, Huhn und Kartoffeln, *putu* und Salate, Schüsseln mit Nachspeisen, dekoriert mit schwungvollen Sahneschriftzügen, aufgebaut. Harald ging zu Claudia hinüber. »Eine Party haben wir nicht erwartet.« Aber sie lächelte nur, als spräche sie mit einem der Gäste. »Oh, ich glaube nicht, daß es eine Party ist. Einfach nur ihre Art, das Wochenende zusammen zu verbringen.«

Er hatte das eigentümliche Gefühl, daß sie sich von ihm entfernen, sich unter die anderen mischen wollte, die sich etwas zu essen holten, unter sie, die Fremden dieses Abends, aber auch ihres ganzen Lebens außerhalb der Begegnungen in ihrem Beruf, wo sie einzelne Teile ihrer Körper untersuchte. Hier, inmitten dieser eng verwobenen Leben, die keine Verbindung mit den ihren hatten – selbst die Verbindung, die Hamilton in seiner Kanzlei zu ihnen hatte, war durch den Eintritt in sein Privatleben unterbrochen –, konnte sie sich verlieren. Sie konnte dem entfliehen, was sie beide enger aneinander schmiedete als die Liebe, als die Ehe, was wie eine Tüte über ihre Köpfe gestülpt war, unter der sie nicht atmen konnten, nur die Luft des Schrecklichen, das an einem anderen Freitagabend geschehen war. Um sie herum wurden Bierdosen mit einem Zischen geöffnet, aber Hamilton, der die Gläser seiner Klienten mehrmals mit GinTonic gefüllt hatte, brachte jetzt Wein. Das eigene Glas in der Hand, reichte er eine Flasche nach der anderen herum. Entgegen seiner Gewohnheit achtete Harald nicht darauf, bei einem Getränk zu bleiben – solange das erreichte Maß an Gleichmut erhalten blieb, war ihm alles recht. Ein Mann, der seinen vollen Teller sorgfältig vor sich her balancierte, tänzelte in komplizierten Schritten auf sie zu, als brächte er ein Geschenk, nicht das Essen, sondern eine unausgesprochene Einladung, sich zu erfreuen – an dem Abend, an der Gesellschaft, an den kurzlebigen Tröstungen. Ein Mann, der mitbekommen hatte, daß Harald mit der Vergabe von Darlehen zu tun hatte, nahm die Gelegenheit wahr, ihn um Rat zu fragen, während andere ihn mit witzelnden Zwischenrufen unterbrachen.

»Das klappt doch nie, Mann, ohne Sicherheit kriegst du niemals soviel, wie du dir vorstellst. Frag ihn. Frag ihn doch. Hab ich recht? Wenn du dir irgendwo ein kleines Haus bauen willst, dann ist das was anderes, dann gehst du zu einem Amt, Wohnungsbauamt oder so, und dann kriegst du ein paar Cent für Backsteine und Fensterrahmen.«

»Ein Casino! Und woher willst du die Genehmigung dafür kriegen?«

»Ach, die Genehmigung ist nicht das Problem. Kennst du nicht die neuen Gesetze für Glücksspiele? Die Genehmigung kriegt er. Aber wenn er ein Objekt findet, ein Grundstück mit einem Haus, und vielleicht will er's umbauen, oder es steht leer – dann fängt der Ärger an. Wart's nur ab, Mann. Einspruch. Einspruch von den Bewohnern in der Nachbarschaft, Anträge an die Stadtverwaltung – und du weißt gar nicht, wie dir geschieht, das kann sich monatelang hinziehen. Und dann klappt es immer noch nicht. Ich weiß das, ich weiß das. Freiheit. Die Freiheit, Einspruch zu erheben, Einspruch, Einspruch.«

»So sehen das die Weißen. Du darfst wohnen, wo du willst, nur nicht in dem Haus neben meinem.«

»Laß ihn doch mal antworten.«

»Wir haben kein Kapital. Was sind diese ›Sicherheiten‹ schon anderes als Kapital? Seit Generationen haben wir nicht die Möglichkeit, Kapital anzuhäufen, heute ist Freitag, jeden Freitag haben die Leute ihre Gehaltstüte bekommen, und davon haben sie gegessen, bis zum nächsten Zahltag. Ende. Keine Mäuse. Eigentum ist eine Sicherheit, oder eine gute *Stellung* zum Beispiel, nicht nur so 'n Job. Wir konnten kein Eigentum erwerben, unsere Großväter nicht, unsere Väter nicht, und jetzt sollen wir auf einmal, nach zwei Jahren mit unserer Regierung, *Sicherheiten* vorweisen. Nach zwei Jahren!«

»Laß doch Matsepa fragen, Mann!«

»Die Leute, denen Ihre Gesellschaft Geld gibt für Projekte, wo ist denn deren Sicherheit? Woher kriegen sie die?«

»Also, dazu muß man ein Konsortium bilden. So wird das gemacht. Wir sprechen hier von größeren Projekten, die finanziert werden müssen ...« Harald hört, wie sein Vorstandsvokabular, mit seiner eigenen Stimme vorgetragen, ertönt, als hätte jemand versehentlich einen Knopf der Fernbedienung gedrückt: Wer redet da bloß?

»Es kommt darauf an, daß jemand eine Vision hat, eine Idee ... ein Projekt ... dann braucht man andere, die mit einsteigen wollen ... die es eingehend prüfen ... das Projekt erfordert ... festgeschriebene Kriterien ... unsere Zusammenarbeit mit dem National Development Council ... wirtschaftlich vertretbar ... zum Nutzen der Bevölkerung ... Arbeitsplätze ... die Warenproduktion ... einer hat vielleicht eine Idee, aber leere Taschen; er muß sich also zusammentun mit Leuten, die in vertrauenswürdigen Positionen ...« Ein junger Mann hörte ihm zu, ein Sohn, der in einer Zelle lag und zu einem vergitterten Fenster hochsah.

»Ich muß mich also nach einem anderen Dr. Motlana oder Don Ncube umsehen?«

»Mann, die haben doch schon Ideen, die brauchen dich nicht, Matsepa ...«

»Ich komm trotzdem mal zu Ihnen, Mr. ... Lindgard, geht das? Ich setz mich mit Ihrer Sekretärin in Verbindung, und dann kann sie mich ja anrufen, wenn Sie mal Zeit haben. Ich bin viel unterwegs, aber wenigstens hab ich immer mein tragbares Telefon, das ist meine Sicherheit.«

Hamilton tritt auf sie zu. »Meine Herren, keine Gratiskonsultationen. Wir wollen es uns hier gut gehen lassen. Meine Leute, Harald ... Wenn ich in der Stadt aus dem

Auto steige, stellt sich mir sofort jemand in den Weg und will wissen, was er gegen ein Möbelgeschäft unternehmen kann, das seine auf Raten gekauften Möbel wieder abgeholt hat, oder was er tun soll, weil seine Frau mit den Ersparnissen abgehauen ist.« Der Mann neben Harald spricht ihm jetzt direkt ins Ohr, um das Gelächter und die laute Musik zu übertönen. »Aber Sie können sich nicht vorstellen, wie ernst er die Sorgen der Leute nimmt, er vergißt nichts. Das ist die Wahrheit. Obwohl er ein wichtiger Mann ist, inzwischen. Er hilft vielen, die ihn nicht bezahlen können. Wir sind zusammen aufgewachsen, in Alex.«

Der Professor hatte die Schönheit, Motsamais Tochter, am Ellbogen gefaßt. »Haben Sie schon meine Nichte kennengelernt, Motshiditsi?«

Sie lachte, als müsse sie Nachsicht mit ihm üben.

»Ntate, das kann doch keiner aussprechen. Ich bin Tshidi, das reicht. Aber Mr. Lindgard und ich haben uns schon kennengelernt.«

»Sie ist meine Schutzbefohlene. Ich hab ihre Fähigkeiten schon erkannt, als sie ungefähr so groß war und Fragen gestellt hat, die wir als die gelehrten Mitglieder der Familie nicht beantworten konnten.«

Er sagt, was man von ihm erwartet. »Und sie hat das, was Sie in ihr gesehen haben, bestätigt.«

»Na, was soll ich sagen, sie hat einen klugen Anfang gemacht, indem sie zur rechten Zeit zur Welt kam, zur rechten Zeit aufwuchs. Das ist der vom Zufall bestimmte Faktor, der für uns am wichtigsten ist. Ihr Vater und ich gehören zu der Generation, die auf die Missionsschule ging, und zwar St. Peter, immerhin ... Fort Hare. Wir waren also mit unserer Ausbildung der Zeit voraus, so daß wir unsere Plätze einnehmen konnten, als es soweit war und das neue Südafrika uns brauchte. Danach kam die Generation, die durch ein System geschleust wurde, das man euphemistisch Bildung nannte, ›Bantu-Bildung‹. Die jungen Menschen wurden zu Botenjungen, Putzfrauen und Kindermädchen ausgebildet. Dann kam ihre, Tshidis Generation – einige wurden an Privatschulen und Universitäten zugelassen und konnten im Ausland studieren; sie haben eine richtige Bildung bekommen und waren gerade rechtzeitig fertig, um die Planung und Verwaltung in unserem Land zu übernehmen. Das ist die ganze Geschichte. Tshidi wird eine noch glänzendere Karriere machen als ihr Vater.«

»Sind Sie auch Rechtsanwältin?«

»Ich bin Agrarwissenschaftlerin bei der Land Bank.«

»Ach, das ist ja interessant … es gibt da ein paar Dinge, die mir nicht ganz klar sind, was die Vergabe von Darlehen für den Wohnungsbau angeht – und obwohl es sich bei uns um städtische Gebiete handelt, das ist ja klar, müssen doch im Prinzip bei der Umstrukturierung, die meines Wissens bei der Bank durchgeführt wird, ähnliche Probleme auftreten.«

Die junge Frau ist viel zu selbstbewußt, als daß sie sich von ihm ihre Kompetenz bestätigen lassen müßte; er hat den Test bestanden, er nimmt sie ernst, will etwas von ihr wissen.

»Im Prinzip schon. Aber der Landwirtschaftssektor war nicht nur durch die Vermarktungsstrukturen der Apartheid, das Maize Board und so weiter, weitgehend in den Finanzsektor integriert – und konnte sich sogar leisten, in vielerlei Hinsicht unabhängig davon zu handeln. Für die Regierung war die Land Bank auch im wesentlichen eine politisch verankerte Möglichkeit, weißen Farmern Versicherungen zu verkaufen. Durch die Bank vergab die Regierung Darlehen, deren Rückzahlung niemand erwartete.

Von den Landwirten, die *per definitionem* Weiße waren, weil Schwarze kein Land besitzen durften – sie erschienen nicht einmal in der Statistik –, von den weißen Farmern also wurde nur erwartet, daß sie sich durch politische Loyalität erkenntlich zeigten, als wichtige Wählergruppe.«

»Und jetzt verändert sich das.«

»Allerdings!«

»Und wie soll das Ihrer Meinung nach geschehen?«

Einen Moment lang ist ihre Aufmerksamkeit abgelenkt – jemand hat sie bemerkt, und sie hebt die Hand mit den rotlackierten Fingernägeln, anmutig wie ein Flügelschlag, zu einem diskreten Zeichen quer durch den Raum.

»Man muß es einfach machen. Neue Kriterien für die Vergabe von Darlehen. Kleine Darlehen, um das auf eine breitere Basis zu stellen, statt größere Summen für einige wenige, nämlich die, die sich bisher sowieso nie Sorgen zu machen brauchten, wie ihre Ernte ausfiel. Die Land Bank hat immer alles bezahlt.«

»Keine automatische Entschädigung mehr im Falle einer Mißernte?«

»Mißernte? Das heißt, die Farmer haben schlecht gearbeitet.«

»Naturkatastrophen? Überschwemmungen, Dürreperioden?«

»Für so was kann es eine Entschädigung geben, aber keine Belohnung.« Sie lacht zusammen mit ihm über ihre brüske Art.

»Entschuldigen Sie mich – jemand ruft mich. Wir müssen unser Gespräch später fortsetzen, Mr. Lindgard. Die Frage des Wohnungsbaus, aus Ihrer Sicht …« Sie hat das betörende, warme Lächeln ihres Vaters, mit dem er den *dop* Brandy reicht.

Motsamais Kinder – endlich haben auch sie Berufe:

Wirtschaftswissenschaftler, angehende Ärzte, Anwälte und Architekten, weiß der Himmel, es sind noch mehr seiner Kinder da. Heißt das, daß sie, nachdem ihre Großväter und Väter so vieles überlebt haben, in Sicherheit sind? Daß ihnen nicht auch etwas Schreckliches passieren kann?

Wo war Claudia?

Claudia tanzte. Jemand hatte statt der Rock- und Rapmusik der Kinder Musik aus den sechziger Jahren aufgelegt, und der Rhythmus im Raum hatte sich verändert. Er beobachtete die vertrauten, vergessenen Windungen, das kurze Innehalten ihres Körpers, die geschickten Schritte im Einklang mit ihrem Partner, als wären die Arme und Schenkel und Füße des Mannes seine eigenen. Wo ist die Vergangenheit? Ausgelöscht von der Gegenwart; in der Lage, die Gegenwart auszulöschen. Was hatte Claudia unter die Tanzenden geführt? War es die schwere, niedergedrückt wirkende Frau, die allein gesessen hatte und jetzt auch allein, in sich versunken, tanzte und sich mit dem Stampfen der geschwollenen Beine von inneren Bürden befreite? Oder war es die Musik, der regelmäßige Beat ihrer Studententage, als sie erregt und auftrumpfend vor ihren Freunden damit geprahlt hatte, daß sie schwanger war. Seine glückliche, wilde Liebeskunst mit ihr hatte sich den Verhütungsmaßnahmen der jungen übergescheiten, zukünftigen Ärztin entzogen. Oder waren es Hamiltons reichlich fließende Getränke? Oder alles zusammen? Claudia war von einem Mann aufgefordert worden, der aus völlig anderen Erfahrungsbereichen kam und nur diese eine Gemeinsamkeit mit ihr hatte: die Musik der sechziger Jahre und deren Ausdruck in Körper und Füßen. Es war gleichgültig, wo er diese Rituale vollführt hatte, in düsteren Kneipen oder Hinterhöfen, während sie in den Sälen der Studentenschaft getanzt hatte – jetzt gaben sie einer Lebensbejahung Ausdruck, die in beiden verborgen lag. Die vom Zufall zusammengeführten Tänzer wogten umeinander mit dem unbewußten Willen von Atomen; sie verschwand und tauchte mit ihrem Partner wieder auf – oder war dies ein neuer? –, und als sie an Harald vorbeikam, hob sie die Hand zu einem flüchtigen Gruß.

Als sie nach Hause fuhren, sagte sie nicht: Warum hast du nicht mit mir getanzt? – obwohl er sich das selbst fragte. Er hätte nur zu ihr gehen und ihre Hand nehmen müssen, auch sein Körper kannte diese Musik, die nicht, wie César Franck, in die falschen Winkel der Seele eindrang. Vereinzelte Bemerkungen kamen an die Oberfläche, wurden zwischen ihnen ausgetauscht – Hamiltons weitläufige Familie: wer waren sie alle? Eindrücke von dem Haus, wem es wohl früher gehört hatte? Ein Kichern darüber, was die ursprünglichen Besitzer wohl dazu sagen würden, daß es nun in solchen Händen war. Zu Hause ließen sie die Kleider fallen und schliefen noch im Gespräch ein.

Am nächsten Morgen stand Claudia angezogen in der Tür. Du weißt, daß ich gestern abend betrunken war.

Ja, das wußte ich. Gott segne Hamilton.

Es war keine Redensart, wenn Harald so etwas sagte.

Als das Mädchen zwei fest vereinbarte Termine verstreichen ließ, ohne zu erscheinen, übernahm Motsamai selbst den Anruf, mit dem seine Sekretärin einen dritten Termin vereinbaren wollte. Er machte Ms. Natalie James unmißverständlich klar, daß sie erwartet wurde. Diesmal kam sie und setzte sich, ohne seine förmliche Aufforderung dazu abzuwarten, auf einen der Sessel vor dem breiten Graben des Schreibtisches. Sie bestimmte also die Situation, schloß er daraus. Für seinen Geschmack war sie nicht schön, aber er spürte, daß ihre Art, sich zu geben, sich zu distanzieren und gleichzeitig zu locken – die dunklen Augen mit den gelben Funken und den stecknadelgroßen Pupillen eines Raubtieres, die stetig auf einem ruhten, ohne sich dazu herabzulassen, einen wahrzunehmen –, eine starke Anziehung ausübte. Und die männliche Reaktion darauf war: Hier bin ich.

Hier war er – aber in der Kanzlei bestimmte er die Situation. Er hatte seine Notizen vor sich liegen. Er ging noch einmal mit ihr die Ereignisse des Donnerstagabends im Januar durch. Sie hatte die seiner Erfahrung nach bei Zeugen ungewöhnliche Fähigkeit, exakt, Wort für Wort, die Antworten zu wiederholen, die sie beim ersten Mal gegeben hatte. In ihrer Aussage gab es keine Lücken, die er zu seinem Vorteil nutzen konnte. Sie und Duncan hatten sich nicht gestritten – nicht an dem Tag, obwohl sie häufig stritten.

»Es gab also keine besondere Provokation für Ihr Verhalten an dem Abend?«

Sie zögerte einen Moment, bewegte den Kopf ein wenig,

und ihre Lippen zuckten in verblüffter Unschuld. Ihre Gesten, kalkuliert oder nicht, standen in unerklärlichem Widerspruch zu ihren Worten, als spräche eine andere aus ihr. »Was ich tue, tue ich nicht, weil jemand mich dazu provoziert.«

Und während sie auf diese Weise fortfuhren, mit der raschen Folge seiner Fragen und ihrer Antworten, die er mit der gleichbleibenden Geduld des professionellen Anwalts ertrug, weil er sich sicher war, daß sie am Ende straucheln würde, zu seinem Vorteil, ließ sie das Thema des Wechselspiels einfach fallen und machte eine Bemerkung, als käme ihr gerade etwas in den Sinn, das eigentlich nicht von Interesse für ihn sein konnte.

»Übrigens, ich bin schwanger.«

Wenn sie eine unwillkürliche Reaktion erwartet hatte – sie hätte es besser wissen müssen. Ein Verteidiger verbirgt allen Ärger und jede Irritation vor Gericht – eine Disziplin, die es ihm auch ermöglicht, unvorhergesehene Aussagen gleichmütig aufzunehmen. Die Kunst liegt darin, schnell zu entscheiden, wie man eine Aussage benutzen will. Er legte seinen Rücken fester in die Lehne seines Sessels. Ah-häh. Und stellte einfach eine weitere Frage.

»Ist Duncan der Vater?«

Sie lächelte über die hinter der Frage stehende Anschuldigung.

»Das ist egal.«

»Natalie … wieso ist das egal?« Er versucht es auf die väterliche Art.

»Weil sie dann keine Ansprüche geltend machen können. Es könnte ja auch von dem Abend sein, nicht wahr. So werden sie nichts beanspruchen.«

»Was meinen Sie damit, sie werden keine Ansprüche geltend machen?«

»Daß sie etwas von ihm haben wollen. Wenn ihm etwas Schreckliches zustößt.«

»Mein liebes Kind, die Todesstrafe wird abgeschafft. Duncan wird ins Gefängnis kommen, und irgendwann wird er entlassen. Es muß doch für Sie selbst wichtig sein, wessen Kind Sie bekommen. Sie müssen es doch wissen, oder? Sie wissen es.«

»Wir haben miteinander geschlafen, Duncan und ich, an dem Morgen, bevor wir zur Arbeit gefahren sind, es war innerhalb derselben vierundzwanzig Stunden. Man kann es also nicht wissen. Es ist egal.«

»Wirklich? Es interessiert Sie nicht?«

Oh, sie bestimmt die Situation, sie bestimmt sie. »Doch, es interessiert mich, es ist mein Kind, so ist das nämlich, es ist meins.«

Es war die Aufgabe des Verteidigers – alles war seine Aufgabe, kein Wunder, daß seine Frau sich beklagte, daß er ihnen zu Hause, in dem schönen Haus, das er ihnen gekauft hatte, nicht genügend Aufmerksamkeit schenkte –, seine Aufgabe also, seinem Klienten und dessen Eltern zu berichten, was möglicherweise ein neues Element in ihrem Leben sein würde.

Bei der nächsten halben Stunde im Besuchszimmer erwähnte Harald es als Tatsache, ohne die Umstände, von denen das Mädchen gesprochen hatte, zu erwähnen. »Hamilton hat uns erzählt, daß Natalie ein Kind erwartet.«

Duncan sah sie freundlich an, als blickte er auf etwas in weiter Ferne zurück. »Das ist gut für sie.«

Liebst du sie?

Ich glaube ja.

Und jetzt.

Themawechsel.

Claudia spricht zu ihm von anderen Dingen, sie erzählt

ihm, was für ein netter Junge Sechaba Motsamai ist, der jetzt mittwochs bei ihr in der Klinik arbeitet; Claudia kann sich ihrem Sohn nahe fühlen, in diesen letzten Tagen vor dem Prozeß, sie freut sich auf die Besuchsstunde, sie haben festgestellt, daß die Kommunikation darin besteht, die ganze Zeit schon, daß sie sich zwischen den Barrieren des Unsagbaren sehen.

Harald hört ihre Stimmen, ohne zuzuhören.

Ich glaube ja.

Er und Claudia werden nie wissen, was geschehen ist. Was ihrem Sohn geschehen ist.

Claudia wollte ihn einen Tag, bevor der Prozeß eröffnet wurde, noch einmal besuchen. Am Morgen verließ Harald abrupt sein Büro, ging an seiner Sekretärin und ihrer bemühten Konzentration auf den Computer vorbei (sie weiß Bescheid, sie weiß; Menschen, die in Not sind und sich um ihre Angelegenheit kümmern, haben eine besondere Ausstrahlung). Im Aufzug grüßen ihn Angestellte. Er kann sich an ihre Namen nicht erinnern. In der Tiefgarage des Gebäudes wird er von dem Sicherheitsmann in paramilitärischer Uniform gegrüßt. Unangekündigt kommt er in die Kanzlei. Hamilton Motsamai ist in einer Besprechung mit einem anderen Klienten, aber als seine Sekretärin – sie weiß Bescheid, sie weiß, morgen beginnt der Prozeß – ihn über die Sprechanlage unterrichtet, entschuldigt er sich bei dem Klienten und kommt heraus. Keiner ist in größerer Not als Harald; Motsamais Hand ist ausgestreckt, seine Lippen sind noch geöffnet von den Worten, die er sprach, als er sein Büro verließ, das Umschalten von einem Menschen in Not zu einem anderen ist in seiner Miene sichtbar wie bei einem Projektor, in dem ein Dia zur Seite springt, ehe ein neues ins Blickfeld rückt. Motsamais Gesicht ist von dieser Abfolge geformt; wieviel seine Klienten auch zahlen, welche Sätze er ihnen auch berechnet, sie lassen ihren Kummer auf der Oberfläche seines Gesichtsausdrucks zurück, wie Initialen, die in die lebendige Rinde eines Baumes geritzt werden. Seine Stärke, sein Selbstbewußtsein und sein Stolz tragen die Zeichen wie eine unsichtbare Schrift. Er und Harald gehen in einen Vorraum, in dem Akten und Kartons stehen. Motsamai fährt sich mit der Zunge immer wieder an den unteren Schneidezähnen entlang, so daß seine Unterlippe vorgedrückt wird, sein Bartbüschel zuckt, während er Harald zuhört: Nein, nein. »Es ist besser, Sie sehen ihn nicht. Ich werde ihn besuchen, heute nachmittag bin ich bei ihm. Er hat sich vorbereitet, da sollte jetzt keine Unruhe entstehen. Seine Mutter, nein – Sie wissen, daß er dann nur anfängt, darüber nachzudenken, daß er Sie beide morgen von der Anklagebank aus sehen wird. Er schafft das schon. Es geht ihm gut, er hat alles im Griff.«

Harald sitzt im Auto. Der Schlüssel steckt im Zündschloß. Vor einer Ladenfront sitzt ein Bettler, zerrupft ein halbes Brot und stopft sich die Brocken in den Mund. Feilschende Frauen betreten das Geschäft und palavern zwischen Pyramiden aus Tomaten und Zwiebeln. Welke Kohlblätter treiben im Rinnstein; das Leben wuchert in alle Richtungen. Leute gehen an der Windschutzscheibe vorbei, und es ist wie Dunkelheit, die das Licht überholt. Hat Duncan Angst – am Tag vor seinem Prozeß?

Duncan hat keine Angst. Kein Schrecken kann größer sein als der an jenem Freitagabend.

Ein Gesicht erscheint vor dem Fenster. Es ist ein vertrautes Gesicht, das eines der Straßenjungen der Stadt: Harald hat vergessen, ihm seine Belohnung dafür auszuhändigen, daß er ihm durch Pfeifen und Gestikulieren die Parklücke gezeigt hat. Er kurbelt das Fenster herunter. Der Junge hat die Flasche mit Klebstoff unter dem Hemd verborgen, er schnüffelt, seine schwarze Haut ist gelblich, wie bei einer kranken Pflanze. Was von seinem Verstand noch funktioniert, richtet sich blitzschnell auf die Münze, sein Überleben hängt davon ab, auf einen Blick zu sehen, ob es genug ist.

Die Erregung, allem, was mir verweigert wurde, ein Gesicht geben zu können.

Durch die beiden, die wie kopulierende Hunde auf der Couch vereint waren. Die Erregung – das also ist Gewalt, die Gewalt der Straße. Ich kenne sie, ich bin jetzt Teil davon. Weiß, wie sie über einen kommt, weil da nichts anderes mehr ist.

Ich sehe es wieder vor mir, durch die Stunden bei den beiden Psychiatern mit ihren sorgfältig in Geduld gefaßten Mienen – wie schwierig ist es für uns Menschen, einen urteilsfreien Gesichtsausdruck zustande zu bringen: es ist Idiotie oder Überheblichkeit, übermenschlich – aber das konnten sie nicht aus mir rausbekommen. Konnten es nicht begreifen. Auch Motsamai nicht. Und das Gericht wird es auch nicht begreifen. Keiner begreift es.

Dieses Gesicht. Sein Gesicht. Bra.

Sie allein weiß, warum ich es tun konnte. Es war etwas, das erst durch sie in mir möglich wurde.

Der Gerichtssaal ist so intensiv Gegenwart, daß er die Ewigkeit ist; alles, was seit jenem Freitagabend geschehen ist, wird hier eins, und danach ist nichts vorstellbar.

Es gibt viele, die Zeugnis ablegen. Nicht in dem leeren Zeugenstand vor der Richterbank, sondern um Harald und Claudia herum. Ein Mordprozeß, außerhalb des gewöhnlichen kriminellen Milieus, in dem ein privilegierter Sohn mit einem angesehenen Beruf des Mordes beschuldigt wird, hat den Sonntagszeitungen die Story von einem ›Liebesdreieck‹ geliefert, was nicht nur die Lüsternheit der Leser weckt, sondern auch einige dünn verhüllte Vorurteile herauskramt: das Milieu wird als ›Kommune‹ beschrieben, wo Schwarze und Weiße, ›Schwule und Heteros‹ zusammenlebten, und irgendwoher hat man Fotos bekommen – ein paar große von Natalie James und eines aus einem Nachtclub, auf dem Carl Jespersen mit Khulu zu sehen ist. Um sie herum: die Neugierigen, die die Eltern vielleicht erkennen, vielleicht auch nicht. Bei dem Flüstern, Scharren und Knarren fallen sie unter Fremden nicht unbedingt auf. In ihren Augen haben sie jetzt eine gemeinsame Identität, wie sie in all den Jahren der Ehe nicht entstanden ist. Es gibt nur dieses Gericht, diese Zeit, diese Existenz, Mutter/Vater.

Nicht alle auf den Zuschauerbänken sind Voyeure. Duncans Freunde sind gekommen. Einige unerwartete Freunde, von denen sie nichts wußten; wie verschwiegen er doch war – ihnen, seinen Eltern, gegenüber. Eine Mutter mit ihrer Tochter – Frauen mit vollem Haar, die wie zwei Versionen derselben Person mit ein paar Jahren Altersunterschied wirken. Wahrscheinlich Jüdinnen. Duncan hatte jüdische und schwarze Freunde, anders als Harald und Claudia; er war weiter gegangen. Die beiden Frauen traten auf sie zu und nannten ihre Namen. Die jüngere Version sagte: »Es kommt mir vor, als passierte das meinem Bruder.« Aber die Stimme der älteren drängte sie aus dem Weg und sagte auf französisch: *»Nous sommes tous créatures mêlées d'amour et du mal. Tous.«*

Claudia dankte ihnen für ihr Kommen; es gibt für alles eine Form, sie fällt einem ungebeten ein.

Was hatte sie gesagt?

Claudia kramt zerstreut in ihrem Schulfranzösisch. So etwas Ähnliches wie: Wir sind alle Wesen, die aus Liebe und Bösem bestehen, alle. Ich versteh nicht ganz, was sie damit meinte.

Aber Harald verstand es sehr wohl.

Andere traten hinzu, schüttelten den Eltern die Hände, aber keiner wußte etwas zu sagen wie die fremde, unbekannte Frau. Eine Botin. Und der andere Bote war auch da. Er stand bekümmert vor ihnen, für immer mit Schuld beladen als derjenige, der an jenem Freitagabend die Nachricht überbracht hatte, daß etwas Schreckliches geschehen war, der einen Fluch gebracht hatte, den er nicht auf dem Weg wegwerfen konnte wie eine Waffe.

Jetzt wurde das Stück aufgeführt, auf das Hamilton sie vorbereitet hatte. Duncan stand unten im Saal, er trug ein Hemd mit breiten Streifen und eine rote Krawatte, dazu graue Hosen und eins dieser weit geschnittenen Leinenjacketts, die junge Männer heutzutage gern tragen. Wahrscheinlich war das der äußerste Kompromiß, zu dem Motsamai, der ihn zu einem Anzug hatte überreden wollen und selbst einen sehr eleganten Anzug trug, bewegen konnte. Duncan besaß wahrscheinlich gar keinen Anzug.

Eine Erscheinung, die mit den moralischen Werten des Richters und seiner gewählten Beisitzer in Einklang stand – die Mutter und der Vater des Angeklagten achteten genau auf die Kleidung und auf das, was sie über den hageren Mann auf dem Richterstuhl aussagte. Ein urbaner Mann, hatte Hamilton mit deutlicher Befriedigung gesagt. Das einzige, wodurch sich der Mann in der purpurnen Robe da oben auszeichnete, waren die runden Ohren, die wachsam von seinem Kopf abstanden. War die Konvention der Bekleidung, in der Duncan sich darstellte, für einen weltlichen Richter, der moralische Werte nicht an einen Anzug knüpfen würde, akzeptabel? War es von Bedeutung, was ein Mann trug, wenn er, ungeachtet dessen, was seine Bekleidung über ihn aussagte, getötet hatte? Aus diesem Grund bestätigt die Stimme eines Justizangestellten – des Schriftführers – Duncans Identität an diesem Ort.

»Sind Sie Duncan Peter Lindgard?«

»Ja.«

»Sie stehen unter Anklage des Mordes. Ihnen wird vorgeworfen, am 19. Januar 1996 Carl Jespersen vorsätzlich getötet zu haben. Bekennen Sie sich schuldig?«

Wie an jenem Freitagabend im Stadthaus, als der Bote seine Nachricht überbrachte, ist alles zum Stillstand gekommen, festgehalten in Duncans Profil, in seiner Gegenwart. Doch der Moment wird von Hamilton Motsamai, dem Verteidiger, durchbrochen. Er hat sich rasch erhoben. »Euer Ehren, angesichts der besonderen Umstände dieses Falls möchte ich Sie bitten, mir zu gestatten, für meinen Klienten zu antworten. Der Angeklagte bekennt sich nicht schuldig. Die Linie meiner Verteidigung, Euer Ehren, wird im Verlauf meines Kreuzverhörs der ersten Zeugin der Staatsanwaltschaft deutlich werden, die mein werter Kollege, der Staatsanwalt, mir benannt hat.«

Der Richter hat mit einem Nicken sein Einverständnis bekundet.

Um Harald und Claudia herum rutschen die Zuschauer enger zusammen, um Nachzüglern Platz zu machen, doch inzwischen ist allen klar, wer die Eltern sind, und niemand rückt in ihrer Reihe zu nah an sie heran.

Das Mädchen erscheint; das ist sie also. Sie war diejenige auf der Couch, sie hat es halbangekleidet getan, sie kann man ansehen – der andere ist allen Blicken entrückt, unter der Erde, zusammen mit all den anderen, die erstochen oder erdrosselt oder erschossen worden sind in der Gewalt, die zu dieser Stadt gehört. An diesem Morgen sind wieder drei Menschen umgebracht worden, an einem Taxistand ganz in der Nähe des Gerichtsgebäudes, im Konkurrenzkampf zwischen Taxiunternehmern. Aber Duncan hatte sich geirrt, als er in der Untersuchungshaft glaubte, das, was mit ihm geschehen war, werde in all der willkürlichen Gewalt untergehen und in der Öffentlichkeit auf kein Interesse stoßen. Es sind die Straßenmorde, die kein Interesse wecken, da sie täglich geschehen.

Da ist sie, das Mädchen. Es gibt Frauen, die sind an manchen Tagen häßlich und an anderen Tagen schön. Das kann mit den verschiedensten Dingen zu tun haben: mit der Verdauung, der Phase im biologischen Zyklus oder der Art, wie sie sich gerade präsentieren möchten. Sie hat einen ihrer schönen Tage. Claudia war nicht überrascht über den Anblick, den sie bot; aus ihrer Erfahrung als Ärztin wußte sie, daß die neurotische Persönlichkeit ein Publikum braucht – was für eins, spielt da keine Rolle, sogar eins, das sich vorstellen kann, wie sie mit geöffneten Schenkeln auf der Couch liegt. Harald sah sie zum ersten Mal, wie Duncan sie immer gesehen haben mußte, sein festgefügtes Bild von ihr, selbst an ihren häßlichen Tagen: die zarte Haut mit den Grübchen – die Drehung des Meißels an einer Skulptur da, wo die Mundwinkel nach oben gezogen waren –, die hohe, glatte Stirn unter Ponyfransen, die trägen, intensiven Pupillen in den kindlich wirkenden Augen mit den nach unten gezogenen äußeren Winkeln, wo die dichten Wimpern sich ineinander verhakten, die Kleider, die ihren Körper verbargen und andeuteten, der gemessen schwingende Rock, der über ihrem Hintern hin- und herglitt, als sie zum Zeugenstand ging, eine Kosakenbluse, deren Chiffonfülle von den Modigliani-Schultern fiel und die Spitzen kleiner Brüste berührte. Sie ist keine Schönheit, aber sie kann über Schönheit gebieten. Und wenn man ihr ins Gesicht blickt, erkennt man, daß ihre Züge einen bedrohlichen Ausdruck annehmen können. An den häßlichen Tagen.

Als sie in den Zeugenstand trat, war nur schwer zu erkennen, ob sie es vermied, den Angeklagten anzusehen. Aber plötzlich – Harald sah es deutlich – richtete sie den Blick unmittelbar auf Duncan, völlig ruhig und konzentriert. Würde Duncan ausdrücken, was sie ihm entlocken wollte: *Hier bin ich*. Würde er es tun? Harald konnte es nicht sehen, konnte Duncans Augen nicht sehen und wußte in seinem aufgewühlten Zustand kaum, wie er dieses – eingebildete – männliche Mitempfinden mit seinem Sohn zügeln sollte.

In dem Moment, da der Staatsanwalt sich erhob, verspürte er eine Abneigung gegen ihn. Es war eine körperliche Empfindung auf seiner Haut. Der Staatsanwalt hatte traurig wirkende, gewölbte Augenbrauen und einen ovalen Mund wie ein Komiker, dessen Gesicht sich jedoch in das eines starrenden Samurai verwandeln konnte. Als er seine Hauptzeugin vorführte, hatte er die freundliche Version der beiden Mienen aufgesetzt.

»Sie haben mit Duncan Lindgard gelebt, als Paar?«

»Ja.«

»Wie lange hatte diese Beziehung bestanden?«

»Ungefähr anderthalb Jahre.«

»Waren Sie glücklich miteinander?«

Sie lächelte, zog die Lippen zusammen und machte eine seltsame Geste, das einzige Zeichen von Nervosität, das ihr anzumerken war: mit gekrümmten Fingern fuhr sie sich über die Kehle, als wollte sie sich kratzen. »Das wohl kaum. Also, mitunter schon. Zwischen all den anderen Zeiten.«

»Warum war die Beziehung, die Sie beide gewählt hatten, keine glückliche?«

»Gewählt? Ich hatte sie nicht gewählt.«

»Wieso nicht?«

»Mein Leben gehörte ihm, weil er mich ins Krankenhaus gebracht hatte.«

»Können Sie dem Gericht erklären, was das bedeutet?«

»Ich war praktisch ertrunken und wäre jetzt tot, wenn er das nicht getan hätte.«

»Waren Sie beim Schwimmen in Schwierigkeiten geraten?«

»Ich war ins Wasser gegangen.«

»Es war Ihre Absicht, sich zu ertränken.«

»Richtig.«

Die Zuschauer sind gefesselt von dieser überwältigenden, lakonischen Unbekümmertheit, mit der sie das kostbare Gut des Lebens betrachtet. Harald und Claudia spüren, daß die Leute um sie herum sich bereits in das Mädchen verliebt haben, ihre auf sie gerichteten Gesichter kapitulieren vor ihr: *Hier bin ich.*

»Waren Sie nicht froh, daß Sie überlebt hatten?«

»Er wollte, daß ich lebte. Das gefiel mir.«

»Warum waren Sie dann nicht glücklich, dankbar?«

»Er wollte, daß ich auf seine Weise froh war, ich sollte vergessen, warum ich mich damals dafür entschieden hatte. Ich sollte alles vergessen, womit ich nicht fertig werden konnte, als ob es dann verschwunden wäre. Mit dem Meerwasser aus meinen Lungen rausgepumpt, basta, eine neue Natalie. Ganz nach Plan. Er ist Architekt, mehr kennt er nicht – er macht Pläne, einen Plan für das Leben eines Menschen nach seinen Angaben. Er hat sich Berufe für mich ausgedacht, sogar Meinungen. Nichts war von mir.«

»Wie haben Sie darauf reagiert?«

»Ich wollte mich wiederhaben.«

»Er hat sie gerettet und dann begann er damit, Ihr Selbstvertrauen zu zerstören, ist das richtig? Er hat verhindert, daß Sie wieder zu sich selbst fanden? Warum haben Sie weiter mit ihm in dem Cottage gelebt?«

Wie ist es möglich, wie kann sie eine verletzliche Frau sein, ein Wesen mit weichen Formen und diesen Augen, deren Gestalt sich nicht mit ihrem Körper verwandelt hat, sondern eine kindliche Unschuld beibehalten hat, und diese Dinge sagen: »Ich dachte – mich hat das fasziniert –, wenn ich weiter so mit ihm leben könnte – dann wäre das das Schlimmste, was mir je passieren würde. Ich hätte es ausprobiert, und wenn ich es überlebte … es war so eine Art Mutprobe. Ich bin so oft gescheitert.«

»Sie waren verzweifelt. Sie hatten einen Selbstmordversuch hinter sich, und jetzt waren sie wieder verzweifelt.«

»So könnte man das ausdrücken.«

»Hat er Ihre Verzweiflung verstanden?«

»Aber ja, deswegen hat er immer versucht, *seine* Lösung für mich zu finden. Was er nie verstehen wird, nicht verstehen will, ist, daß ich keine Lösungen von einem anderen übernehmen kann. Sie hängen mir wie eine Kette um den Hals. Er konnte mich damit nur erwürgen.«

»Manchen mag sein Verhalten großmütig erscheinen, aber würden Sie sagen, er war besitzergreifend? Eifersüchtig?«

»Besitzergreifend … jeder Gedanke, den ich habe, jede noch so banale Handlung, er hat alles auseinandergenommen.«

»Eifersüchtig auf andere Männer? Auf deren Interesse an Ihnen?«

»Er war eifersüchtig auf die Luft, die ich atme.«

»Wie war Ihr Verhältnis zu den Männern im Haus?«

»Sie waren seine Freunde, und sie wurden auch meine. Zum Glück gab es sie, denn sie nahmen das Leben nicht so ernst, sie waren nicht wie er und ich, mit denen konnte man einfach normal sein, sich vergnügen. Er hat mich von Menschen, mit denen ich mich vielleicht angefreundet hätte, ferngehalten. Es waren immer die falschen Leute für mich – fand er. Letzten Endes hatte es keinen Zweck, darüber zu streiten.«

»Sie wußten, daß er eine homosexuelle Beziehung zu einem der Männer im Haus hatte?«

»Oh ja, er hat mir alles über sich erzählt. Aber das war längst vergessen.«

»Hatten Sie am Abend des 18. Januar Geschlechtsverkehr mit einem der Männer? Carl Jespersen?«

»Ja. Es ist einfach passiert.«

»Wie kam das zustande?«

»Carl war jemand, mit dem man über alles reden konnte. Und er wußte, wie Duncan war. Ich bin manchmal zu ihm gegangen, wenn Duncan und ich uns gestritten hatten. Er hatte eine Art, die Dinge, wie soll ich sagen, geradezurücken. Es ist nicht das Ende der Welt.«

»Hatten Sie vor diesem Abend ein intimes Verhältnis mit Carl Jespersen?«

»Großer Gott, nein. Er war schwul; er und David waren zusammen. Er hatte mir eine Stelle besorgt, da, wo er arbeitete, und das war eine *Lösung*, mit der Duncan einverstanden war. Duncan war sicher, daß Carl auf mich aufpassen würde, damit ich nichts mit den anderen Männern anfing. Duncan hatte ständig Angst, daß ich ihn verlassen könnte. Er hatte das einmal erlebt. Er hält das, was er will, so fest, daß er es tötet.«

Der Staatsanwalt hielt einen Moment inne, damit das, was lediglich eine Redewendung war, als Echo der Anklage vor dem Gericht widerhallte: Mord.

»Der Angeklagte hatte also keinen Grund, eifersüchtig auf Carl Jespersen zu sein?«

»Nein, gar keinen. Aber er ist sozusagen auf alles eifersüchtig, er grübelt über alles nach, was mit mir zu tun hat, auch wenn er es selbst verursacht hat. Carl und ich haben uns gut verstanden, wir haben jeden Tag zusammen gearbeitet, er könnte sich in etwas hineingesteigert haben, weil Carl derjenige war, der die Dinge zwischen ihm – Duncan – und mir glättete. Uns miteinander versöhnte. Ich meine, mit dem versöhnte, was Duncan ist, was er mir antat.«

»Warum hat sich Ihre freundschaftliche Beziehung zu Carl Jespersen an diesem Abend verändert?«

»Im Haus fand so eine spontane Party statt, und ich hatte meinen Spaß. Aber Duncan war es wieder einmal nicht recht, er war überzeugt, ich würde am nächsten Morgen nicht pünktlich aufstehen, um zur Arbeit zu gehen. Ich war mir nicht sicher, daß die Arbeit in einer Werbeagentur wirklich das Richtige für mich war, aber Duncan machte sich ständig Sorgen, daß ich sie nicht ernst genug nahm. Er wollte, daß ich mit ihm ins Cottage rüberging. Er hat vor den anderen gebettelt und mit mir gestritten – mich gedemütigt. Mir reichte es für den Tag.«

»War etwas vorgefallen, das Ihre Beziehung belastete?«

»Wir hatten die halbe Nacht davor geredet, und am Morgen fingen wir wieder an zu streiten, und dann endete es so wie immer. Mir reichte es.«

»War das der Grund, warum Sie nicht mit dem Angeklagten ins Cottage zurückgingen, als die Party zu Ende war?«

»Ja.«

»Sie hatten Angst, daß die Feindseligkeit des Angeklagten eine weitere Nacht der Beschimpfungen bedeuten würde.«

»Ich blieb, um Carl beim Aufräumen zu helfen und mir die Sache von der Seele zu reden. Der Gedanke, ins Cottage zu gehen und mir lauter Vorwürfe, *nur zu meinem Besten*, anhören zu müssen, war mir unerträglich. Ich hätte mich gleich da ins Auto setzen und wegfahren sollen – irgendwohin –, wie ich's schon öfter getan hatte.«

»War Gewalt im Spiel, wenn der Angeklagte Ihnen Vorwürfe machte, hat er Sie geschlagen?«

»Nein. Dazu ist es nicht gekommen.«

»Aber er hat Sie bedroht?«

»Ich habe es oft gespürt. Es war nicht das, was er sagte, sondern die Art, wie er mich angesehen hat. Er wollte mich umbringen. Manchmal brach das aus ihm heraus wie Licht.«

»Sie waren überzeugt, daß er zu Gewalttätigkeiten fähig war. Hatten Sie Angst?«

»Ich wußte, daß er mich nicht umbringen konnte, weil er mich schließlich aus dem Wasser geholt hatte.«

»Aber an dem Abend mußten Sie sich vor ihm in Sicherheit bringen?«

»Ich wollte einfach nicht angekettet sein. Carl brachte mich zum Lachen statt zum Weinen, und er hat mich getröstet. Und was wir dann taten, war natürlich. Es gehörte dazu. Duncan hat mich nie getröstet. Ich weiß nicht, wozu er mich wieder ins Leben geholt hat.«

Und wieder die Frage: Warum kommt Duncan in der Geschichte nicht vor?

Er ist der Strudel, um den das Gericht kreist. Wenn er nicht verstehen kann, warum er getan hat, was er getan hat, wird es nur die Erklärungen der anderen geben. Deren Versionen. Und es gibt die Version von dem, was er von der Tür aus sah; beim ersten Mal, versteht sich. Sie steht vor Gericht, nicht er. Sie hat gesagt, wie es für sie war. Zum Teil. Ein Paarungstanz für drei, erst er mit ihm, dann mit ihr, dann diese beiden zusammen. Sie ›hatte ihren Spaß‹, die Wildheit, die er so gut kannte, auf diese Weise ihr Ich loszulassen, das sie so sehr quälte, das sie ins Wasser trieb oder zu den Tabletten greifen ließ, die sie Ärzten und Apothekern mit ihrem Charme entlockte. Als sie sagte: Er hat mich ins Krankenhaus gebracht, sagte sie nicht, wie viele Male. Sie hatte ihren Spaß, und er war der Rettungsdienst, mußte sie wieder mit ins Cottage nehmen und ihr Liebe geben, Zärtlichkeit, egal was sie getan hatte. (Welchen anderen Trost gibt es?) Sie betrank sich nicht, nein. Sie brauchte keinen Alkohol, um sich zu stimulieren; der Angriff mit Worten war die einzige Stimulierung, die sie brauchte, das konnte die ganze Nacht einen Zustand der Erregung aufrechterhalten. Diesmal wollte sie nicht ›gerettet‹ werden, wie sie es nennt. Diesmal ist die Reihe an ihm, das Opfer zu sein.

Wäre er frei (seine Begleiter, die Polizisten, sind an seiner Seite), könnte er quer durch den Raum zu ihr gehen, was würde er ihr dann sagen wollen?

Wie seid ihr nur darauf gekommen, auf etwas so Raffiniertes (Motsamais Wort), um mich zu zerstören? Ihr zwei – beide so klug und beide kanntet ihr mich so gut.

Du hast es ihnen aus deiner Sicht erzählt. Du hast ihnen nicht gesagt, daß es in dir war, in deinem Kopf, du warst es, du hast es mir eingegeben, weil es das war, was du in mir gesehen hast: Immer wieder hast du um drei oder vier Uhr morgens zu mir gesagt – im Garten, wo ich das Ding weggeworfen habe, fingen die Vögel schon an zu singen – du hast gesagt: Eines Tages wirst du mich umbringen, das willst du mehr als alles andere, du willst mich umbringen, damit du das kriegst, was du willst, nämlich mich retten und dich auch.

Aber sie hat sich gerettet. Sie hat sich in ihr Auto gesetzt und ist von uns weggefahren, von Carl und mir. Von dem Toten und dem Angeklagten. Jetzt steht sie im Zeugenstand, und wir werden nie wieder reden, bis wir die Vögel hören.

Ms. James, sind Sie schwanger?«

Der Richter unterbricht Motsamai sofort, aber der Trompetenstoß, mit dem Motsamai sein Kreuzverhör eröffnet hat, war wie ein Schnitt durch die Luft.

»Mr. Motsamai, was hat dieser Übergriff auf die Privatsphäre der Zeugin mit dem Fall zu tun. Ich fordere Sie auf, die Frage zurückzuziehen.«

»Mit allem Respekt, Euer Ehren, die Frage ist hinsichtlich der Beziehung zwischen der Zeugin und dem Angeklagten und der tragischen Konsequenzen dieser Beziehung durchaus sachdienlich. Gestatten Sie mir bitte fortzufahren.«

»Ich hoffe sehr, daß sich Ihre Behauptung der Sachdienlichkeit schnell und vollständig als stichhaltig erweisen wird, Mr. Motsamai.«

Die beiden verstehen sich; sie wissen beide, daß der Richter Einspruch erheben mußte, und beide wissen, daß er ihn zurücknehmen würde. Ein Verteidiger stellt solche Fragen nicht nur, um eine Sensation auszulösen, obwohl genau das die Wirkung auf das Klima im Publikum ist. Unruhe schwappt durch den Raum, unterdrückte Ausrufe sind zu hören. *Schande*. Nicht wegen ihrer Kapriolen auf der Couch, die sie sich mit Genuß vor Augen führen, sondern *Schande*, arme Schöne, weil das, was allen Frauen passiert, durch das gemeine Schnüffeln des Anwalts vor ihnen ans Tageslicht gezerrt wird und weil eine weiße Frau – da kommt diese alte, offiziell für ungesetzlich erklärte Reaktion wieder hoch – sich das gefallen lassen muß von diesem schwarzen Mann mit dem faltigen Gesicht, das im Laufe der Jahre, in denen einer wie er gar keine Fragen an sie, eine Weiße, richten durfte, feste und entschiedene Züge angenommen hat.

In dem Moment, da ihr, dem gesamten Gericht, dem Publikum, diese Frage gestellt wurde, wich ihre Verblüffung rasch einer widerwilligen Anerkennung dieses gerissenen Gegners: Sie hätte es ihm nie erzählen dürfen, in einer Nebenbemerkung gleichsam, um sich auf diese Weise in seiner Kanzlei in Szene zu setzen!

Motsamai wiederholt die Frage leise; sie hat sie schon beim ersten Mal gehört.

»Ja.«

Harald beobachtete sie, und ihm wurde klar, daß das Mädchen dem Staatsanwalt diese Information nicht gegeben hatte, als er ihre Befragung als Zeugin der Anklage vorbereitete. Und Hamilton – er mußte geahnt haben, daß dies so war. Sie wollte natürlich, daß der Staatsanwalt keinerlei moralische Zweifel an ihr hatte ...

»Ist Duncan Lindgard der Vater des Kindes, das sie erwarten?«

Sie antwortete, es gab keinen Grund zu flüstern: »Ich weiß es nicht.«

»Könnte es das Kind von Carl Jespersen sein?«

»Möglich.«

»Sie haben keine Vorkehrungen gegen eine mögliche Schwangerschaft getroffen, in ihrer Spontaneität nach der Party an jenem Abend?«

»So ist es.«

»Ist das der Grund, warum Sie nicht sagen können, ob das Kind von Duncan Lindgard ist, von dem Mann, mit dem Sie zusammengelebt haben, oder von Carl Jespersen, dem Mann, mit dem Sie an jenem Abend Verkehr hatten?«

»Ja.«

»Schließt der Tag der Empfängnis, den Sie sich aufgrund der Bestätigung der Schwangerschaft durch Ihren Arzt mehr oder weniger genau errechnen können, nicht einen der beiden als Vater aus?«

»Nein.«

»Wie ist das möglich?«

»Das wissen Sie. Ich hab es Ihnen gesagt, als Sie mich in Ihrem Büro gefragt haben. Duncan hat am frühen Morgen mit mir geschlafen, an demselben Tag, so war das oft bei uns nach harten Nächten.«

»Beunruhigt es Sie nicht, macht es Ihnen nichts aus, daß Sie nicht wissen, wer der Vater des Kindes ist, das Sie zur Welt bringen werden?«

Natalie wendet den Kopf ab, erst zur einen Seite, dann zur anderen, weg von ihnen allen, sie entflieht dem Gericht, getragen vom Willen des Publikums: *Schande*. Dann kehrt sie zurück und antwortet allen: »Es ist mein Kind.«

Duncan möchte die Polizisten an die Wand stoßen und zu ihr stürzen, ihren armen Kopf, ihr Gesicht halten, während aus ihrem Mund Beschimpfungen auf ihn niedergehen, die er an seiner Brust zum Schweigen bringt; er möchte schützend die Arme um sie legen, für das Kind, das sie anderen überlassen hat, Natalie/Nastasja, für den Tod, in den sie gegangen war und den sie verloren hatte – aber Motsamai läßt sich nicht bremsen, der Prozeß kann nicht aufgehalten werden. In dem Moment, da Duncan in der Tür stand, wurde etwas ausgelöst, das nicht zum Stillstand gebracht werden kann.

»Können Sie sich vorstellen, was das für den Angeklagten bedeutet? Er hat Sie über Jahre geliebt und unterstützt. Und Sie haben seine Liebe und Unterstützung trotz all Ihrer Anschuldigungen über mehrere Jahre angenommen.«

»Das ist allein meine Sache.«

»Ist das Ihre Antwort auf die Frage, welche Wirkung Ihre Nachricht auf ihn haben wird, wie schmerzlich das für ihn sein muß?«

Es ist, als existierte Motsamai mit seinen Fragen für sie nicht. Sie wiederholt: »Das ist allein meine Sache.«

»Es ist Ihnen gleichgültig. Gut. Ms. James, soweit ich weiß, sind Sie so etwas wie eine Schriftstellerin, Sie schreiben Gedichte und ähnliches und haben einen großen Wortschatz. Kennen Sie die Bedeutung des Ausdrucks *in flagranti*?«

»Das brauchen Sie mir nicht zu erklären.«

»Sie brauchen keine Erklärung. Wurden Sie *in flagranti* mit Carl Jespersen auf der Couch überrascht, in dem Wohnzimmer, wo die Party stattgefunden hatte, wo die Lichter brannten und die Türen offenstanden, so daß jeder hereinkommen konnte, an jenem Donnerstagabend, dem 18. Januar? War es der Angeklagte, der Mann, der Ihnen das Leben gerettet hat und mit dem Sie als Liebespaar zusammenlebten, der hereinkam und Sie sah?«

»Ja.« Und das einsilbige Wort verbreitet sich in den Reihen des gespannt zuhörenden Publikums: Ja, ja, ja.

»Sie geben zu, daß Sie vor seinen Augen mit seinem Freund Geschlechtsverkehr hatten. Haben Sie nicht daran gedacht, daß ihn die neue Nachricht quälen muß – zusätzlich zu dem Schock und dem Schmerz, den Sie in ihm ausgelöst haben, als er Sie und Jespersen an jenem Abend sah? Sie geben zu, daß Sie mit beiden Männern innerhalb von vierundzwanzig Stunden Geschlechtsverkehr hatten. *Es ist Ihr Kind*. Was soll das heißen? Kinder ohne Vater gibt es nicht. Verkünden Sie ein Wunder, Ms. James? Ihre unbefleckte Empfängnis?«

Einspruch vom Staatsanwalt. Stattgegeben. Motsamai

zieht die Frage zurück und fährt mit einer ausholenden Handbewegung fort.

»Sie haben zwei mögliche Väter für Ihr Kind. *Ihnen ist das gleichgültig*. Euer Ehren, ich gebe dem Gericht zu bedenken: Diese hartherzige, gefühllose, ja rohe Haltung muß doch auf jeden verantwortungsbewußten Menschen, der Rücksicht auf die Gefühle anderer nimmt, abstoßend wirken. Wie soll der Angeklagte es ertragen, daß es der Frau, die er liebt, gleichgültig ist, ob es sein Kind ist oder das eines anderen, das sie zur Welt bringen wird? Ist das nicht der zynische Schlußakt, ein grausames Nachwort zu dem Spiel, das sie mit ihm gespielt hat und das in schriftlichen Beweismitteln, die wir diesem Gericht unterbreiten werden, als die Hölle auf Erden beschrieben wird? Am Schluß stand die äußerste, unerträgliche Provokation, der sie ihn am Abend des 18. Januar unterwarf. Die Reaktion ihres Partners auf diese Exhibition des Geschlechtsaktes gipfelte am nächsten Tag in einer Kurzschlußhandlung, als der Angeklagte den Mann entspannt auf derselben Couch vorfand und die tragische Tat beging. Die Mitverantwortung der Zeugin für die Tat wurde von ihr *in ihren eigenen Worten* bestätigt. Sie wird ein für allemal bestätigt durch die Gefühle, die sie hier öffentlich zum Ausdruck gebracht hat, und zwar in völliger Gleichgültigkeit gegenüber der Kränkung, die sie dem Angeklagten *abermals* zufügt. Sie nimmt nicht die geringste Rücksicht auf seine Gefühle. Immerhin könnte das Kind, das sie erwartet, von ihm sein.«

»Sind Sie fertig, Mr. Motsamai?«

Ja, wie ein Opernsänger, der auf dem höchsten Ton abbricht, weiß er, an welchem Punkt er aufhören muß. Das Publikum ist wankelmütig und folgt dem, der die Gabe hat, es für sich zu gewinnen, oder aber es ist eine Gemeinschaft von Voyeuren, unter denen sich Fraktionen gebildet haben. Der Richter vertagt die Verhandlung bis nach der Teepause, und als Harald und Claudia aus dem Saal gehen, schiebt sich jemand an ihre Seite und zischelt ihnen zu: »Sie ist die, die auf der Anklagebank sitzen sollte.« Khulu ist zu Harald und Claudia getreten und nutzt seine breiten Schultern, um ihnen schützend den Weg zu bahnen.

Die Staatsanwaltschaft hat eine Psychiaterin bestellt, während die Verteidigung einen Mann beauftragt hat. Aus irgendwelchen Gründen stimmt das den Verteidiger zufrieden. Hamilton erklärt: Auch in dem moralischen Klima eines weltoffenen Richters wird eine Frau bei einem Prozeß, in dem es um die Frage der Provokation geht, in ihrer Haltung gegenüber der Aussage einer weiblichen Zeugin eher als weich wahrgenommen, während man einen Mann für professionell objektiv hält. Claudia lächelt hinter vorgehaltener Faust.

»So sind die Tatsachen, meine liebe Frau Doktor.« Hamilton unterrichtet sie knapp in dem hallenden Flur, kurz bevor die Verhandlung wiederaufgenommen wird. Stimmen, die Gespräche anderer Menschen in Not, tönen hohl von den hohen Decken zurück, aber Harald und Claudia hören nur die eigene Unterredung mit dem Mann, in dessen Händen sie sind. Sein Selbstvertrauen ist wie der *dop* Brandy, den er in seiner Kanzlei ausschenkt, eine Wärme, die im Blut rasch vergeht.

Der Staatsanwalt fährt fort und ruft die Psychiaterin in den Zeugenstand. Sie wirkt kompetent, ihre von Sommersprossen gesprenkelten Brüste, stramm verpackt unter dem Ausschnitt ihres Kleides, wirken wie zwei füllige Schenkel an falscher Stelle, während sie aussagt, daß der Angeklagte über eine hohe Intelligenz und ein gesundes Urteilsvermögen verfügt.

»Würde Ihrer Meinung nach dieses Maß an Intelligenz und dieses Urteilsvermögen auch in Streßsituationen ihren Ausdruck in verantwortungsbewußtem Handeln finden?«

»Ja. Der Angeklagte war nicht gänzlich unvorbereitet auf das, was er an dem Abend nach der Party sah. In meinen Gesprächen mit ihm gewann ich den Eindruck, daß sein Mißtrauen geweckt war, bevor er das Paar beim Geschlechtsverkehr überraschte. Er hatte sich zum Hüter der Moral seiner Partnerin gemacht, was eine ständige Quelle von Streit und Konflikten zwischen ihnen war. In seinem leidenschaftlichen, besitzergreifenden Verhalten ihr gegenüber liegt eine tiefe, unbewußte Feindseligkeit. Er weigerte sich, die Realität ihrer Persönlichkeit anzuerkennen, obwohl sie ihm gegenüber offen war, und er sich damit brüstet, ein Verfechter persönlicher Freiheit, einschließlich sexueller Freiheit, zu sein. Er hat sie fortwährend der Untreue verdächtigt, auch in Situationen, in denen es dazu keinen Anlaß gab. Er hatte eine obsessive, missionarische Bindung an sie entwickelt, die sich in rationalen und präzisen Vorstellungen für jeden Aspekt ihres Lebens äußerte.«

»War der Tag der Untätigkeit nach der Entdeckung des Paares eine mit dieser Rationalität im Einklang stehende Reaktion?«

»Meiner Meinung nach ja.«

»Ein Tag der Passivität, des Grübelns, gefolgt von einer Handlung – steht dies auch im Einklang mit der von Ihnen genannten Rationalität?«

»Ja. Er hat die Persönlichkeitsstruktur eines Grüblers. Sein Handeln ist nicht von jähen Impulsen bestimmt. Er plant. Er plante das ganze Leben dieser jungen Frau ohne ihr Wollen, ohne ihr Einverständnis.«

»Halten Sie es für möglich, daß er Jespersen, fast *vierundzwanzig Stunden*, nachdem er das sich kompromittierende Paar entdeckt hatte, einem ›jähen Impuls folgend‹ erschießen konnte?«

»Nein. Wenn er in einem irrationalen Zustand gehandelt hätte, unfähig, die Gesetzeswidrigkeit seines Handelns zu erkennen, hätte er Jespersen sofort angegriffen, unter dem Schock, dessen, was er da gesehen hatte.«

»In welchem geistigen Zustand war er dann Ihrer Meinung nach, mit welchen Absichten ging er Ihrer Meinung nach am nächsten Tag zum Haus hinüber?«

»Er ging mit der bewußten Absicht hinüber, der Eifersucht Luft zu machen, die sich in den Stunden des Alleinseins aufgebaut hatte.«

»War er bei klarem Verstand?«

»Ja.«

»Er ging zum Haus hinüber, um Jespersen zu töten?«

Sie vermochte nicht zu sagen, zu welchem Extrem seine Intentionen ihn befähigten. Doch war sie nicht davon überzeugt, daß der Angeklagte jede Erinnerung an das verloren hatte, was im Haus geschah, nachdem Jespersen ihn aufgefordert hatte, sich einen Drink zu nehmen.

»Es steht fest, daß er Jespersen ermordete, nachdem er in den Stunden im Cottage diese Absichten entwickelt hatte. War er sich seines Handelns voll bewußt?«

»Er ist ein Mensch, bei dem Selbstkontrolle von Kindheit an stark entwickelt ist. Es ist eine der Maximen der Mittelschicht, aus der er stammt. Er handelt nicht aus dem Gefühl heraus, impulsiv. Was immer er tut, seine Handlungen sind vorbedacht, überlegt.«

Die Geste des Staatsanwalts drückte seine volle Zufriedenheit mit der Aussage der Sachverständigen aus: Keine weiteren Fragen.

Motsamai erhob sich, die Arme vom Körper abgewinkelt, die Ellbogen und die offenen Hände in einer Haltung, als wollte er eine Gabe entgegennehmen. »Dr. Albrecht, was ist ein Schockzustand?«

»Schock ist ein mentales Phänomen, das bei verschiedenen Menschen unterschiedliche Auswirkungen haben kann. Manche weinen, manche werden wütend, manche laufen weg …«

»Aber im allgemeinen – mir geht es nicht um die Vielfalt der Reaktionen, sondern um die Auswirkung auf die Wahrnehmung, die plötzliche Verwirrung mentaler Abläufe.«

»Schock kann Orientierungsverlust bewirken. Richtig. Und wie ich erklärt habe, manifestiert sich das auf verschiedene Weise.«

»Dazu zählt auch der Impuls, wegzulaufen und sich zu verstecken?«

»Ja.«

»Ist Ihrer Erfahrung nach, Doktor, ein schwerer Schock etwas, das schnell vorübergeht, so daß der Betroffene sein emotionales Gleichgewicht, und damit die Selbstkontrolle, bald wiedergewinnt? Sicherlich haben Sie Patienten, bei denen ein schwerer Schock äußerst langwierige Konsequenzen hatte – wenn ich es richtig verstehe, werden sie dermaßen davon verfolgt, daß sie, um ihr Gleichgewicht wiederzufinden, Ihre sachkundige Hilfe suchen …«

Harald bemerkt eine leichte Geste der Mißbilligung unter der Robe des Richters, aber der Moment geht ohne Einspruch vorüber.

»Ist es nicht möglich, daß der Angeklagte, als er unter Schock vor dem sexuellen Exhibitionismus von Ms. James und Jespersen floh und sich im Cottage versteckte, die Stunden dort nicht damit verbrachte, sich zu beruhigen und zu einer klaren Sicht der Dinge zurückzukehren, sondern daß er sich vielmehr in ebendem Zustand mentaler Verwirrung befand, den Sie als Auswirkung von Schock beschrieben haben?«

»Das ist möglich.«

»Sie würden zustimmen, daß es ein tiefer Schock für ihn war?«

»Ja.«

»Wenn jemand einen tiefen Schock erlitten hat, würden Sie sagen, daß der Orientierungsverlust bei dem Vorgang, den Sie Grübeln nennen, eher zunehmen als abnehmen kann? Sie haben diese Neigung zum Grübeln bei dem Angeklagten ja selbst diagnostiziert. Stimmt es nicht, daß die Wucht des Schocks noch stärker wird, wenn die Folgen der schmerzlichen Situation in zunehmender geistiger und emotionaler Verwirrung immer überwältigender scheinen? Und einem den Verstand rauben? So daß der Betroffene, wie wir sagen würden, nicht mehr klar denken kann? Daß er gar nicht mehr denken kann?«

»Schock kann zu anhaltendem Orientierungsverlust führen. Auch das hängt von der Persönlichkeit des Betroffenen ab. Meiner Meinung nach ist Mr. Lindgard jemand, dessen lange Erfahrung mit emotionalem Streß ihn befähigt, sein geistiges Gleichgewicht und seine Denkfähigkeit in Übereinstimmung mit seiner Persönlichkeit rasch wiederzugewinnen.«

»Sie bestätigen also, daß der Angeklagte mit Natalie James über einen längeren Zeitraum in emotionalem Streß lebte?«

»Ja. Streß, den er selbst herbeiführte.«

»Sowohl Sie als auch Ihr werter Kollege, Dr. Basil Reed, ein Psychiater mit dreiundzwanzig Jahren Berufserfahrung, hatten Gelegenheit, die Persönlichkeit und die psychische Verfassung des Angeklagten über einen Zeitraum von achtundzwanzig Tagen zu beobachten, ist das richtig?«

»Das ist richtig.«

»Wie lange üben Sie Ihren Beruf als Psychiaterin schon aus, Dr. Albrecht?«

»Sieben Jahre.«

»Ihr Kollege Dr. Reed, der die längere Berufserfahrung hat, kommt seinem Bericht zufolge zu der Einschätzung, daß der emotionale Streß, dem der Angeklagte – *wie Sie selber bestätigen* – über einen langen Zeitraum ausgesetzt war, so geartet war, daß er sich keineswegs in klaren Gedanken und bewußten Absichten auflösen konnte, sondern in einer unerträglichen emotionalen Belastung gipfelte, unter der sich der Angeklagte von Vernunft und Wirklichkeitssinn geradezu abspaltete. Ist es richtig, daß ein solcher Zustand als Folge von anhaltendem Streß, verstärkt durch einen heftigen Schock, ein in Ihrem Fach anerkannter Zustand ist?«

»Das ist in der Tat anerkannt. Als eine von mehreren Reaktionen auf ein Trauma.«

»Das ist anerkannt.« Motsamais Handflächen bewegen sich langsam, gemessen aufeinander zu. »Keine weiteren Fragen, Euer Ehren.«

Mit seiner Geste verkündet er, daß die Befragung abgeschlossen ist, obwohl der Staatsanwalt dies erst noch erklären muß. Harald und Claudia beobachten den Staatsanwalt aufmerksam und hören seine Worte, ohne ihre Bedeutung zu erfassen. Wo ist ihr Sohn, was ist mit ihrem Sohn geschehen in diesen Äußerungen, die ihn wie eine Gliederpuppe hin- und herwenden – er ist so, nein, er ist anders? Motsamai versteht sich auf die Beziehung seiner Deutung der Ereignisse zu dem, was er das moralische Klima des Gerichts nennt, er wird es ihnen erklären.

Der Staatsanwalt trägt seinen heruntergezogenen Samurai-Mund zur Schau, die Augenbrauen gehen fast ineinander über. Einer anderen, auffallenderen Mimik bedarf es nicht, und er verfügt auch nicht über Motsamais rhetorische Möglichkeiten; als Staatsanwalt weiß er, daß er in der Konstellation vor Gericht nicht der Star, nicht der schwarze Diamant ist. »Die Beweisaufnahme hat ergeben, daß der Angeklagte ein hochintelligenter Mann ist, im Vollbesitz seiner geistigen Fähigkeiten, der einen Mann kaltblütig erschossen hat, einen Mann, der wehrlos auf einer Couch lag. Die Frage, über die das Gericht zu entscheiden hat, liegt auf der Hand: es ist die der Schuldfähigkeit. War der Angeklagte für seine Tat voll verantwortlich oder nicht. Ungeachtet der widersprüchlichen Meinungen seitens der Sachverständigen ist eines deutlich: Er handelte nicht in dem Moment, als dies natürlich schien, sogar entschuldbar. Er hat den Verstorbenen nicht unmittelbar angegriffen, als er ihn an dem Platz, den er für den seinen hielt, beim Geschlechtsverkehr mit dem Menschen vorfand, den er mit Körper und Seele zu besitzen glaubte. Hätte er das getan, wäre es überflüssig, die Meinung von Sachverständigen einzuholen. Wir wüßten, daß er die Tat in einem Zustand begangen hätte, als er nicht er selbst war, als er von Gefühlen überwältigt wurde. Aber nein, er wandte sich von der Szene ab, zog sich zurück und verbrachte einen ganzen Tag damit, seine Gefühle zu ergründen und die ihm offenstehenden Möglichkeiten zu erwägen, um diesen Gefühlen Befriedigung zu verschaffen: der sexuellen Erniedrigung, seinem männlichen Stolz, dem Stolz eines absolut dominanten Mannes – was laut Zeugenaussage sein unglückseliges Wesen war. Er hätte das Mädchen aus der gemeinsamen Wohnung werfen können, er hätte die Beziehung mit ihr beenden können, da sie sich als seine Schöpfung – vergessen wir nicht, daß er ihr das Leben gerettet hatte – undankbar erwies. Er hätte es ablehnen können, weiter mit ihr, mit Jespersen und dem Haus, wo so etwas passieren konnte, zu tun zu haben. Das waren die Möglichkeiten, die ihm offenstanden. Doch im Vollbesitz seiner geistigen Fähigkeiten und nach einem Zeitraum, in dem er seine Reaktion ausführlich bedenken konnte, ging er zum Haus hinüber, wohl wissend, daß Jespersen um diese Abendstunde da sein würde, und machte Gebrauch von der Waffe, die, wie er wußte, im Haus war. Er erschoß Jespersen. Dies sind die unbestreitbaren Tatsachen. Der Angeklagte hatte die kriminelle Energie, einen Mord zu begehen, und ich fordere das Gericht auf, Euer Ehren, in Erkenntnis dieser Tatsache zu urteilen. Dem Opfer und den moralischen Grundsätzen unserer Gesellschaft muß Genüge getan werden: Du sollst nicht töten.«

Aus irgendeinem Grund wird vor der Mittagspause verkündet, daß das Gericht am Nachmittag nicht zusammentreten wird; die Verhandlung wird statt dessen um neun Uhr am nächsten Morgen wiederaufgenommen werden. Der Richter ist nicht verpflichtet zu erklären, welche anderen dringenden Verpflichtungen er hat, oder ob es Zahnschmerzen sind, die einen Besuch beim Zahnarzt unumgänglich machen. Die Menschen messen ihren kleinen Beschwerden größere Wichtigkeit bei als den Fragen von Leben und Tod. Zum Teufel mit ihnen. Doch über einen Richter kann man so nicht befinden, weder Harald noch sonst jemand.

Die Anspannung, die Hamilton Motsamai in ihren Gesichtern sieht, muß ihn ärgern. Doch nein, er ist unbeeindruckt, wenn auch nicht gleichgültig. Er hat seine Deutung des Prozesses bis zu diesem Punkt für sie fertig. Es läuft alles, wie erwartet, sagt er. Keine Überraschungen. Nichts, was sie beunruhigen müßte.

Und morgen? Nach morgen darf man ihn nicht fragen. Morgen holt er Duncan in den Zeugenstand. Selbst Harald und Claudia gegenüber wird er kein Wort über seine Strategie sagen, man kann lediglich daraus, wie er das Kreuzverhör der Zeugin der Anklage heute geführt hat, erahnen, wie er morgen vorgehen wird: Duncan in diesen Händen.

Sie haben recht. Alle. Die Sache ist die: Er und sie können nicht sagen, welcher Duncan der wahre ist, der vom Staatsanwalt, der vom Psychiater oder der von Motsamai beschriebene. Vielleicht weiß er das, der nun wieder in seiner Zelle sitzt. Vielleicht werden sie es morgen wissen.

Obwohl Natalie James, mit der Sie zusammenlebten, in derselben Werbeagentur arbeitete wie Carl Jespersen, der ihr dort eine Stelle beschafft hatte, und obwohl sie täglich mit ihm zur Arbeit und wieder nach Hause fuhr und auch die Mittagspausen mit ihm verbrachte, hatten Sie nicht die Befürchtung, daß sich zwischen den beiden eine Bindung entwickeln könnte?«

Endlich ist Duncan im Begriff zu sprechen. Für sich selbst zu sprechen.

»Nein.«

»Warum nicht?«

Motsamais Frage ist ein Stichwort in einem Dialog, der, wie jeder weiß, von ihm vorbereitet worden ist. Einstudiert. Aber Duncans Antworten sind kein gelernter Text. Harald und Claudia hören seine Stimme, die so klingt, als spräche er mit sich selbst. Sie haben das Gefühl, ihren Sohn zu belauschen.

»Weil Carl sich nicht für Frauen interessierte. Außer als Freundinnen.«

»Warum waren Sie sich dessen sicher?«

»Er war schwul. Homosexuell.«

»Woher wußten Sie das?«

Banal, aber die Frage hatte einen dramaturgischen Hintersinn; Motsamai besitzt die Fähigkeit, seinen Klienten sorgfältig in Szene zu setzen.

»Er hat als Homosexueller gelebt. Alle, die im Haus wohnten, waren homosexuell.«

»Sie haben auch auf dem Grundstück gelebt. Waren dies auch Ihre Neigungen?«

»Ich hatte einmal eine Beziehung – mit einem Mann.«

»Mit einem der Männer im Haus?«

»Ja.«

»Mit wem?«

»Mit Carl.«

»Mit Carl Jespersen. Es war also diese Erfahrung, die Sie veranlaßte zu glauben, daß zwischen Natalie James und Jespersen nichts entstehen könnte. Waren Sie in Natalie James verliebt?«

Das rührt an seine Nerven, und Harald und Claudia zucken mit ihm vor der Frage zurück.

»Wir waren uns sehr nahe.«

»Es war eine Liebesbeziehung, eine sexuelle Beziehung zwischen Mann und Frau?«

»Ja.«

»Ah-häh. Wenn Sie in der Lage waren, eine homoerotische Beziehung einzugehen und sich dann in eine Frau zu verlieben, mit der sie eine heterosexuelle Beziehung hatten, wie konnten Sie sich dann so sicher sein, daß Carl Jespersen gegenüber Ihrer Geliebten, Natalie, keine sexuellen Absichten entwickeln würde?«

Es ist schwer, Hamilton, so wie er sich jetzt präsentiert, zu vertrauen. Harald sieht, daß Hamilton die Situation genießt, Duncans Leben ist das Material für seinen professionellen Auftritt. Der Mann, der von der ›anderen Seite‹ das Verständnis für Menschen in Not mitbringt, der Mann, der das beruhigende Glas Brandy in der Hand hält, ist in seiner Kanzlei zurückgeblieben.

»Weil er sich von Frauen nicht angezogen fühlte. Sexuell. Anatomisch, hat er oft zu mir gesagt, fand er sie abstoßend. Ich kann hier nicht die Dinge wiederholen, die er manchmal sagte. Ich kann nur sagen – ihre Genitalien – er ekelte sich vor Frauen.«

»Hat er so mit Ihnen über diese Dinge gesprochen, um Sie von heterosexuellen Beziehungen abzubringen?«

»Vermutlich. Früher einmal.«

»Sie waren also voll und ganz davon überzeugt, daß er keine erotischen Absichten gegenüber Ihrer Geliebten hegte?«

»Ja, ganz sicher.«

»Obwohl Sie selbst eine homosexuelle Beziehung mit ihm hatten und sich dann in eine Frau verliebten und eine heterosexuelle Beziehung mit ihr eingingen, kam es Ihnen nicht in den Sinn, daß sich in ihm die gleichen Instinkte regen könnten?«

»Nein. Das stand außer Frage. Ich bin nicht homosexuell, nicht mehr als jeder erwachsene Mensch, der in erotischer Hinsicht eine gewisse Ambivalenz in sich trägt, die unter bestimmten Umständen zum Vorschein kommt oder auch nicht. Er war aktiv homosexuell, und zwar seit seinem zwölften Lebensjahr, das hat er mir oft gesagt.«

»Sie hatten also nicht die geringste Ahnung, daß er eine Affäre – daß Natalie mit Jespersen eine Affäre hatte?«

Durch den Saal, in der gespannten, lüsternen Stille des Gerichtssaals, hörte man deutlich vom Zeugenstand, auf den alle Aufmerksamkeit gerichtet ist, das scharfe Klicken von Duncans Zunge, die gegen den Gaumen gepreßt und wieder gelöst wurde. Die Luft war aufgeladen, als hätten die Zuhörer vor einem Käfig darauf gewartet, daß das Tier aufschrie: »Sie hatten keine Affäre.«

»Daran haben Sie keinen Zweifel?«

»Ich weiß es. Carl war mit David zusammen, es war sehr intensiv.«

»Würden Sie beschreiben, was am Abend des 18. Januar geschah? Im Haus fand eine Party statt?«

»Es war keine richtige Party. In dem Haus ist es üblich,

daß die Leute einfach vorbeikommen. Und oft sind Natalie und ich auch rübergegangen und haben mit den Männern dort gegessen. Man könnte sagen, daß wir so etwas wie eine Familie waren. Besser als eine Kleinfamilie, unter uns gab es gute Freundschaften, echtes Vertrauen.«

»An dem Abend haben Sie gemeinsam gegessen.«

»Ein paar Freunde von David und Khulu kamen auf einen Drink vorbei. Sie blieben einfach und haben mit uns gegessen. Wahrscheinlich könnte man also sagen, es wurde zu einer Art spontaner Party. David hatte ziemlich viel getrunken und ging zu Bett, als die anderen gegangen waren. Khulu hatte noch eine Verabredung und ist zusammen mit einem der Gäste fortgegangen. Natalie hatte Geschichten von ihrer Arbeit als Hosteß auf einem Kreuzfahrtschiff erzählt, sie kann Leute phantastisch nachmachen, und da sie beim Kochen nicht groß geholfen hatte, bot sie an, mit Carl zusammen aufzuräumen. So eine Geste ist typisch für sie. Wenn sie besonders aufgedreht ist. Gerade weil Hausarbeit ihr – sie macht nie was im Haushalt. Ich weiß, daß so was für sie wichtig ist, deswegen hab ich sie gelassen und bin in unser Cottage gegangen – ins Bett.«

Der Richter hob den Kopf, als hätte er endlich etwas gehört, was ihn neugierig machte. »Natalie James hat gestern in ihrer Zeugenaussage die Ereignisse etwas anders geschildert. Gab es nicht Streit zwischen Ihnen, hatten Sie nicht versucht, Natalie dazu zu bringen, mit Ihnen ins Cottage zurückzugehen?«

»Man kann Natalie nicht überreden, wenn sie in so einem Zustand ist.«

»Wollen Sie damit sagen, daß es zwischen Ihnen keinen Wortwechsel vor den anderen gab?«

»Sie war in dieser Stimmung. Sie wollte nicht mit mir nach Hause kommen und zu Bett gehen, und da war es besser, wenn ich ging.«

Der Richter bedeutet Motsamai mit einem Blick fortzufahren.

»Wieviel Uhr war es da?«

»Ungefähr ein Uhr.«

»Sie erwarteten, daß sie nachkommen würde?«

»Natürlich.«

»Kam sie?«

»Nein.«

Motsamai zeigt viel Geduld angesichts des Widerwillens, den Duncan ihm entgegensetzt. Harald und Claudia haben das Gefühl, daß Duncan flieht, aus der Zelle flieht, in der er gesessen hat, aus der geschlossenen Anstalt für Geistesgestörte, aus dem Gericht, vor der Menge der Gesichter, deren Beute er ist – vor sich selbst.

Motsamai setzt ihm nach.

»Was geschah dann?«

»Ich wachte auf. Sie war nicht da. Ich sah, daß es halb drei war. Ich war besorgt. Weil sie so spät im Dunkeln durch den Garten gehen mußte. In dem Wohnviertel wird viel eingebrochen.«

»Und dann?«

Jetzt gibt er einen auswendig gelernten Bericht wieder; man hat ihm erzählt, daß ihm all dies geschehen ist. Sein anderes Ich war es; der Anwalt wird zum anderen Ich des Angeklagten. Er kennt die Fakten.

»Ich ging hinaus und durch den Garten zum Haus. Das Licht war an, und die Terrassentür stand offen. Ich ging ins Wohnzimmer, und sie lag unter ihm auf der Couch. Unter Carl.«

»Sie schliefen miteinander?«

»Sie kamen gerade zum Ende. Sie konnten nicht mehr aufhören. So habe ich es gesehen.«

In der Vorstellung und Erinnerung aller, der Fremden, der Körper, die Seite an Seite in dieser öffentlichen Versammlung sitzen, ist der Moment vor dem Orgasmus präsent. Sie sind das kollektive Fleisch. Sie kennen das. Hat der Richter daran teil, erinnert er sich, kennt auch er diesen Moment, hat er ihn in der letzten Nacht erlebt, so daß er wahrhaftig begreift, was es war, das der Angeklagte nicht umhin konnte zu sehen, das nicht gestoppt werden konnte? Auch nicht für den, der in der Tür stand?

Was haben sie getan, die beiden, die entdeckt wurden, und was hat er getan, das fragt Motsamai. Die Antwort ist, daß Duncan es nicht weiß, er floh, als er sah, daß Natalie ihn bemerkte und daß Carls Gesicht in der Auf-und-Abbewegung der Körper einen Moment lang erschien. Er wandte sich wieder der Dunkelheit zu.

Duncan floh. Flucht war damals eine Möglichkeit, jetzt ist sie es nicht mehr.

Denn Motsamai führt nun den Teil der Fortsetzung aus, der leicht verständlich ist: Natalie James fuhr einfach davon, sie kam weder in dieser Nacht noch am nächsten Tag zum Cottage zurück. Duncan lag die restliche Nacht wach. Am nächsten Morgen ging er nicht zu seiner Arbeit am Reißbrett. Es war Freitag. Freitag, der 19. Januar.

»Was haben Sie getan? Sie waren den ganzen Tag im Cottage?«

»Ich hab nachgedacht.«

»Haben Sie darüber nachgedacht, wie Sie sich in der Situation verhalten sollten?«

»Nein. Nein. Ich hab nach einer Erklärung gesucht. Nach einem Grund. Ich wollte verstehen, warum.«

»Warum so etwas geschehen konnte?«

»Ja. Ob ich richtig gesehen hatte.«

»Dachten Sie daran, Natalie zur Rede zu stellen? Oder zu Ihrem Freund Carl zu gehen und ihn zur Rede zu stellen?«

»Ich wollte sie beide nicht sehen. *Ich hatte sie gesehen.* Ich hab nach einer Erklärung gesucht, in mir selbst. Darüber hab ich nachgedacht, den ganzen Tag. Ich habe schon häufiger Krisen mit ihr durchgestanden; ich weiß, daß ich damit fertig werden kann.«

»Haben Sie solche Krisen schon früher bewältigt, das heißt ohne schlimme Konsequenzen hinter sich gebracht?«

»Oft genug.«

»Sie hatten also keine Rachegedanken – weder ihm noch ihr gegenüber?«

»Rache wofür? Sie gehören mir doch nicht, sie sind frei, sie können machen, was sie wollen.«

»Sie haben also nicht daran gedacht, sie zu beschuldigen oder gar zu bestrafen, weil sie ›gemacht hatten, was sie wollten‹, ohne an Sie zu denken? An Ihr Leben? Ihre Liebesbeziehung zu Natalie?«

»Nein.«

»An Ihre frühere Beziehung zu Carl Jespersen?«

Was er darauf sagte, stand mit Sicherheit nicht in Motsamais vorbereitetem Text.

»Nein. Das einzige, woran ich mich erinnern kann – als ich sie so sah –, war Ekel, der Zerfall von allem, Ekel vor mir, vor allen.«

»Und?« Motsamais Geste ist die eines Dirigenten am Pult.

»Ich hab versucht, es mir zu erklären, damit ich die Dinge wieder – zusammenfügen, mich selbst verstehen konnte.«

»Dachten Sie über die Zukunft Ihrer Beziehung mit

Natalie nach? Glaubten Sie, sie würde fortbestehen, nach dem, was Sie gesehen hatten – die Art, wie sie Ihre Freiheit benutzte, wie sie Ihnen Ihre Liebe und Fürsorge vergalt?«

»Was weiß ich? Die Beziehung war nach so vielen Dingen, die ihr Ende hätten bedeuten können, weitergegangen ...«

»Sie blieben den ganzen Tag im Cottage, lagen auf dem Bett? Allein?«

»Ja. Der Hund war da.«

»Wann sind Sie aufgestanden, was hat Sie dazu veranlaßt?«

»Der Hund, er hatte Hunger, wurde unruhig. Ich hab mich angezogen und ihm seinen Napf Futter gegeben.«

Motsamai atmete tief und lange ein, seine schwarze Robe hob sich über der Brust, er nahm sich Zeit für beide, für Duncan und sich selbst.

»Und dann?«

»Ich ging raus. Er bekommt sein Fressen draußen. Ich war also im Garten.«

»Wie spät war es da?«

»Ich hab nicht auf die Uhr gesehen, es muß ungefähr die Zeit gewesen sein, um die wir ihm normalerweise sein Fressen gaben, so gegen halb sieben oder sieben.«

»Sie waren also im Garten. Sind Sie wieder ins Cottage gegangen?«

»Nein.«

»Warum nicht?«

»Ich bin einfach (er brach die Geste auf halbem Wege ab; es war das erste Mal, daß er seine Hände benutzt hatte, dieses Attribut der Verteidigung, das er mit dem Geständnis seiner Schuld aufgegeben hatte) – ich bin einfach zum Haus rübergegangen.«

»Was hatten Sie im Sinn?«

»Ich stand plötzlich im Garten. Statt ins Cottage zurückzugehen, bin ich einfach rübergegangen.«

»Hofften Sie, jemanden im Haus anzutreffen, dort mit jemandem zu sprechen? Mit einem der anderen Freunde?«

»Ich wollte mit niemandem sprechen.«

»Sie wollen dem Gericht also erklären, daß Sie keinen Grund hatten, zum Haus hinüberzugehen?« Welcher der sorgfältig ausgewählten Beisitzer, einer weiß, der andere getönt genug, um als schwarz durchzugehen, hatte gesprochen? Sie saßen zu beiden Seiten des Richters, zwei schweigsame Gefolgsmänner. Die Stimme klang bedächtig und etwas schwerfällig. Harald hatte das unwirkliche Gefühl, daß sie von einem Medium kam, durch dessen Mund die Öffentlichkeit, das Publikum auf den Bänken sprach.

»Ich stand plötzlich im Garten; und dann war ich auf einmal wieder da, wo ich in der Tür gestanden hatte.«

Motsamai gestattet keinen Moment der Stille, bevor er bekräftigt: »Sie sind also durch den Garten zum Haus gegangen, um noch einmal an der Stelle zu stehen, von der aus Sie das Paar, Ihren früheren Geliebten und die Frau, die gegenwärtig Ihre Geliebte ist, beim Geschlechtsverkehr auf der Couch sahen. Und als Sie an diese Tür kamen, was geschah da?«

Claudia konnte ihren eigenen Schweiß riechen; keine Kosmetika können die Qual unterdrücken, die nur der Körper, primitiv und stumm, wie er ist, zum Ausdruck bringt; Hygiene ist eine Konvention, mit der die animalischen Kräfte in den besseren Wohngegenden überdeckt werden. Betet Harald – ist das eine andere Art der Absonderung, die von ihm ausgeht? Sollen sie sich vermischen, die animalischen und spirituellen Ausdünstungen, wenn es ihnen nur gelingt, die Solidarität, die sie vor langer Zeit in einem Bund mit ihrem Sohn beschworen haben, zustande zu bringen.

Jetzt zitiert Duncan wieder einen auswendig gelernten Text. Als wäre etwas ausgeschaltet worden, ein Stromausfall in einem Teil des Gehirns.

»Jespersen lag auf der Couch.«

»Wie reagierte er, als er Sie sah?«

»Er lächelte.«

»Er lächelte. Hat er etwas gesagt?«

»Carl sagte: *Oh je. Tut mir leid, Bra.*«

Der Richter stellt seine Frage so, daß sie sowohl vom Angeklagten als auch von seinem Anwalt beantwortet werden kann. »›Bra‹, was bedeutet das, ›Bra‹?«

»Es ist eine Verkleinerungsform des Wortes ›Bruder‹, die zwischen uns schwarzen Männern benutzt wird, Euer Ehren; sie wird auch auf weiße Männer angewendet, mit denen Schwarze eine brüderliche Verbindung haben, in einem geeinten Land. Es bedeutet, daß man den so Angeredeten als seinen Bruder betrachtet.« Und mit perfektem Zeitgefühl wandte Motsamai sich vom Richter zum Angeklagten: »Er hat Sie also immer noch als Bruder betrachtet.«

»Ja.«

»Wie haben Sie reagiert?«

»Ich dachte dann, daß er es war, zu dem ich wollte.«

»Haben Sie ihn zur Rede gestellt, eine Erklärung für sein Verhalten verlangt, waren Sie der Ansicht, daß ein lässiges ›tut mir leid‹, als wär man mit jemandem auf der Straße zusammengestoßen, ausreichend war?«

»Er hat geredet. Wir sind keine Kinder mehr, wir hatten doch beide die gleichen Überzeugungen, wir gehörten einander nicht, wir wollten ein freies Leben führen, oder etwa nicht? Ob es nun um Sex oder so was wie einen Spaziergang geht. Mach dir nichts draus, sagte er, der Spaziergang ist vorbei, der Sex ist vorbei, es war nett, und das war schon alles, oder? Ist das nicht schon immer klar gewesen zwischen uns? Sie wären ein bißchen zu impulsiv gewesen, Natalie und er, normalerweise ist sie jemand, die darauf achtet, daß es etwas privater zuging, nicht so öffentlich. Er lachte auf seine gutmütige Art. Er sagte, wir alle wissen es – er sagte, ich wüßte es auch, und es hätte bisher nie was geändert zwischen Natalie und mir. Er sagte, zu mir hätte er schon früher gesagt, ich sollte nie jemandem hinterherlaufen oder sie verfolgen, das täten Menschen, die aus ihren Gefühlen ein Gefängnis machten und andere darin einsperrten. Er sagte, sie sei ein tolles Mädchen, sie würde keinen Gedanken mehr daran verschwenden. Und was ihn anging, ich wüßte ja über seine Neigungen Bescheid – keine Ansprüche, großer Gott, nein. Er sagte, es wär einfach ein verrücktes Betthupferl gewesen, so hat er es genannt, Teil des netten Abends, es habe sich aus den Drinks und dem Spaß ergeben, den sie hatten, als sie zusammen aufräumten.«

»Was haben Sie zu ihm gesagt?«

»Ich weiß es nicht. Er hat geredet, geredet, geredet, er hat gelacht, es war wie das eine Mal, als wir über unsere Abenteuer gesprochen hatten – genau das war's. Er konnte nicht aufhören, ich konnte nichts tun, damit er aufhörte.«

»Und was geschah dann?«

»Ich sollte mit ihm zusammen ein Glas trinken, wie wir es oft getan hatten.«

»Und dann?«

Die Notwendigkeit, mit einer präzisen Formulierung aufzuwarten.

»›Nimm dir doch einen Drink.‹ Das hab ich aus dem Gerede rausgehört, dem ich nicht mehr folgen konnte. Es war das letzte, was ich hörte. Plötzlich nahm ich die Pistole vom Tisch. Und dann war er still. Der Lärm hörte auf. Ich hatte geschossen.«

Duncans Kopf hat sich langsam nach hinten geneigt. Seine Augen schließen sich gegen alle, Motsamai, den Richter, die Beisitzer, den Staatsanwalt, die Justizangestellten, das Publikum, in dem eine Frau theatralisch schluchzt, gegen Mutter und Vater. Harald und Claudia können nicht für ihn da sein, wo er jetzt ist, allein mit dem Mann, den er in den Kopf geschossen hat, mit einer Waffe, die gerade zur Hand war.

Harald verspürte keine Angst, sondern Gewißheit. Dieser Mann, der Staatsanwalt, hat es darauf angelegt, ihren Sohn in eine Falle zu locken, damit er zugibt, daß er Carl Jespersen körperlich verletzen wollte und mit dieser Absicht zum Haus hinüberging. Und vielleicht würde Duncan, damit die Fragen aufhörten, damit der Lärm aufhörte und die Stimme, die sich in der ganzen Menge in diesem umgrenzten Raum allein an ihn richtete, schweigt, vielleicht würde er sagen: Ja, ja – er hat doch schon den Mord gestanden, was wollen sie noch von ihm? Und dieser Mann, der Staatsanwalt, tut nur, was er tun muß, ihm bedeutet es nichts, daß Jespersen tot ist, daß Duncan sein eigenes Leben zerstört hat; dies ist der Auftritt dieses Mannes. Zu seiner Arbeit gehört es, daß er einen Schuldspruch erreicht. Das allein ist der Maßstab seiner Kompetenz; einer der täglichen Schritte, mit denen er seine Laufbahn vorantreibt. So wie andere in einer Firma die Karriereleiter erklimmen.

»Am Freitag, dem 19. Januar, haben Sie den ganzen Tag im Cottage auf dem Bett gelegen und über das Geschehen des vorangegangenen Abends gegrübelt?«

»Nachgedacht.«

»Ist das nicht das gleiche, wenn Ihre Gedanken immer und immer wieder um die Ihnen zugefügte Kränkung kreisten? Und was Sie jetzt tun wollten. War das nicht so?«

»So war das nicht. Weil man nämlich nichts tun konnte.«

»Trotzdem sind Sie im Laufe des Tages zu dem Haus hinübergegangen. Haben Sie damit nicht etwas getan? Es war zwischen sechs und sieben Uhr abends, es bestand die große Wahrscheinlichkeit, daß Jespersen von der Arbeit zurück sein würde. Das wußten Sie, oder?«

»Ich stand plötzlich im Garten, ich hatte mir keine Gedanken darüber gemacht, wer im Haus sein könnte.«

»Sie ›standen plötzlich im Garten‹, und ich halte Ihnen vor, daß Sie in diesem Moment sehr wohl wußten, daß dies der richtige Zeitpunkt war, um das auszuführen, was Sie den ganzen Tag über erwogen und geplant hatten, nämlich Jespersen aufzusuchen und Rache an ihm zu üben wegen des Unrechts, das er Ihnen Ihrer Meinung nach zugefügt hatte, obwohl er nicht der erste Mann war, mit dem Ihre Geliebte Sie betrogen hatte. Ich halte Ihnen vor, daß Ihr Nachdenken, den Tag über, ein eifersüchtiges Grübeln war und daß Sie folglich in aggressiver Stimmung zum Haus gingen, in der Absicht, Jespersen gewalttätig gegenüberzutreten.«

Die Aufgabe des Staatsanwalts ist es, den Angeklagten als Lügner zu überführen: so sehen Harald und Claudia sein Vorgehen. Claudia rutscht unruhig hin und her, als könnte sie nicht länger stillsitzen, und er drückt einen Augenblick lang ihre Fingerknöchel – Trost, der seiner eigenen Erbitterung entspringt.

Aber wenn sie wüßten – vielleicht wissen sie es teilweise; Duncan kann nicht genau wissen, was sie über ihn erfahren haben und immer noch erfahren: Er ist ein Lügner. Ein Lügner, indem er Dinge verschweigt. Denn der Staatsanwalt kann nicht wissen, weil es ihm keiner sagt, weil man von dem überwältigenden Konflikt seiner Gefühle für Carl Jespersen, für Natalie, von seiner Verwirrung angesichts ihrer beider Betrug, von seinem Ekelgefühl in der Trauer nicht erzählen kann; darüber hatte er im Cottage nachgedacht. Rache: Wenn Natalie an dem Tag zurückgekehrt wäre, warum sollte ihm der Gedanke, sie umzubringen, nicht gekommen sein? Aber sie – ach, Natalie – sie hat genügend Rache auf sich geladen, weil sie ist, wer sie ist.

Die Pistole ist im Gerichtssaal. Sie ist Beweisstück Nr. 1 geworden. Wie von der Neugier gezogen, beugen sich die Zuschauer vor, um einen Blick darauf werfen zu können.

Es ist nichts weiter als ein Stück geformtes Metall; Harald und Claudia brauchen es nicht zu sehen. Die Fingerabdrücke der linken Hand des Angeklagten, sagt der Staatsanwalt, wurden durch forensische Untersuchungen nachgewiesen. Seine Fingerabdrücke, einzigartig unter allen Menschen und ausschließlich die seinen, so wie er für sie als ihr einer Sohn einzigartig ist.

»Kennen Sie diese Handfeuerwaffe?«

»Ja.«

»Ist es Ihre?«

»Nein.«

»Wem gehört sie?«

»Ich weiß nicht, auf wessen Namen sie zugelassen ist. Es ist die Waffe, die im Haus lag, damit man sich im Falle eines Angriffs oder bei einem Einbruch verteidigen konnte. Sie war für alle da.«

»Wußten Sie, wo sie lag?«

»Ja. Gewöhnlich in einer Schublade in dem Zimmer, das David und Carl teilten.«

»Sie lebten im Cottage, nicht im Haus – woher wußten Sie das?«

»Wir alle wußten es. Wir leben – lebten auf demselben Grundstück. Wären die anderen außer Haus gewesen und ich hätte etwas Verdächtiges gehört, wär ich derjenige gewesen, der sie gebraucht hätte.«

»Sie wissen, wie man mit einer Pistole umgeht?«

»Mit dieser, ja. Es war die einzige Pistole, die ich je in der Hand gehabt habe. In der Armee wurden wir nur an Gewehren ausgebildet. David hat es uns gezeigt, als sie gekauft wurde.«

»Am Abend des 18. Januar wurde die Pistole ins Wohnzimmer gebracht und einem Gast gezeigt, der sich selbst eine kaufen wollte. Haben Sie ihm gezeigt, wie sie funktioniert?«

»Nein. Ich weiß nicht mehr, wer das war – wahrscheinlich David.«

»War Ihnen bewußt, daß die Pistole nicht wieder zurückgelegt wurde – in die Schublade in dem Zimmer, wo sie gewöhnlich aufbewahrt wurde?«

»Nein, ich bin gegangen, als die anderen noch beim Aufräumen waren.«

»Aber Sie haben die Pistole herumliegen sehen, bevor Sie gingen? Auf dem Tisch neben der Couch?«

»Ich habe sie nicht bemerkt.«

»Warum nicht?«

»Da standen überall Gläser und Teller rum, ich nehm an, sie lag irgendwo dazwischen.«

»Und erst als Sie das Zimmer am nächsten Abend betraten, sahen Sie, daß die Pistole immer noch auf dem Tisch lag.«

»Nein, ich hab sie nicht gesehen.«

»Wieso?«

»Ich hab nicht geguckt, ich hab nur Carl gesehen.«

»Und wann haben Sie die Pistole bemerkt?«

»Das kann ich nicht sagen.«

»War es, bevor er sagte: ›Nimm dir doch einen Drink‹, als wäre es einfach ein geselliger Abend unter Freunden?«

»Wahrscheinlich. Ich weiß es nicht.«

»Wußten Sie, ob die Waffe geladen war?«

»Nein.«

»Aber waren Sie nicht dabei, als dem Gast die Pistole erklärt wurde? Und hat man ihm nicht gezeigt, wie – hat man die Pistole nicht für ihn geladen?«

»Das hab ich nicht gesehen. Vermutlich ja. Ich hab mich mit anderen unterhalten.«

»So daß Sie, als Sie am nächsten Abend in das Wohnzimmer kamen und die Pistole dort liegen sahen, allen Grund zu der Annahme hatten, daß sie geladen war. Und Sie beschlossen, die Gelegenheit wahrzunehmen und Carl Jespersen damit zu bedrohen?«

»Ich habe ihn nicht bedroht, ich habe gar nichts beschlossen.«

»Sie haben ihm also keine Chance gegeben? Haben ihn nicht gewarnt?«

»Ich habe ihn gehört, ich habe ihn nicht bedroht.«

»Nein. Sie nahmen die Pistole und schossen ihm in den Kopf. Es war ein Schuß, von dem Sie, weil Sie mit Waffen umgehen können, fast mit endgültiger Sicherheit wußten, daß er tödlich sein würde. Damit befriedigten Sie die Rachegedanken, mit denen Sie sich den ganzen Tag über getragen hatten und die sie auf irgendeine Weise verfolgen wollten, als Sie zum Haus hinübergingen. Mit der griffbereiten Pistole bot sich Ihnen eine Gelegenheit, so daß Sie sich mit dem Mann nicht prügeln mußten; Sie brauchten über keine andere Möglichkeit nachzudenken, wie Sie ihn, Ihren Rivalen, ausschalten konnten; dieser Wunsch fand Erfüllung, indem Sie Ihre Absicht in die Tat umsetzten.«

Motsamai gab Zeichen; alles hat in diesem Ritual seine Form: Einspruch, Euer Ehren. Doch der Richter ist urban und demokratisch, jeder soll seinen Standpunkt vertreten können. Einspruch abgelehnt.

Unruhe in der Reihe, die Zuschauer machten Platz, um jemanden vorbeizulassen, dessen Auftritt im Zeugenstand ihn heraushob, als wäre er eine gefeierte Persönlichkeit. Khulu Dladla setzte sich neben sie, nachdem er für die Verteidigung ausgesagt hatte.

Khulu; die Leute rutschten zur Seite, damit er neben Claudia sitzen konnte. Sie hob die Hand, ließ sie halb in den Schoß sinken und hob sie wieder – ein Fühler, der sich vortastete und einen Moment lang seinen breiten, warmen Handrücken drückte.

Ja, ich kann sagen, daß ich ihn gut kenne, sehr gut sogar, hatte er gesagt, als Motsamai mit der Vernehmung begann. Und die junge Frau? Ja, Natalie auch. Seit sie zu uns zog. Aber Duncan schon vorher. Vorn im Saal, wo keinerlei Zeichen des Erkennens ausgetauscht werden, lächelt Khulu Duncan direkt zu, als träfe er ihn gerade in irgendeinem normalen Raum. Hallo, Duncan. Das war der Grund, warum Claudia ihn berühren wollte.

»Bevor Natalie einzog – wie sahen die Beziehungen unter den Bewohnern des Hauses aus?«

»Oh, sehr nett. Wie haben uns alle gut verstanden, deswegen sind wir zusammengezogen, ne?«

»Sie, David Baker, Carl Jespersen und Duncan Lindgard. Sie waren alle Homosexuelle?«

»Bei Duncan weiß ich's nicht so genau. Er wohnte nicht im Haus. Und dann brachte er ja auch eine Frau mit ... aber wir anderen, ja, wir sind Männer, Schwule.«

»Unter Ihnen gab es intime Verhältnisse?«

»Ja.«

»Wußten Sie, daß Duncan ein solches Verhältnis hatte?«

»Ja.«

»Und wer war der Mann?«

»Jespersen. Carl war einer von denen, gegen die man nicht ankommt, wenn sie Gefallen an einem finden. Anscheinend war es ein besonderer Kick für ihn, bei Duncan zu landen; ich glaub nicht, daß Duncan davor schon Erfahrungen dieser Art gehabt hatte, ich mein, daß ein Mann diese Gefühle für ihn haben konnte. Jespersen war ein richtiger Charmeur. Er gab einem das Gefühl, daß man etwas Großartiges im Leben verpaßte, wenn man ihn abblitzen ließ. Er kam aus Europa und alles, und er dachte, er wär was Besonderes. Wie etwas zu essen oder zu trinken von da. Etwas, das wir noch nicht probiert hatten.«

»Sie bemerkten also, daß Jespersen mit Duncan eine Affäre hatte. Das war doch sicherlich nicht überraschend, in Ihrer Hausgemeinschaft?«

»Doch. Weil Duncan hetero war, das wußten wir. Unter unsern Freunden sind 'ne Menge heterosexuelle Leute. Er mietete das Cottage und war oft bei uns im Haus, nicht weil er schwul war wie wir, sondern weil wir uns sonst gut verstanden. Er ist ein interessanter Typ. Ich würd sagen, er ist ein echter Künstler, wenn man sich seine Entwürfe für Gebäude ansieht. Man kann sich über Ideen mit ihm unterhalten, über Politik, Kunst, Musik, Gott – da gibt's keine Grenzen.«

»War Natalie James der Grund, weshalb die Affäre beendet wurde?«

»Keineswegs. Das war, bevor sie auf der Bildfläche erschien. Jespersen hatte keine Lust mehr. Das ging sehr schnell. So war er mit allem. Deswegen hat er auch in so vielen Ländern gelebt. Er hat mit Duncan Schluß gemacht.«

»Wie hat Duncan reagiert? Hatte er die gleiche lässige Einstellung?«

»Überhaupt nicht. Es hat ihn sehr mitgenommen. Er konnte nicht verstehen, warum es erst so intensiv war, und dann wurde er einfach fallengelassen.«

»Woher wissen Sie das alles? Nur aus Beobachtungen?«

Khulu sah wieder zu Duncan hinüber, als würde Duncan seine Aussage bestätigen. »Er hat mit mir gesprochen. Ich wußte nicht, wie ich es ihm verständlich machen sollte ... es ging ihm dreckig ... seine Vorstellungen ... die unterschieden sich von unsern, von Carls auf jeden Fall.«

»Gelang es Ihnen, ihn zu trösten?«

»Ich glaub, ich hab ihm klarmachen können, daß seine Reaktion ein bißchen, wie soll ich sagen, übertrieben war, ja, genau. Wenn er sich unnötig aufregte, die Sache dramatisierte, verdarb er all das Gute, das ihm an unserem Leben im Haus so gut gefiel.«

»Der Vorfall war also, soweit Sie sehen konnten, bereinigt?«

»Oh, er hat sich wieder beruhigt.«

»Er und Carl Jespersen lebten weiter in der Hausgemeinschaft, als Freunde?«

»Genau. Und als er das Mädchen anbrachte und sich mit ihr im Cottage einrichtete, schien das ganz in Ordnung, genau das Richtige für ihn. Am Anfang.«

»Warum ›am Anfang‹? Was geschah dann? Mochten die Männer im Haus sie nicht?«

»Wir haben uns alle gut mit Natalie verstanden. Obwohl Carl, wenn er schlecht gelaunt war, seine üblichen Reden über Frauen abzog – und manchmal machte er sich hinter Duncans Rücken lustig über das, was sich zwischen Duncan und ihr im Cottage abspielte –, seine Einstellung zu Frauen im allgemeinen. Trotzdem waren er und sie und

Duncan, also, sie kamen gut miteinander klar, waren gute Freunde. Er war es, der ihr den Job in der Werbeagentur verschaffte, und Duncan freute sich, daß sie endlich eine Arbeit hatte, die sie möglicherweise interessierte, etwas, das ihren Neigungen entsprach. Sie schreibt, wissen Sie.«

»Wieso war es dann später nicht mehr das Richtige für Duncan?«

»Sie ist ein komischer Mensch. Gut, das wußte er – sie hatte versucht, sich umzubringen, da war die Sache mit dem Kind –, sie konnte ausgelassen und voller Leben sein und ihn abküssen, und im nächsten Moment verhöhnte sie ihn und fiel über ihn her, weil ›er wollte, daß sie so sein sollte‹, wie sie das nannte.«

»Wie sollte sie sein?«

»Glücklich. Sie sollte ›ihr Leben für ihn aufführen‹ – ja, das hat sie immer gesagt. Deswegen weiß ich noch den Wortlaut.«

»Hat er Ihnen davon erzählt, oder war das eine der Szenen, die sich im Haus abspielte, vor den anderen?«

»Oh, wir waren alle dabei, wir bekamen alles mit.«

»Wie hat Duncan reagiert, wenn sie ihn vor seinen Freunden angriff?«

»Er war so geduldig mit ihr. Wie mit einer Kranken. Obwohl sie ihm das Leben zur Hölle machte. Man konnte sehen, daß es die Hölle auf Erden war. Am Tag darauf war er immer sehr deprimiert. Aber er hat weder mit mir noch einem der anderen darüber gesprochen – nicht so, wie er mit mir über die Episode mit Jespersen gesprochen hatte, zum Beispiel.«

»Die Beziehung zwischen Natalie James und Duncan war also keine glückliche?«

»Sie hat ihn gequält. Wirklich gequält. Sie hat sogar noch mal versucht, Selbstmord zu begehen, diesmal mit Tabletten, und er dachte wohl, das wär seine Schuld. Aber man konnte sehen, daß er immer wieder versuchte, sie da rauszuholen. Ich hab mich manchmal gefragt, wie er das aushielt.«

»Er hat sie geliebt?«

Der Zeuge wandte sich jetzt dem Richter zu, der unempfänglich für den auf ihn gerichteten Blick war. Khulu rief ihn an, rief alle an, die richten, ob Menschen oder Götter. »Wer von uns kann schon sagen, was es heißt zu lieben.«

In der Gestalt des Samurai wandte der Staatsanwalt sein Gesicht den Zuschauern zu, richtete in seinem Kreuzverhör des Zeugen Dladla einen Appell an sie.

»›Wer von uns kann schon sagen, was es heißt zu lieben.‹ Immerhin können wir sagen, daß jemand, der liebt, auch eifersüchtig ist. Eifersucht ist die Leidenschaft, die aus Liebe entsteht und stärker ist als die Liebe selbst. Erbarmungslos spricht sie dem Urheber der Eifersucht, nämlich dem Mann, der in den Armen der Geliebten den Platz des Liebhabers einnimmt, das Recht auf Leben ab. Sie beschreiben, wie hingebungsvoll sich der Angeklagte um Natalie James kümmerte. Daß er dabei in seiner Beschützerrolle so weit ging, daß sie sich laut ihrer eigenen Aussage in ihrer Würde verletzt sah. Sie haben seine sklavische Anhänglichkeit geschildert. Sind Sie nicht der Meinung, daß angesichts dieser Vorgeschichte seine Reaktion, nachdem er Carl Jespersen mit seiner Geliebten beim Geschlechtsverkehr überrascht hatte, unweigerlich Eifersucht sein mußte? Gewalttätige Eifersucht? Der Schock, den er beschrieben hat – war das nicht eine extreme Auswirkung von Eifersucht? Als er an dem Abend ins Cottage ging, als er vergeblich auf ihre Rückkehr wartete, als er den Tag allein im Cottage verbrachte, war er da etwa nicht in den Fängen der Eifersucht?«

»Ich weiß es nicht.«

»Würden Sie nicht zustimmen, daß er ihr gegenüber, wenn man sein Verhalten insgesamt betrachtet, außerordentlich besitzergreifend war?«

»Er fühlte sich für sie verantwortlich.«

»Das ist vielleicht eine andere Art, es auszudrücken. Warum, glauben Sie, hat Ihr Freund Carl Jespersen umgebracht, wenn es nicht ein vorsätzlicher Racheakt dafür war, daß Jespersen mit Natalie James geschlafen hatte?«

»Einen Menschen zu töten ...«

Das Publikum wartet gebannt auf das, was nun kommt. Wie wird er fortfahren? Die Zuschauer – sie brauchten keinen Eintritt zu zahlen – sind erregt, weil sie glauben, der Samurai habe sein Opfer in die Ecke gedrängt.

»Ich kenne Duncan; sehr gut sogar. Er hat keine Waffe. Nichts. Er hat nicht im Cottage gesessen und sich vorgenommen, Jespersen umzubringen. Das liegt nicht in seinem Wesen. Niemals. Das schwöre ich bei meinem Leben. So kann es nicht gewesen sein: daß er losgeht und Jespersen sucht, um ihn zu töten. Ich weiß nicht, wie es geschehen ist – jedenfalls nicht so. Ich weiß nicht, wie. Ich versteh nichts vom Töten.«

Motsamais Mann, der psychiatrische Sachverständige für die Verteidigung – in der nebelhaften Wahrnehmung jener, die in den Zeugenstand treten und wieder abtreten, prägt sich die Gestalt nur durch ihre Unscheinbarkeit ein –, trug eine auffallende Uhr wie eine Waffe, die von seiner erhobenen Hand einen Lichtstrahl aussandte, der Harald und Claudia traf. Er wandte sich direkt an den Richter statt an den Verteidiger. Um seine Objektivität hervorzuheben? Oder weil sie beide gleichermaßen eine Autorität darstellen: der Richter entscheidet, wer schuldig ist, der Psychiater, wer verrückt ist. Motsamai hat ihn gebeten, seine Einschätzung der geistigen Verfassung des Angeklagten zur Zeit der Ereignisse des 18. und 19. Januar abzugeben.

»Die Psychiatrie lehrt uns, in ›Lebensereignissen‹ Auslöser für abnormes Verhalten zu sehen, aber wir betrachten diese Abweichungen auch als etwas, das bewußt oder unbewußt eine Verzerrung sozialer Normen reflektiert. In einer Gesellschaft, in der Gewalt an der Tagesordnung ist, werden die moralischen Tabus, mit denen Gewalt belegt ist, entwertet. Wo Gewalt, aus welchen historischen Gründen auch immer, das übliche Mittel ist, um mit Enttäuschung, Verzweiflung oder Kränkung fertig zu werden, ist die natürliche Abscheu vor Gewalt außer Kraft gesetzt. Man gewöhnt sich an diese Art von Gewalt, sei es als Opfer, Täter oder Beobachter. Man lebt damit. Wenn man über abweichendes Verhalten spricht, muß man das allgemeine Verhaltensklima in Betracht ziehen, in dem der Gewaltakt stattgefunden hat.«

Der Richter schaltet sich ein.

»Das ist alles sehr interessant, Doktor, aber was das Gericht zu hören erwartet, ist ein Bericht über den geistigen Zustand des Angeklagten, nicht den der Stadt.«

»Mit allem Respekt, die Tat, die der Angeklagte laut eigenem Geständnis begangen hat, fand nicht in einem Vakuum statt. So wie es eine unbewußte Zurückhaltung gibt, die ihren Ursprung im moralischen Klima hat, so gibt es auch die unbewußte Sanktionierung von Gewalt, ihre allgemeine Anwendung, den allgemeinen Rückgriff auf sie. Dadurch können die schützenden Hemmungen der bewußten Moralvorstellungen des einzelnen, nach denen eine solche Tat verabscheuungswürdig ist, außer Kraft gesetzt werden. Es ist notwendig, diesen Kontext, in dem die zur Tat führenden Ereignisse und die Tat selbst stattfanden, im Blick zu behalten.«

»Wollen Sie damit sagen, Doktor, daß Entführungen, Raubüberfälle und so weiter Mord als Lösung eines persönlichen Konflikts rechtfertigen?«

Der Sarkasmus des Richters wirft den Mann nicht aus der Bahn; Motsamai hätte nie einen Sachverständigen gewählt, der so leicht unterzukriegen gewesen wäre.

»Keine derart unmoralische Behauptung, Euer Ehren … Lediglich die Pflicht, das Gericht von dem methodologischen Vorgehen bei psychiatrischen Untersuchungen in Kenntnis zu setzen.«

Die Aufmerksamkeit des Publikums steigt, selbst ein Polizist tritt von einem Fuß auf den anderen wie ein Zugpferd in Wartestellung. Die Zuschauer genießen dieses Gespräch zwischen zwei Männern, die sich ihrer Überlegenheit so sicher sind. Diese Gratisvorstellung wird immer besser, so gut wie eine Talkshow im Fernsehen. Aber Haralds und Claudias Aufmerksamkeit richtet sich auf etwas ganz anderes, sie unterziehen jedes Wort einer unmittelbaren Analyse. Dieser Mann ist auf ihrer, auf Duncans Seite, davon sind sie überzeugt. Was er in ihrem Sohn entdeckt hat, kann nur seiner Rettung dienen.

Er hat festgestellt, daß der Angeklagte am Abend des 19. Januar in einen Zustand der ›Dissoziation‹ gestürzt wurde und somit nicht in der Lage war, über seine Handlungen, die in dem Tod von Carl Jespersen gipfelten, eine angemessene Kontrolle auszuüben.

Motsamai zieht ihn in ein konzentriertes Zwiegespräch. »Doktor, wann trat Ihrer Meinung nach dieser Zustand ein?«

Der Doktor ist der Ansicht, daß der Zustand schon eingetreten war, bevor der Angeklagte das Cottage verließ und das Haus betrat. Die psychiatrische Untersuchung habe keinerlei Hinweis darauf ergeben, daß die Aussage des Angeklagten nicht der Wahrheit entspreche – nämlich daß er zum Haus hinübergegangen sei, um an der Stelle zu stehen, wo er in der Nacht zuvor gestanden hatte. Seine Unfähigkeit zu glauben, was er von dort aus gesehen hatte, sei Teil der Dissoziation von der Wirklichkeit. Auch gebe es kein Anzeichen dafür, daß die Schilderung seiner Verwirrung, der Erinnerungslücken, was den genauen Ablauf seiner Handlungen angehe, als er sich plötzlich im Haus wiederfand und Jespersen auf der Couch liegen sah, nicht wahrheitsgetreu sei. Der Angeklagte leide an einer echten Amnesie bezüglich bestimmter Ereignisse jenes Abends.

Mit einer Schulterbewegung lenkt der Richter die Aufmerksamkeit auf sich. Jedesmal, wenn er dieses Zeichen gegeben hat, ist er mit dem Gesagten unzufrieden gewesen, hat versucht, ihm eine andere Richtung zu geben. Diesmal reckt er das Kinn vor und legt den Kopf auf die Seite. »Der Angeklagte hat in detaillierter und zusammenhängender

Form wiedergegeben, was der Gestorbene zu ihm gesagt hat. Wie ist es möglich, daß er sich daran erinnert?«

»Ein heftiger emotionaler Schlag hat eine ebenso starke Wirkung wie ein Schlag auf den Kopf. Als Jespersen sagte: ›Nimm dir doch einen Drink‹, stellte die Gefühllosigkeit dieser Haltung einen zweiten solchen Schlag dar. Zuvor war er verwirrt; er erinnert sich nicht an das, was er zu Jespersen gesagt hat, falls er überhaupt etwas gesagt hat. Mit der Wirkung dieser letzten Worte Jespersens, an die er sich erinnert, dürfte er in einen Zustand des Automatismus eingetreten sein, in dem alle Hemmungen aufgehoben wurden.«

»Wie konnte er eine Waffe benutzen? Wenn er sich in diesem Zustand der Dissoziation, der verminderten Wahrnehmung befand? Er hat ausgesagt, er habe nicht gewußt, ob die Pistole geladen war. Mußte er sie nicht entsichern, wenn sie geladen war, was sie ja war, und war das nicht eine durchaus bewußte Handlung, eine überlegte Handlung?«

»Für jeden, der jemals eine Waffe bedient hat, wäre das eine automatische Reaktion, ohne bewußte Überlegung. So wie jeder, der Fahrradfahren gelernt hat, jederzeit auf ein Fahrrad steigen kann.«

Mit der Erlaubnis des Vorsitzenden möchte Motsamai weitergehende Fragen stellen.

»Doktor, nach Ihrer Erfahrung mit solchen Zuständen verminderter oder fehlender Wahrnehmung, was veranlaßte den Angeklagten, was befähigte ihn, die Waffe in die Hand zu nehmen und zu benutzen?«

»Kumulative Provokation, die ihren Höhepunkt in dem völligen Verlust der Kontrolle des Betreffenden über seine Handlungen erreicht.«

»Könnten Sie die Morphologie, sozusagen die Fallgeschichte, dieser Kumulation erklären?«

»Lindgard ist ein Mann mit bisexueller Veranlagung. Das an sich ist schon Quelle eines Persönlichkeitskonflikts. Er stand unter emotionalem Streß, als er seinen homoerotischen Neigungen folgte und sich auf eine Affäre einließ, die sein Partner, Jespersen, nicht ernst nahm und beendete. Er überwand sein Unglück nach dieser Zurückweisung und hielt sich an die andere, wahrscheinlich dominante Seite seines Wesens, indem er eine heterosexuelle Bindung einging, in der er, wiederum, ernsthafte Verantwortung übernahm. Um so mehr, als dies eine Verbindung mit einer offenkundig neurotisch veranlagten Persönlichkeit war mit komplexen, selbstzerstörerischen Tendenzen, deren Ausbrechen er zu verhindern wußte, wofür sie ihn, weil sie es als ihr Recht betrachtete, ihnen nachzugeben, durch Herabwürdigung und psychische Aggressionen bestrafte. Als er sie im Geschlechtsverkehr mit seinem früheren Liebhaber sah, fühlte er sich von beiden entmannt.«

Ähnlich wie ein Mensch in der Klinik aus Röntgenaufnahmen und Ultraschallbildern zusammengesetzt wird, ist hier das Modell ihres Sohnes mit Hilfe der dialektischen Methoden des Gerichts und der Erkenntnisse der Sachverständigen zusammengesetzt worden. Duncan, der für die Mittagspause abgeführt wird, ist der Doppelgänger. Sie können ihn nicht fragen: Bist du das, mein Sohn?

Als sie das Gerichtsgebäude verließen, hopste ein Mann in der Hocke um sie herum, ein zahmer Affe, der einen Fotoapparat auf sie richtete. Das Bild, das in der Abendzeitung erschien, zeigte sie beide ebenfalls als etwas Zusammengesetztes, aus einem Versatzkasten vorgefaßter Begriffe: Mutter und Vater eines Mörders.

Die Fragen, die der Staatsanwalt an Motsamais Mann, ihren Mann, den psychiatrischen Sachverständigen der Verteidigung, richtete, wurden zu Fragen, die sie sich immer wieder selbst stellten. Seine Antworten ergaben aneinandergereiht ihren eigenen verzweifelten Text. Sollte das Gericht wirklich glauben, daß der Tag der Untätigkeit im Cottage ein Vakuum war? Der Angeklagte hatte ausgesagt, er habe lediglich nachgedacht. Kann man über *nichts* nachdenken? Lag es nicht auf der Hand, daß der Tag im Cottage nur die eine Deutung zuließ, daß nämlich der Angeklagte bei klarem Verstand in rasender Eifersucht die Absicht faßte, sich an dem Opfer zu rächen – eine Absicht, die dann auch ausgeführt wurde? Der Angeklagte ›stand plötzlich im Garten‹; hätte er nicht jederzeit im Laufe des Tages zum Haus hinübergehen können, um wieder die Couch zu betrachten, auf der sich die Szene des vorangegangenen Abends abgespielt hatte? Warum tat er es statt dessen zu einer Zeit, als das Opfer von der Arbeit zurückgekehrt sein mußte? Was den Umgang mit der Waffe betraf, so hatte der Angeklagte bei seiner Vernehmung erklärt, mit Handfeuerwaffen kenne er sich nicht aus, dies sei die einzige, die er je in der Hand gehalten habe. Wie konnte er sie dann mit solcher Wirkung benutzen und sich vergewissern, daß sie geladen und entsichert war, wenn er sich angeblich in einem Zustand befand, der kein bewußtes Handeln zuließ? Konnte man eine solche Waffe, auch wenn sie griffbereit dalag, überhaupt ohne Vorsatz und Zielbewußtsein benutzen?

Was redete der Mann da, zu welchem Schluß sollten sie, sollte das Gericht kommen? Hatte sich die Verteidigung durch den Mund ihres eigenen Psychiaters selber verurteilt?

Sie konnten Motsamai nicht um eine Deutung dieses Eindrucks bitten – war dies ein Unheilszeichen oder eine versteckte Niederlage? Er war an seinem Platz, im Begriff, seine abschließenden Ausführungen zu machen.

Claudia sah, wie Harald eine Hand in die Jackentasche schob und ein Notizbuch herauszog, als Motsamai sich erhob und dem Gericht zuwandte. Es war ein kleines Heft mit festem Einband, wie Schulkinder sie benutzen, nicht eines mit Ledereinband und einem in der Schlaufe steckenden vergoldeten Kugelschreiber, das bei Vorstandssitzungen für ihn bereitlag. Es gehörte zu dem gestutzten, demütigen anderen Leben, das er und sie jetzt lebten, er mußte es selbst in einem Schreibwarenladen gekauft haben; normalerweise waren das Besorgungen, die seine Sekretärin erledigte. Claudia besaß das Feingefühl, nicht hinzusehen, was er schrieb, während Motsamai sprach. Sie empfand liebevolles Mitgefühl für ihn, das wie eine sanfte Welle über sie kam und verebbte, während sie jeder Silbe, die Motsamai sprach, folgte. Motsamai war jetzt der Blickpunkt, die zentrale Gestalt des Gerichts. Sein Auftreten machte geltend, daß das Gericht für ihn da war, für diesen kleinen Mann mit dem faltigen Gesicht, das an einen dunklen, oft getragenen Handschuh erinnerte, in dem die Augen hart wie Glas waren, sehr hell gegen das Schwarz der Haut. Aus all den Jahren, in denen er ausgeschlossen gewesen war, auf der ›anderen Seite‹ des Gesetzes gestanden hatte, leitete er nun für sich das Recht ab, der Würde des Gerichts mit Arroganz gegenüberzutreten.

»Ein Mensch ist strafrechtlich verantwortlich, das heißt, er ist schuldfähig, wenn er das Unrecht seines Handelns zum Zeitpunkt der Tat erkennen kann. Um die Schuldfähigkeit eines Menschen beurteilen zu können, braucht man umfassende Kenntnisse der Geschehnisse und der sich daraus ergebenden psychischen Verfassung des Betreffenden, bevor die Tat begangen wurde. Welche Ereignisse waren das im Fall Duncan Lindgards, und in welcher psychischen Verfassung befand er sich?

In der Nacht zuvor, in den frühen Morgenstunden, ist er um die Sicherheit der Frau, die er liebt, besorgt, weil sie nicht ins Cottage zurückgekehrt ist, wo sie mit ihm zusammenlebt. Ich möchte jetzt ein wenig zurückgehen und einige Aspekte der Beziehung beleuchten, die kennzeichnend für Lindgards Wesen, seine beständige fürsorgliche Art, sein Verantwortungsgefühl anderen Menschen gegenüber sind. Natalie James machte einen Selbstmordversuch, wollte sich das Leben nehmen, und Duncan Lindgard rettete ihr das Leben. Dank seiner verzweifelten Bemühungen hatten die Wiederbelebungsversuche Erfolg. Zu dem Zeitpunkt bestand keine emotionale Bindung, keine sexuelle Beziehung; er kannte sie kaum. Danach entwickelte sich eine Beziehung, und er nahm sie zu sich. Sie lebten zusammen im Cottage auf dem Grundstück eines Hauses, wo drei Freunde Lindgards lebten. Sie nutzten die Räumlichkeiten gemeinsam wie eine Familie, so die Beschreibung des Angeklagten vor Gericht – nicht Mutter, Vater, Kinder und so weiter, sondern Erwachsene, die einander in loyaler Freundschaft verbunden waren, in harmonischem Miteinander, die drei homosexuellen Männer und das heterosexuelle Paar. Lindgard hatte Natalie James nicht nur physisch ins Leben zurückgeholt, sondern er erlegte sich, wie ein Mitglied dieser sogenannten Familie aussagte, aus Liebe zu ihr die Bürde auf, sie mit ihrer schwierigen Vergangenheit auszusöhnen – das Kind, das sie geboren und zur Adoption freigegeben hatte, und andere Persönlichkeitsprobleme gehören dazu. Er versuchte, ihre positiven Seiten zu stärken, das Potential, das er in ihr sah und das fortwährend durch selbstzerstörerische Neigungen bedroht war. In den rund zwei Jahren ihres Zusammenlebens gibt es keine Anzeichen, daß er auf ihre psychischen Aggressionen und ihre verschiedenen, die Beziehung bedrohenden Übertretungen je anders als mit Geduld und Langmut und der Bereitwilligkeit zu helfen reagierte. Keine Provokation ihrerseits hat ihn in diesem Zeitraum je zu einer gewalttätigen Handlung verleitet.«

Motsamai warf einen blitzenden Blick auf die Zuschauer, versicherte sich ihrer Aufmerksamkeit und wandte sich dann wieder dem Richter zu. »Mit allem Respekt, Euer Ehren, ich will den Leumund dieser jungen Frau nicht schädigen, ich möchte lediglich den tatsächlichen Hintergrund für die Besorgnis des Angeklagten in den frühen Morgenstunden aufzeigen, als sie nicht nach Hause kam.«

Es fällt Claudia genauso schwer wie Harald, der schreibt und mit der Hand die Seite verdeckt, sich die Anwesenheit des Richters gegenwärtig zu halten; er ist da – das weiß sie –, so wie Haralds Glauben gemäß Gott da ist – anwesend, obwohl man sich seiner nicht bewußt ist.

Auch diese Bemerkung an den Richter vermindert den Bann nicht, in dem Motsamai das Publikum hält. »Duncan Lindgard geht zum Haus hinüber, weil er Angst hat, daß sie im dunklen Garten überfallen worden sein könnte. Was findet er vor? Eine offene Tür, das Licht brennt, und auf der Couch Natalie James und Carl Jespersen mitten im Geschlechtsakt. Mit allem Respekt, Euer Ehren, sie sind so darin vertieft, daß sie auch bei Lindgards Erscheinen nicht auseinanderspringen. Ah-häh.

Was macht Lindgard? Der Schlag ist so schrecklich, so unfaßbar, daß er flieht. Warum aber war das, was er zu sehen bekam, so niederschmetternd? Für jeden Mann, jede Frau ist der Anblick der oder des Geliebten beim Geschlechtsverkehr mit einem anderen ein schmerzlicher Schock. Das ist keine Frage. Doch der Schlag, den Duncan Lindgard erlitt, war ein furchtbarer doppelter Betrug. Denn was er auf der Couch sah, war nicht nur ein Akt der Untreue der Frau, die er liebte, sondern die Tatsache, daß *der Mann, der den Geschlechtsakt mit ihr vollzog, eben der Mann war, mit dem er eine kurze homosexuelle Affäre gehabt hatte*, und der ihn damals tief getroffen hatte, als er die Affäre abrupt beendete. Er wußte nur zu gut, daß Jespersen Frauen nicht begehrte – er hat dem Gericht geschildert, daß Jespersen in geschmackloser, sogar abstoßender Weise über ihre sexuellen Merkmale, ihre Genitalien sprach. Daß Jespersen diesen Ekel *überwand*, speziell um den Akt mit Lindgards Freundin zu vollziehen, konnte nur eins von zwei Dingen bedeuten, beide gleichermaßen schrecklich: Entweder empfand Jespersen ein besonderes Vergnügen bei der Vorstellung, den Mann, den er bereits einmal zurückgestoßen hatte, erneut zu demütigen. Oder diese Vorstellung wurde noch prickelnder dadurch, daß er Natalie in ihrem impulsiven Bedürfnis half, sich dieser – *ausgesucht* – grausamen Möglichkeit zu bedienen, ihren Liebhaber zu erniedrigen und zu verletzen. Den Liebhaber, gegen den sie einen perversen Zorn empfand, weil sie ihm so viel, nämlich ihr Leben verdankte. Was Duncan sah, war ein Akt, der in seinen Implikationen so *abstoßend* war, daß man, wie er in seiner Vernehmung sagte, ›gar nichts tun konnte‹. Nichts, keine denkbare Handlung war eine angemessene Reaktion.

Den nächsten Tag verbrachte er allein im Cottage, er stand unter Schock, was mit einer erklärten Handlungsabsicht nicht in Einklang zu bringen ist. Er war nicht in der

Lage, sich über seine Gefühle Natalie James oder Carl Jespersen gegenüber klar zu werden. Wie der überaus erfahrene psychiatrische Sachverständige berichtet hat, verschwamm jeder Gedanke an sie in einem Gefühl der Unwirklichkeit, in Amnesie. Er war gar nicht in der Lage, wie mein werter Kollege uns glauben machen will, eine Racheabsicht auch nur zu fassen. Und er selbst hat auf die Frage meines werten Kollegen, des Staatsanwalts, gesagt: Rache wofür? Weil sie ihn betrogen hatte? Weil Carl Jespersen ihn betrogen hatte? Weil sie beide, James und Jespersen, ihn zusammen betrogen hatten?

Er hatte den ganzen Tag im Cottage auf dem Bett gelegen, unfähig, etwas zu tun. Wenn der Hund ihn nicht aufgestört hätte, weil er Hunger hatte, wenn er nicht mechanisch dem Hund draußen sein Fressen gegeben hätte, wäre er dann nicht in seiner Zurückgezogenheit geblieben, bis vielleicht jemand nach ihm gesehen hätte? Hätte er sich im Garten wiedergefunden, durch den er in der Nacht zuvor geflohen war, wenn er nicht nach draußen gegangen wäre, um dem Hund sein Fressen zu geben? Er stand plötzlich im Garten, ja; und da war das Haus, in dem das Unglaubliche geschehen war. Er ging zu der Stelle, von der aus er es gesehen hatte, um es sich in seinem verwirrten Zustand glaubhaft zu machen.«

Die Falten in Motsamais Gesicht wurden zu tiefen Furchen. Um einen Vorwand für diese kalkulierte Pause zu haben, holte er tief Luft. Er selbst schien Zeuge dessen zu sein, was er zu schildern im Begriff war.

»Was sieht er? Der Mann, Carl Jespersen, räkelt sich entspannt auf derselben Couch. Er hat sich seinen Lieblingsdrink gemixt. Er lächelt. Er begrüßt Duncan Lindgard, den Freund, den früheren Geliebten, dessen Geliebte er vor dessen eigenen Augen verführt hat – er begrüßt ihn als

Bra, als *Bruder.* Dann hebt er in aufgeräumtem Ton zu einem Monolog an, der in einem weltmännischen, großzügigen ›Männerstil‹ gehalten ist. In diesem Stil, so meint er, sollte der ›Vorfall‹, der Geschlechtsakt, den nichts aufhalten konnte und der so unverfroren vor Lindgards Augen seinen Höhepunkt erreichte, von Lindgard aufgenommen werden, so sollte er damit umgehen. ›Nimm dir doch einen Drink‹, sagt er. Ja, laß uns darauf einen trinken, Bruder. Das, was gestern nacht passiert ist, bedeutet *nichts.* Es war ein Witz!

Ist dieser Schock geringer als der Geschlechtsakt selbst?

Mit dem Schauspiel, das Lindgard jetzt geboten wird, wird der emotionale Streß unerträglich. Auf dem Tisch liegt eine Pistole. Sie bietet sich an. Er weiß nicht, ob sie geladen ist. Er nimmt sie in die Hand und feuert auf die Quelle, aus der der auf ihn gerichtete Wortschwall kommt. Was er als ›den Lärm‹ bezeichnet hat, hört auf. Das ist die Art, in der ihm bewußt wird, daß er Carl Jespersen erschossen hat.

Ich wiederhole, wenn Sie gestatten, Euer Ehren, die Definition von strafrechtlicher Schuldfähigkeit. Ein Mensch ist dann schuldfähig, wenn er das Unrecht seines Handelns zum Tatzeitpunkt erkennen kann. Schuldunfähigkeit, wenn sie nicht die Folge von Wahnsinn oder jugendlichem Alter ist, kann nach unseren Gesetzen dann gegeben sein, wenn unter anderem entweder eine Provokation vorliegt – ich verweise Euer Ehren auf meine Ausführungen, in denen ich den Fall Campher aus dem Jahre 1987 zitiere – oder Affekt – ich beziehe mich hier auf den Fall Arnold aus dem Jahre 1985.

Das Gesamtverhalten des Angeklagten als Erwachsener, wie es hier bezeugt wurde, sein moralisches Verantwortungsbewußtsein, das sowohl christlich als auch humanistisch geprägt ist und das ihm die Eltern seit frühester Kindheit vermittelt haben – all dies steht im Widerspruch zu einer Gewalttat. Wurde er nicht über jedes erträgliche vernünftige Maß hinaus provoziert, so daß er die Kontrolle verlor, als er die Waffe griffbereit vor sich sah und sie in die Hand nahm? Mit anderen Worten, wußte der Angeklagte, was er tat? War Duncan Lindgard zu diesem Zeitpunkt schuldfähig?

Ich behaupte, Euer Ehren, daß er es nicht war und nicht sein konnte.«

Die Stimme des Richters, kaum mehr als ein privates Gemurmel, hat dennoch genügend Autorität, Motsamai Einhalt zu gebieten, wenngleich sie ihn nicht unterbricht. »Mr. Motsamai, plädieren Sie auf Unzurechnungsfähigkeit aufgrund geistiger Verwirrung?«

»Nein, Euer Ehren.«

»Zeitweilige Unzurechnungsfähigkeit?«

»Nein. Der Angeklagte ist ein Mann im Vollbesitz seiner geistigen Kräfte, dessen Schuldfähigkeit zeitweilig durch starke emotionale Belastung außer Kraft gesetzt wurde, so daß er in dem Moment die Unrechtmäßigkeit seines Handelns nicht erkennen konnte, zumal er sich keiner Absicht, so zu handeln, bewußt war.«

»Was ist der Unterschied zwischen diesem Zustand und dem der zeitweiligen Unzurechnungsfähigkeit aufgrund geistiger Verwirrung?«

Ihr Sohn ist nicht verrückt.

Aber Harald und Claudia denken, daß der Richter recht haben könnte. Geistige Verwirrung, das ist vielleicht die Erklärung, die sie nie von ihrem Sohn gehört haben. Selbst seine Aussage vor Gericht hat ihnen nicht gegeben, was sie wollen – es ist wie ein Tonband, das wieder und wieder abgespielt wird, als wäre Motsamais Stimme mit ihrem Betonungsmuster, das dem Rhythmus seiner afrikanischen Sprache entlehnt ist, eine Radiosendung, die von anderen Frequenzen gestört wird, nämlich von Duncan, der sie unterbricht: *So war es nicht, es war nicht wirklich so.* Niemand hier weiß es. Vielleicht geht von ihm da, wo er von ihnen abgewandt vor der Richterbank sitzt, tatsächlich eine andere Frequenz aus.

»Verlust der Selbstkontrolle in Form einer Unfähigkeit, Unrecht als Unrecht zu erkennen, Euer Ehren, im Gegensatz zu einer Bewußtseinsstörung, in der Recht und Unrecht durcheinandergebracht werden. Das ist der Unterschied.«

Harald merkte, daß Claudia neben ihm den Kopf schüttelte, nicht einverstanden war. Ja, die Antwort war nicht unbedingt ein Beispiel für Motsamais Brillanz. Und vielleicht täuschte er sich; zeitweilige Unzurechnungsfähigkeit, etwas, was schon immer in Duncans Gehirn vorhanden gewesen war, ein Geheimnis, unsichtbar selbst für die, von deren Fleisch er war?

Claudia machte Anstalten, ihm etwas zuzuflüstern, aber Harald hob die Hand, die den Bleistift hielt; für etwas so Niederschmetterndes gab es keine Worte. Es war, als ob die Luft zwischen ihnen von der Wärme, die von Harald, Claudia und ihrem Sohn ausging, aufgeheizt würde und alle übermannte.

»Duncan Lindgard hatte keinerlei Absicht, Jespersen zu töten. Es gab keine Vorsätzlichkeit. Weder war noch ist er zu einer vorsätzlichen verbrecherischen Handlung fähig. Der Tat ging eine Provokation voraus. Sie wurde unter schwerem emotionalem Streß, im Affekt, in einem Zustand der Schuldunfähigkeit begangen. Sein Geständnis, seine Lebensgeschichte, seine Aussage sind unwiderlegbare Beweise dafür.«

»Ist das Ihr Schlußwort, Mr. Motsamai?«

»Danke, Euer Ehren, der Fall ist für die Verteidigung abgeschlossen.«

Der Richter erhob sich, das Gericht vertagte sich. Es kam Leben unter die Zuschauer wie im Theater am Ende eines Aktes; zum nächsten Teil der Vorstellung würden sie wieder da sein. Auf dem Flur legte Motsamai, jetzt wieder Hamilton, die Hände auf Claudias und Haralds Unterarme und zog sie zu sich heran. Er war etwas abwesend und zugleich belebt, wie an dem Tag, als er vom Lunch in die Kanzlei gekommen war. Es ist ganz gut gelaufen, sagte er zu seinen Klienten und ließ seinen Kollegen, Philip, mit einem Arm voller Akten stehen. Sie fragten ihn nicht nach dem Aspekt der Unzurechnungsfähigkeit, die Frage nach – wie konnte man das ausdrücken?

Sie waren in seinen Händen.

»Wir werden beide keine weiteren Zeugen aufrufen«, sagte er zu ihnen, mit einem Schulterzucken, das bedeutete: Das ist mir recht so. Wir? Er hatte es eilig, wollte sich mit seinem Kollegen besprechen. Als er sich von ihnen abwandte, sahen sie, wie er seinen Gegner, den Staatsanwalt, grüßte; die beiden Männer in ihren Roben blieben stehen, Motsamai legte den Arm einen Moment lang auf die Schulter des anderen, sie schüttelten die Köpfe, lachten zusammen, gingen dann ihrer Wege.

Es war also alles ein Auftritt, für diese beiden, für den Richter, für die Beisitzer, für den Staatsanwalt, selbst für Motsamai. Das Recht ist eine Theateraufführung.

Während er und Claudia den Flur entlanggingen, schob er etwas in die Tasche. Es war das Heft, das er auf dem Tisch neben dem Bett gefunden und an sich genommen hatte, im Cottage.

Morgen ist es vorüber. Morgen wird das Urteil gesprochen.

Wir. Motsamai und der Staatsanwalt, beide haben beschlossen, keine weiteren Zeugen aufzurufen, weder für die Anklage noch für die Verteidigung. Zwischen den beiden herrscht Einigkeit. Beim Tee ist Harald bereit, das zu glauben. Diese Art zu denken bringt ihn an den tiefsten Punkt in sich selbst.

Für ihn gibt es noch einen anderen Beweis: den Mangel an Aufrichtigkeit der beiden Kontrahenten in ihren grundsätzlichen Angriffen auf die Behauptungen des Gegenübers. Claudia ist von der beruflichen Kameraderie außerhalb des Gerichts nicht überrascht; sie weiß, daß man sich auf die Sache konzentrieren muß, ohne Rücksicht auf persönliche Gefühle, wenn man seine Arbeit gut machen will. Sie sind mit Khulu in ein Café gegangen und sprechen leise darüber, mit langen Pausen, während Khulu eine Zeitung kaufen gegangen ist.

Ich glaube, ein Richter wäre irritiert, wenn ein Anwalt persönliche Sympathie für seinen Klienten erkennen ließe. Vielleicht stünde er der Argumentation eines Anwalts, von dem er vermutet, daß er über die ihm aufgetragene Aufgabe der Verteidigung hinausgeht, sogar skeptisch gegenüber. Schließlich müssen Anwälte jeden verteidigen. Jeder hat das Recht auf Verteidigung. Das wissen wir doch.

Es ist Hamilton also gleichgültig, was mit Duncan passiert. Er will nur den Fall gewinnen. Morgen schüttelt er dem Staatsanwalt am Netz die Hand, egal, wer das Match gewonnen hat.

Sie schenkte ihm Tee nach; auch sie sprechen bei einer Tasse Tee über Duncans Leben. Nach einer Weile – sie sah Khulu zurückkommen – sagte sie schnell: Es ist ihm nicht egal. Hamilton ist es ganz sicher nicht egal. Das weißt du doch, oder? Harald? Das hat er doch gezeigt. Uns, meine ich. Aber das Gericht ist nicht der Ort dafür, da geht das nicht.

Khulu hielt die Zeitung hoch, um anzuzeigen, daß er wieder da war. Sie sah zu, wie er sich seinen Weg durch die Tischreihen bahnte.

Und da ist noch einer, dem es nicht egal ist. Wer hätte gedacht, daß er derjenige ist, der spürt, daß wir jeden Tag jemanden um uns brauchen, und es stellt sich heraus, wir wollen nur ihn.

Claudia verordnete sich eine Schlaftablette und ging zu Bett.

Harald saß allein im Wohnzimmer, nahm das Heft heraus und fügte nach einigem Überlegen Einzelheiten des Prozesses hinzu. Er wußte nicht, welchen Zweck diese Eintragungen hatten. Die Frage stellte sich ihm, als seine Aufmerksamkeit wanderte und an einem Strauß welker Blumen in einer Vase hängenblieb. Die einzige Antwort war die des Mannes, Khulus Antwort: *Ich verstehe nichts vom Töten*. Er versuchte sich einen praktischen Nutzen für die Eintragungen vorzustellen: Sollte gegen das Urteil Berufung eingelegt werden, würde er auf seine Eindrücke von dem Prozeß zurückgreifen wollen – der lakonische Anwalt, die stummen Beisitzer, die Anwälte, selbst die Justizangestellten, die indischen und afrikanischen Mädchen, die in diese Männerdomäne eingedrungen waren, und diese Stehfiguren des Gesetzes, die Polizisten, die kaum menschlich wirkten –, wie sie alle die Beweisaufnahme, die zu dem Urteil führte, aufgenommen hatten (Duncan wartet nicht auf ein Urteil, es geht nur um das Maß von Schuld, dieses Wortspiel mit der Schuldfähigkeit, auf das Hamilton baut). Auch die Leiber der Menschen, die sich um ihn und Claudia drängten – ihre Reaktionen. Denn alle dort Anwesenden sind mit den Abläufen eines Prozesses vertraut und können sicherlich Zeichen deuten, die er und Claudia nicht wahrgenommen haben oder nicht verstehen können.

Aber vielleicht gehören seine Aufzeichnungen einfach neben das, was Duncan dort aufgeschrieben hat und was er, Harald, entgegen seiner Überzeugung gelesen hat. Wahrscheinlich landet das Heft in dem Karton im Schrank, wo der Brief, den der Junge damals aus dem Internat geschrieben hat, so lange aufbewahrt worden ist.

Das Wort *Aufführung* kommt ihm immer wieder in den Sinn. Er sieht, daß er, an seinem tiefsten Punkt angekommen, geschrieben hat: Das Recht ist eine Theateraufführung. Er hat Hamiltons selbstsicheren Auftritt beschrieben. Und dann Khulu Dladlas Zitat von dem Mädchen: Duncan habe gewollt, daß sie ›ihr Leben für ihn aufführte‹. Er schaltete den Fernseher an, um nicht ins Bett gehen zu müssen. Er würde sowieso nicht schlafen können (er will keine Schlaftabletten nehmen. Sie denkt – insgeheim –, daß er einer jener glücklichen, disziplinierten Menschen ist, deren Instinkt sie vor einer geheimen Neigung zur Sucht bewahrt). Aber im Fernsehen gab es auch nur »Aufführungen«, in einem Programm ein Rockgruppen-Wettbewerb, im anderen eine Komödie in einer Sprache, die er nicht verstand.

Er blieb sitzen, seine Hand lag auf dem Heft, und schaltete das Radio ein. Er geriet in eine dieser Diskussionssendungen, in denen Hörer zu Themen, die von allgemeinem Interesse waren, telefonisch ihre Meinung sagen konnten, von der Frage der Abtreibung bis hin zu Lebensmittelpreisen und des Abschusses von Elefanten. Das sind die Zirkusveranstaltungen, die in einer Demokratie geboten werden, damit denjenigen, die zwar zu essen haben, aber begreifen, daß es nicht wahr ist, daß jeder Präsident werden kann (im Gegensatz zu ›darf‹), wenigstens die Gelegenheit gegeben wird, die eigene Stimme zu hören. So weitschweifig und unbeholfen die Anrufer sich auch ausdrücken (gewöhnlich stellt er sofort ab), wecken sie doch manchmal tiefe Impulse, die unter dem oberflächlichen Einverständnis mit dem Ethos ihrer Zeit und ihres Landes verborgen liegen. Die Todesstrafe: Das war das Thema, das die Talk-Show-Demokratie den begierigen Bürgern an diesem Abend anbot. Aber die Todesstrafe wird abgeschafft! Der allzeit bestens informierte Motsamai ist sich dessen sicher. Sie wird für verfassungswidrig erklärt werden. Die Möglichkeit, daß Duncan – Gott bewahre ihn, und Er hat es bereits getan – zum Tode verurteilt wird für das, was er, aus welchen Gründen auch immer, getan hat, besteht nicht mehr.

Dies ist jetzt ein zivilisiertes Land, und der Staat verübt keine Morde. Aber während Harald mit dem Blick starr auf die Blumen, die schon längst in den Müll gehört hätten, im Sessel sitzt, hört er die Anrufer, die sich für die Todeszelle und den Strang aussprechen, für die frühen Morgenstunden mit dem Henker in Pretoria. Sie wollen es, sie wollen es immer noch, sie sind bereit, es zu fordern, sie fordern es über den Äther, auf daß alle, der Präsident, der Justizminister, das Verfassungsgericht, es hören – sie wollen eine Leiche für eine Leiche, einen Mörder für einen Mörder. Und entrüstet stammelnd gestehen sie, was sie nicht leugnen können: Die Befriedigung, die sie spüren, die einzige Aussöhnung, die sie kennen, finden sie in dem Tod desjenigen, dessen Tat einen der ihren das Leben gekostet hat oder dessen Beispiel eine Bedrohung für das Leben anderer darstellt. Ihre Stimmen werden ins Studio übertragen, der Moderator schneidet bevormundend ihre langen Ausführungen ab – für sie gibt es keine Abschaffung der Todesstrafe. Sie – die Menschen, die sich jenseits der Stadthaussiedlung und des Gefängnisses, in dem Duncan das Urteil erwartet, lautstark Gehör verschaffen – werden ihn in ihren Köpfen zum Tode verurteilen, ungeachtet des Urteils, das der Richter verkündet, ungeachtet auch der mildernden Umstände, die Motsamai aufgrund seines Wissens, seines Geschicks, seiner Erfahrung vorträgt. Über den Äther des Landes fordern sie eine Volksabstimmung; sie, und nicht das Verfassungsgericht, wollen die letzte Instanz für Menschen wie Duncan sein. Und ob es nun eine Volksabstimmung gibt oder nicht, Harald hört und weiß, daß sein Sohn und der der schlafenden Claudia zeit seines Lebens von diesem Trachten nach seinem Tod umgeben sein wird. Der Fluch liegt auf ihm, auch wenn das Gesetz die Todesstrafe nicht erzwingt.

Dies ist keine Theateraufführung, dies ist die Wirklichkeit.

Sie drehte sich im Schlaf um, und das Gefühl der Leere neben ihr weckte sie auf; sie tastete nach ihrer Uhr. Die leuchtende Botschaft: zwei Uhr vorbei. Sie stand auf, wie Duncan es getan hatte, um den, der fehlte, zu suchen. Die Tür zum Badezimmer, in der Broschüre für den Wohnpark *en suite* genannt, war angelehnt: niemand da. Das Wohnzimmer lag dunkel und still. Vorsichtig, als könnte sie einem Einbrecher begegnen, ging sie durch den Flur.

Im zweiten Badezimmer lag Harald schlafend in der Wanne, sein Kopf ruhte auf dem Rand, aber sein Körper war für Claudia der eines Ertrunkenen.

Motsamai hat auch seinem Klienten, dem Angeklagten, versichert: Morgen ist es vorüber. Und es ist sehr gut gelaufen, er ist zuversichtlich. Kollegen, die den Fall verfolgt haben, sagen zehn Jahre, und natürlich gibt es dann immer noch die vorzeitige Entlassung. Aber er, Motsamai, glaubt, daß er eine Chance hat, vielleicht sogar sieben Jahre zu erreichen. Und dann Straferlaß ... Motsamai weiß: Die beste Art, mit Duncan darüber zu sprechen, ist, so zu tun, als wäre Duncan ein Anwaltskollege, als erörterten sie gemeinsam den Fall eines anderen, an dem sie beide interessiert sind. Das ist die Art, das spürt er ganz genau, wie dieser junge Mann in großer Not am besten damit umgehen kann, aber er kann der Versuchung nicht widerstehen, mehrfach zu wiederholen – als spräche er tatsächlich mit einem Kollegen: »Außerordentlich gut, besonders das Kreuzverhör mit ihr.«

Sie sind alle gegangen, um den morgigen Tag abzuwarten, wenn für sie alles vorbei sein wird: Seine Mutter, sein Vater, Khulu, ihr Ersatzsohn, der neben ihnen sitzt, wo er selbst nicht sitzen kann, Motsamai, der Richter, die weiblichen Schreibkräfte, denen die Haare über die Arme fallen, wenn sie die Tasten ihrer Textverarbeitungsgeräte bedienen, die Zuschauer, die an seinem Leben teilhatten – sie sind alle nach Hause gegangen. Allein. Seinen Eltern, seinem Freund Khulu (er hatte bisher nicht gemerkt, wie sehr er unter den Männern im Haus tatsächlich sein Freund war) fällt es schwer, ihn alleinzulassen, diesmal besonders, das weiß er, aber er ist erleichtert, daß sie weg sind.

Motsamai, der den Vater spielt, wo der Vater es nicht

kann, hat ihn auf ihre Kosten gerettet. Auf Kosten von Natalie/Nastasja. Er hat sie aufgeschnitten und zur Schau gestellt, ihre Gebärmutter mit dem Kind darin seziert, ihre Gedanken und Motive und ihren Körper, deren Stärke und Widersprüchlichkeiten ein Liebhaber nur zu gut kannte, hochgehalten, damit alle ihn sehen konnten. Wer wird Natalie wieder zusammensetzen? Niemand. Motsamai ist zuversichtlich. Diesmal hat sie ihn gerettet.

In der Nacht in seiner Zelle träumte er nicht. In wachem Zustand sah er diese Bilder an sich vorüberziehen: Zehn Jahre, vorzeitige Entlassung, wieviel Zeit auch immer vergangen ist, er kommt heraus und blinzelt in die Sonne, da ist die Stadt. Jemand zeigt auf ein Kind. Ist es ein Mädchen, dann sieht es aus wie Natalie/Nastasja. Nein, es ist ein Junge, er sieht aus wie wir: Carl und Duncan.

Motsamai trägt einen besonders gut geschnittenen Anzug, sein kurzes krauses Haar ist in Form gebracht, das Bartbüschel an seinem Kinn, nach Art afrikanischer Häuptlinge des 19. Jahrhunderts, ist gekämmt, damit seine Beweglichkeit beim Sprechen sichtbar wird: die gleiche Sorgfalt lassen Haralds Geschäftskollegen an Tagen walten, für die eine wichtige Konferenz anberaumt ist.

Motsamai wartete im Flur auf sie, wo der Widerhall von allem, was sie in den letzten Tagen im Gerichtssaal gehört haben, unter der hohen Decke gefangen ist. Mit ruhigem Schritt geleitete er sie durch das Hin und Her von Justizangestellten und Botenjungen und den umherirrenden Menschen, die nach diesem oder jenem Gerichtssaal suchten. Als er ein kleines Plätzchen für sie gefunden hatte, blieb er stehen. »Geht es Ihnen gut, Claudia? Ich hoffe, Sie konnten schlafen, Harald. Ich? Oh, ich schlafe immer, wann immer ich ins Bett komme, wenn ich mich vorbereite ... Ah-häh. Heute. Hören Sie, ich hab den Staatsanwalt überreden können, daß Sie Duncan in der Mittagspause sehen dürfen. Verstehen Sie – wenn alles, was heute morgen dran ist, abgeschlossen ist, ich erwarte das Urteil und so weiter nicht vor heute nachmittag. Sie werden ihn also sehen. Vor der Urteilsverkündung.«

Wenn man mit dem Recht konfrontiert ist – wenn man nicht wegsehen kann, wenn ein Ausweichen aufgrund von Anstand, Klasse oder Privilegien ausgeschlossen ist –, begreift man bald, daß es so ist: die Verteidiger und die Staatsanwälte handeln einen angemessenen Preis für einen Mord aus. In Haralds Augen ist es das, worauf man sich geeinigt hat. Motsamais werter Kollege, der den Staat vertritt, meint, daß er den höchsten Preis herausgeholt hat. Motsamai selbst – er macht eine abwägende Geste, und seine beiden Hände sind die Waagschalen: Warten wir es ab.

»Richter sind empfindliche Leute. Ah-häh. Verstehen Sie? Sie ermüden, wie wir anderen auch – wenn man noch lange weitermacht, nachdem sie eine Entscheidung getroffen haben. Es gibt einen Punkt, an dem ... können Sie mir folgen? Er sitzt zwischen seinen Beisitzern, und das Urteil ist fertig. Mehr Beweise – sie können nichts mehr ändern. Wir haben einen Eindruck geschaffen, mit unseren Zeugen, unserem Kreuzverhör. Den will ich nicht durch Overkill zerstören. Was das Urteil angeht – das ist etwas ganz anderes. (Er benutzt die Formulierung in einer Doppeldeutigkeit, als wollte er, der so wortgewandt ist, sagen, das ist nicht nur eine andere Angelegenheit, sondern auch etwas Außergewöhnliches.) Damit beschäftige ich mich heute nachmittag.«

Während der Schlußplädoyers sitzen sie mit Khulu zusammen. Der Staatsanwalt und der Verteidiger fassen mit prägnanter Knappheit und großer Überzeugungskraft zusammen, was sie bereits in der Beweisaufnahme dargelegt haben und was sie, jeder seinen Zwecken und seinen Fähigkeiten gemäß, während der Verhandlung und in den Kreuzverhören dem Angeklagten und den Zeugen entlockt haben.

Duncan ist ein übertrieben besitzergreifender Mann, der eifersüchtig auf Rache sann, mit der Absicht, Carl Jespersen körperlichen Schaden zuzufügen, weil der mit seiner Geliebten, Natalie James, Geschlechtsverkehr gehabt hatte. Im vollen Bewußtsein der Situation, mit zweckgerichtetem Verhalten, im Vollbesitz seiner geistigen Fähigkeiten und bei voller Schuldfähigkeit nutzte er das Vorhandensein einer Waffe, schoß absichtlich auf den Mann und zielte dorthin, wo der Schuß tödlich sein mußte, nämlich auf den Kopf.

Harald und Claudia und Khulu begreifen in ihrem gemeinsamen Verständnis von allem, was das Samurai-Gesicht des Staatsanwalts vorträgt, nur diese Schlüsselbegriffe: Schuldfähigkeit, zweckgerichtetes Verhalten, in vollem Bewußtsein. In der Kombination entzünden sie sich wie Begriffe in einem Zeitungsartikel, die sich aneinanderreihen und ein Feuer entfachen. In vereinter Aufmerksamkeit hören sie kaum die Bindeglieder, erfassen kaum den Sinn der langatmigen Ausführungen des Staatsanwalts. Diese juristischen Fachausdrücke, niedergelegt in den Nachschlagewerken, die sowohl der Verteidiger als auch der Staatsanwalt vor sich auf dem Tisch liegen haben, werden das Urteil über Duncan bestimmen. Als Hamilton, Motsamai, an der Reihe ist, hören die drei wieder mit getrennter Aufmerksamkeit zu, jeder mit seinen Gedanken allein, weil jeder unterschiedliche Vorstellungen hat, was Duncan ist, und hören jedes Wort, jede Einzelheit, jede Nuancierung in dem, was Motsamai sagt.

Duncan ist ein Mann, der völlig frei ist von gewalttätigen Neigungen, wie die Vorgeschichte seines Verhaltens und seiner Fürsorge für einen psychisch aggressiven Partner zeigt. Wie er genau wußte, war eine Liebesaffäre zwischen seinem früheren homosexuellen Partner und der Frau, der er soviel fürsorgliche Liebe entgegenbrachte, nicht möglich. Deswegen gab es keine vorsätzliche, aus Eifersucht geplante Gewalttat oder eine sonstige gegen den Mann gerichtete Tat. Womit er plötzlich, am Abend des 18. Januar, konfrontiert wurde, war die schamlose Zurschaustellung eines kruden sexuellen Exhibitionismus dieser beiden Menschen. Hätte ein Mann mit Bereitschaft zu gewalttätigem Handeln Jespersen nicht sofort angegriffen? Daran bestand kein Zweifel. Duncan Lindgard griff Jespersen in diesem Moment nicht an, was zweifellos die Reaktion eines gewaltbereiten Mannes gewesen wäre. Den ganzen nächsten Tag über lähmten ihn Schock und Schmerz, so daß er nicht zur Arbeit gehen konnte. Kaum fähig zu glauben, daß er wirklich gesehen hatte, was er gesehen hatte, ging er wieder zu dem Haus, nur um die Stelle noch einmal zu sehen, wo es geschehen war. Jespersens unerwartete Anwesenheit auf derselben Couch, wo das entwürdigende Schauspiel stattgefunden hatte, Jespersens unglaublicher Mangel an Schamgefühl, seine Annahme, daß man dergleichen unter Männern, die *Brüder*, einst sogar Liebhaber gewesen waren, beiseite schieben könne, bei einem gemeinsamen Drink – dies war ein zweiter schrecklicher Schock. Ein Schock, der mit einem Schlag auf den Kopf zu vergleichen war, wie der psychiatrische Sachverständige bezeugt hatte, und als solcher einen Kurzschluß verursachen konnte.

Hier unterbricht eine der zwei Gestalten, die den griechischen Chor beidseits der Richter-Gottheit bilden und fast in Vergessenheit geraten sind. Der weiße Beisitzer fragt: »Was ist das? Sie haben das Wort schon einmal benutzt. Was genau meinen Sie damit?«

»Was ist eine Kurzschlußhandlung? Das heißt nicht, daß der Betreffende das Bewußtsein verliert. Es heißt, daß der Betreffende die Kontrolle über sich selbst verliert, er verliert die Fähigkeit, das Unrecht des eigenen Handelns zu erkennen, er ist schuldunfähig. In einem solchen Zustand, aufs schwerste provoziert und unter ernstem emotionalen Streß nahm Duncan Lindgard die Waffe, die vor ihm lag, in die Hand und brachte seinen Folterer mit einem Schuß zum Schweigen.«

Niemand – Harald, Claudia, Khulu – Duncan? – was erwartete Duncan von ihm? – niemand konnte beim Anblick des Gesichts, das ein wenig über die Papiere geneigt war, während seine präzisen Hände sie ordneten, die Reaktion des Richters erahnen. Vielleicht hat er – was Harald glaubt und Motsamai nahelegt – längst eine Entscheidung getroffen. Aber vielleicht wird er die Entscheidung darüber, was Duncan wirklich getan hat, als er den Mann in den Kopf schoß, auch mit seinen beiden Beisitzern treffen, die bei Unterbrechung der Sitzung am Mittag hinter ihm herlaufen wie zwei gesellige Hunde. Denn denen, die der Verhandlung gefolgt sind, ist klar, daß es so etwas wie einen einfachen Mord nicht gibt. Das Töten ist nur die definitive Handlung, die aus vielen anderen um sie herum hervorgeht, aus dem Wortschwall des Opfers, den Gedanken der Beteiligten, der sexuellen Vereinigung und, in einem noch weiteren Kreis, aus den Raubüberfällen auf der Straße.

Die Schlüsse, die Motsamai aus der Reaktion des Richters auf sein Schlußplädoyer und das des Staatsanwalts gezogen haben mag, behält er für sich, und Harald und Claudia haben nicht das Gefühl, daß es angemessen wäre, ihn zu fragen. Sie wollen nicht den Anschein erwecken, als stellten sie ihn in Frage, sie wollen nicht, daß er, jetzt, am Ende, merkt, welches Gewicht in seinen Händen liegt. Er tritt als der Anwalt Motsamai auf, nicht als Hamilton, als er vorangeht und sie endlich zu dem führt, was sie noch nie gesehen haben, zu einer Zelle. Es ist nicht die Zelle, in die Duncan nach ihren Begegnungen im Besuchszimmer zurückgeführt wird, sondern eine Zelle unterhalb des Gerichtssaals, wohin Häftlinge bei Verhandlungsunterbrechungen gebracht werden.

Flure und Stufen und Türen, für die die Aufseher Schlüsselringe haben. Ein kellerartiger Raum, in der Ecke hinter einer kniehohen Wand eine Toilettenschüssel. Es gibt ein paar Holzstühle, auf die mit Kreide Nummern geschrieben sind. Auf einem ein Teller mit Essen. Duncan steht, in der Hand ein Glas Wasser, er sucht einen Platz, wo er es abstellen kann, es stößt scheppernd an den Teller. Er umarmt seine Mutter, wie er sie immer bei seinen Besuchen zum Mittagessen umarmt hat, und drückt dann seinen Vater an sich, und das Kratzen seines Bartes an Haralds Wange und Ohr ist beiden unvertraut.

Motsamai hat sie allein gelassen; die Anwesenheit von Aufsehern und Polizisten bemerken sie schon lange nicht mehr. »Er ist ziemlich zuversichtlich.« Claudia spricht als erste. Aber was soll das heißen: zuversichtlich? Duncans sanftes Lächeln sagt ihr, daß der Richter ihm nicht sagen muß, daß er die Tat begangen hat.

»Er setzt auf die Umstände.« Harald kann sich nicht überwinden, auf all das, was mit Duncan gemacht wurde und was Duncan gemacht hat, Bezug zu nehmen, aber er möchte allen dreien die Sicherheit der rechtlichen Zugeständnisse vermitteln – mildernde Umstände. Die Rettung ist zu dieser Form des praktischen Kompromisses geworden.

»Na ja. Ich bin froh, daß es für euch beide bald vorüber ist. Es ist Zeit, wieder an die Arbeit zu gehen, denke ich. Weiterzumachen.«

Harald möchte sich nicht in einen Konferenzraum versetzt sehen, er ist hier, für seinen Sohn, in einer Zelle. »Was für einen Eindruck hast du von Motsamai? Wie hat er seine Sache gemacht? War es so, wie du's erwartet hast? Ich konnte nicht sehen, was in dir vorging.«

»Ich hab's ihm ganz überlassen. Abgesehen von meiner eigenen Aussage. Ich hab gesagt, was ich sagen mußte, nicht mehr. Der Rest ist seine Arbeit, seine Entscheidung.«

»Gut, daß du ihm vertraut hast. Da ist so vieles, was Menschen wie wir nicht verstehen – was den Prozeß angeht, meine ich.«

Er kann ihm keine Fragen zu dem eigentlichen Thema stellen, um das ihre Gedanken unwillkürlich kreisen, nämlich Motsamais Kreuzverhör des Mädchens. Was daran vielleicht wesentlich für das Urteil ist, die Art, wie Motsamai das Mädchen vorgeführt hat – was hält er davon, daß Motsamai Natalie so benutzt hat? Die Frau, die er, Duncan, geliebt hat – liebt? Sie ist bei ihm geblieben, weil er ›schrecklicher war als das Wasser‹, so steht es in dem Heft – nur Harald und sein Sohn kennen das. Manchmal hatte Harald gedacht, er sollte Motsamai das Heft zeigen. Das er ohne das Wissen seines Sohnes an sich genommen hatte. Aber er beließ es zwischen sich und seinem Sohn. Und jetzt hatte der Sohn zwischen zwei Aufsehern mitansehen müssen, wie sie von einem Anwalt zerstört wurde, weil er, ja, etwas noch Schrecklicheres getan hatte, viel schlimmer als ihre Entscheidung, sich zu ertränken – er hatte ein Leben beendet, das zu beenden er kein Recht hatte. Wenn er an den Anblick dachte, der sich ihm auf der Couch geboten hatte, war es für ihn eine Genugtuung, daß sie nun Motsamais Taktiken unterworfen war? *Ich hab's ihm ganz überlassen.* War das eine neue Vereinsamung, ein neues Leid, das all dem anderen, das er erfahren hatte, noch hinzugefügt wurde? Wandte er sich jetzt auch gegen den Mann, der Natalie/Nastasja zerstört hatte? Gegen den Mann, in dessen Hand er war? Niemand sonst konnte etwas für ihn tun, auch seine Eltern nicht, die doch einen Bund mit ihm geschlossen hatten, immer für ihn da zu sein. Etwas in Harald begehrte gegen seinen Gott auf: Hat es denn kein Ende, was mein Sohn erdulden muß?

»Hat Motsamai etwas darüber gesagt, womit du rechnen

mußt?« Das sagt Claudia, weil sie nicht wirklich glauben kann, daß heute nachmittag ein Urteil gefällt wird, das am nächsten Morgen rechtskräftig wird; daß der Richter und seine Beisitzer sich auf ihren Plätzen niederlassen werden und sie das Urteil hören wird.

»Ja, wir haben darüber gesprochen. Ich hoffe, er hat's euch auch gesagt.«

Harald antwortete. »Doch, das hat er. Aber das ist natürlich nur seine Einschätzung, ich meine, auf der Basis von Präzedenzfällen. Die ganze Zeit über war nicht zu erkennen, welche Schlüsse der Richter aus allem zog, auch nicht, wenn er unterbrach und Fragen stellte oder Einwände erhob – ich habe versucht zu erkennen, ob er beeindruckt war oder Dinge anzweifelte, was immer. Aber sie sind natürlich geübt darin, sich mit unbewegter Stimme und ausdruckslosem Gesicht zu äußern.«

»Wie die Pokergesichter, die du von deinen Verhandlungen kennst, Dad.«

Er zwingt sie zu einem Lächeln.

»Khulu läßt Grüße ausrichten – er hat dir was geschrieben. Du hast es doch dabei, Harald?«

Harald hat die Wörter nach Khulus Diktat auf ein Blatt geschrieben, das er hinten aus dem Heft gerissen hat: UNGEKE UDLIWE UMZWANGEDWA SISEKHONA. Er gibt Duncan das Blatt.

»Verstehst du das?«

»Den Sinn ja. Ich hab ein bißchen Zulu von ihm gelernt.«

»Was heißt das? Er hat fast die ganze Zeit bei uns gesessen.«

Er antwortet seiner Mutter nicht sofort, nicht, weil ihm die Übersetzung schwerfällt, sondern weil das, was es bedeutet, schwer auszusprechen ist, in dieser Stunde, zwischen ihnen dreien.

»So was wie: Du wirst nie allein sein, denn wir sind allein ohne dich.«

Es ist für sie gesagt, für die Eltern, mehr gibt es nicht zu sagen. Sie klammerten sich an die restliche, kostbare Zeit mit ihrem Sohn und schufen aus ihren Wörtern eine Oberfläche aus Bedeutungslosigkeiten, die sie alle drei zumindest vor dem schieren Abgrund bewahrte.

Als es Zeit für den Beginn der Nachmittagssitzung war, führte einer der Aufseher, ein junger Bure, sie fort und sagte mit einem Blick auf Duncan: »Er sollte was essen, Lady. Auf leeren Magen ist das schlecht. Deine Mutter will, daß du was ißt, Mann.«

Keine Stille ist wie die Stille im Gerichtssaal, wenn der Richter den Kopf hebt und das Urteil verkündet. Jede andere Kommunikation, innere wie äußere, verstummt; alles endet.

Dies ist das letzte Wort.

Sie hat die Hände unter die Oberschenkel gelegt, als wüßte sie, wie sehr sie ihn in den letzten Tagen hier, in diesem Saal, irritiert hat, indem sie ständig mit dem Daumennagel der einen Hand unter den Nägeln der anderen entlangfuhr. Khulu ist bei ihnen. Khulu sitzt auf der anderen Seite neben ihr.

Und Dunkelheit bedeckte das Land.

Jeder der drei befindet sich in einem Zustand intensiver Konzentration, was, so hatte ihr Mann ihr einmal zu erklären versucht, Simone Weils Definition des Gebets war. Er weiß nicht, ob er betet; alles ist für ihn zweifelhaft geworden. Worum würde er jetzt beten. Zwölf Jahre könnten das Maximum sein, zehn wahrscheinlich, Hamilton sagt sieben, acht wäre das zu erwartende milde Urteil, das – so klingt es durch – als Triumph der Verteidigung gelten würde.

Er/sie. Sie sehen ihren Sohn jetzt nicht an. Kein Blick kann ihn erreichen. Er ist dort unten allein, von ihnen getrennt – von seinen Eltern, Freunden, dem Boten Verster, der Frau, die weiß, daß wir alle Wesen der Liebe und des Bösen sind. Selbst Motsamai hat mit ihm abgeschlossen; die Bindung, die bestand, die Hilfe, die niemand, niemand sonst geben konnte, sie werden bald dem nächsten Klienten gelten.

Ein Richter läßt sich Zeit. In der Justiz darf nichts überstürzt werden. Zwölf Jahre, wenn es denn zwölf Jahre sind – da besteht keine Eile, das Urteil zu fällen, wenn es so lange dauert, die Strafe zu verbüßen.

Beginnt die Vollstreckung des Urteils mit dem Moment seiner Verkündung, so wie der Glockenschlag den Beginn einer neuen Stunde anzeigt? Lieber Herr im Himmel! wie beschämend es ist, die ganze Zeit schon, sich damit zufriedengeben zu müssen, daß man ein Ignorant ist, augenscheinlich unberührt von den säkularen Vorgängen von Verbrechen und Strafe! Sünde nur als das verstanden zu haben, was von einem von Gottes Stellvertretern auf Erden vergeben wird, am Sonntagmorgen bei der Beichte. Mit großer Anstrengung berührt er ihren Arm, und sie zieht die Hand unter dem auf ihr lastenden Körper hervor, damit er sie nehmen kann. Sie hat auch die andere Hand befreit. Er ist sich Khulus flüchtigen Seitenblicks bewußt, der ihn, dann sie streift. Er sieht, wie Khulus Hand ihre andere Hand nimmt.

Der Richter sucht etwas in den Falten seiner Robe: ein Taschentuch. Der Richter putzt sich die Nase, bohrt mit dem Tuch in einem Nasenloch, wischt sich die Mundwinkel, steckt das Taschentuch wieder weg.

Der Richter läßt seinen Blick einmal über die versammelten Menschen gleiten, dann beginnt er, seine Worte an sich selbst zu richten.

»Der Angeklagte, Duncan Peter Lindgard, ist des Mordes an Carl Jespersen angeklagt, einem Mitbewohner eines gemeinschaftlich bewohnten Anwesens. Der Angeklagte bekennt sich nicht schuldig, mit der Begründung, daß er in mangelnder Schuldfähigkeit gehandelt habe, die als zeitweilige, nichtpathologische Unfähigkeit definiert wird, das Unrecht seines Handelns zu erkennen.«

Unser Sohn ist nicht verrückt.

»Ein Angeklagter, der zu seiner Verteidigung nichtpathologische Ursachen für Schuldunfähigkeit angibt, muß hinreichende sachliche Angaben machen, aufgrund derer das Gericht die Frage der strafrechtlichen Verantwortung für sein Handeln unter Berücksichtigung der Aussagen der Sachverständigen und aller den Fall betreffenden Fakten entscheiden kann, wozu auch die Handlungen des Angeklagten in dem für das Verbrechen relevanten Zeitraum gehören.

Die Verteidigung vertritt die Auffassung, daß der Angeklagte unter schwerem psychischen Streß stand, daß er extrem provoziert wurde und deshalb unfähig war, vorsätzlich zu handeln, daß er unfähig war, das Unrecht seines Handelns zu erkennen oder in Übereinstimmung mit einer solchen Erkenntnis zu handeln, unfähig auch, sich überhaupt zielgerichtet zu verhalten.«

Sie hat etwas Heilsames, etwas Notwendiges für Harald und Claudia, vielleicht auch für ihren Sohn, diese nüchterne Darlegung der Fakten, die bei ihnen so von Emotionen überwuchert und mit Schmerz verbunden sind, daß sie sich ihrem Verständnis entziehen.

»Die entscheidenden Ereignisse der Nacht vom Donnerstag, dem 18. Januar, sind entweder beweiskräftig belegt oder werden nicht ernstlich in Zweifel gezogen. Als die Bewohner des Haupthauses, namentlich David Baker, Nkululeko Dladla, Carl Jespersen, sowie die Bewohner des Cottage, nämlich Natalie James und der Angeklagte, Besuch von Freunden bekamen, fand eine spontane Party statt. Der Angeklagte und Natalie lebten als heterosexuelles Paar zusammen, die drei Männer im Haus waren homosexuell, Baker und Jespersen waren ein Paar. Vor seiner Beziehung mit Natalie hatte der Angeklagte eine homosexuelle Beziehung mit Jespersen, doch allem Anschein nach tat das der engen Freundschaft und dem freundschaftlichen Zusammenleben der fünf Menschen in dem, was praktisch ein gemeinsamer Haushalt war, keinen Abbruch.«

Beim nächsten Satz hebt der Richter zum ersten Mal den Kopf und erfaßt das Publikum mit seinem Blick.

»Sie besaßen sogar eine gemeinsame Waffe und wußten, wie man damit umgeht.«

Es ist auch der erste Hinweis auf eine persönliche Einstellung zu dem Fall. Zu dem Fall und seinem Kontext. Er hat sich einen kurzen ironischen Kommentar gestattet, den diejenigen, die genügend Feingefühl haben, wie der Vater des Angeklagten, als achselzuckende Mißbilligung des Haushalts verstehen, den er sachlich und ohne jedes Vorurteil hinsichtlich der sexuellen Moral beschrieben hat. Die Bedeutung der gemeinsamen Waffe (›sie besaßen sogar‹) als Symbol der gemeinsamen, austauschbaren Beziehungen in dem Haus lenkt Haralds Aufmerksamkeit auf etwas, um das er sich längst hätte kümmern sollen, die ganze Zeit schon, womit er sich aber jetzt nicht befassen kann, nein, nein, weil jeder Satz, den der Richter spricht, ein selektives Voranschreiten im Diskurs des Rechts ist; man muß mit ihm Schritt halten, muß zwischen den Zeilen lesen (ihm von den Lippen ablesen, was seine Absicht ist), und gleichzeitig darf einem kein Wort entgehen. Harald möchte Claudia und Khulu auf diese Einstellung hinweisen, die der Richter sicherlich bewußt zu erkennen gegeben hat, aber es ist nicht einmal Zeit, sie mit einem Blick darauf aufmerksam zu machen.

»Als die Party an dem Abend zu Ende war und die Gäste in Begleitung von Nkululeko Dladla das Haus verließen, ging David Baker zu Bett, und der Angeklagte kehrte nach einer Auseinandersetzung mit Natalie ins Cottage zurück, während sie blieb und Jespersen beim Aufräumen und Abwaschen half.«

Er hat seine Zuhörer in den Bann geschlagen. Für all die anderen, die um die Eltern und deren Ersatzsohn Khulu herum sitzen, spielt sich hier, direkt vor ihnen, ein Drama ab. Einige der Personen des Stückes haben sie in Fleisch und Blut gesehen, da vorn, im Zeugenstand. Sie sind aufgefordert, die Vertraulichkeit zu teilen, die der Richter sich herausgenommen hat, indem er eine der Hauptpersonen in dieser Affäre nicht, wie die Männer, beim Nachnamen nennt, sondern schlicht ›Natalie‹: schließlich ist sie nur eine Frau. Wenn Claudia von den Lippen des Mannes da oben auf dem Richterstuhl etwas abliest, dann ist seine herablassende Art für sie heute eine unwichtige Nebensache; aber vielleicht drückt es in ihren Augen auch das Maß an Respekt aus, den dieses Miststück erwarten kann.

»Ungefähr zwei Stunden später wachte der Angeklagte im Cottage auf und stellte fest, daß Natalie nicht da war. Besorgt um ihre Sicherheit, weil sie zu so später Stunde den dunklen Garten durchqueren mußte, ging er zum Haus hinüber, wo er Natalie und Jespersen *in flagranti* antraf, beim Geschlechtsverkehr auf der Couch im Wohnzimmer. Sie bemerkten seine Gegenwart, aber er stellte sie nicht zur Rede. Er ging zum Cottage zurück. Natalie folgte ihm nicht, sie setzte sich in ihr Auto und fuhr davon.«

Mit der herausfordernd nüchternen Schilderung hat sich seine Aufmerksamkeit von den Zuhörern abgewandt. Die Augen sind wieder auf seinen Text gerichtet; sollen sie doch die schlüpfrige Szene, die er ihnen soeben präsentiert hat, goutieren.

»Der Angeklagte, von Beruf Architekt, ging am Freitag, dem 19. Januar, nicht zur Arbeit. Er blieb allein im Cottage, den ganzen Tag. Irgendwann zwischen 18 Uhr 30 und 19 Uhr – er kann sich nicht erinnern, auf die Uhr gesehen zu haben, und der Gärtner, der einzige Zeuge dafür, daß der Angeklagte zum Haus ging, weil er ihn auf dem Rückweg sah, besaß keine Uhr –, in diesem Zeitraum kam der Angeklagte aus dem Cottage, gab dem Hund sein Futter und ging durch den Garten zum Haus. Dort – die Tür zum Garten stand wie in der vorangegangenen Nacht offen – lag Jespersen auf der Couch, einen Drink in der Hand. Er spielte den Vorfall vom Abend zuvor herunter, berief sich auf den brüderlichen Kodex der Sexualmoral, der von den Mitgliedern des gemeinschaftlichen Haushalts geteilt wurde, und schlug dem Angeklagten vor, auch etwas zu trinken.«

Nein, nein, er gab dem Hund sein Futter nicht *auf dem Weg zum Haus*, wie es hier klingt, sondern er kam aus dem Cottage, um den Hund zu füttern, nicht um zum Haus hinüberzugehen! Das ist nicht nur ein Detail! Es kann entscheidend sein! Der Richter ist eine Enttäuschung, er erfüllt nicht das vorsichtige Vertrauen, das sie in ihn gesetzt haben. Claudia und Khulu bemerken Haralds Erregung, kennen aber die Ursache nicht. Claudia sieht Khulu an, und Khulu legt sein Gesicht in Falten besorgter Beruhigung: womöglich ist Harald einen Augenblick lang überwältigt von allem – von dem Ort, an dem sie sich befinden, und von dem, was sich an diesem Tag hier zuträgt. Die Pistole, der Richter spricht jetzt von der Pistole. Er, Khulu, hat sie auch in der Hand gehalten, hat sie ein- oder zweimal herumgewirbelt, ja.

»Die Hauswaffe, die am Abend zuvor einem Gast, der beabsichtigte, eine zu erwerben, vorgeführt wurde, war auf dem Tisch liegengeblieben. Mit dieser Waffe schoß der Angeklagte Jespersen da, wo er lag, in den Kopf. Der Schuß war tödlich. Auf dem Weg zurück zum Cottage warf der Angeklagte die Waffe im Garten fort; er wurde dabei von Petrus Ntuli, einem Aushilfsarbeiter, beobachtet, der zeitweilig, gegen freies Logis in einem Schuppen, als Gärtner auf dem Anwesen arbeitete. Kurz darauf kamen David Baker und Nkululeko Dladla nach Hause und fanden die Leiche. Sie liefen zum Cottage, um es dem Angeklagten mitzuteilen, erhielten aber auf ihr Rufen und Klopfen keine Antwort, so daß sie annahmen, er sei nicht zu Hause. Sie riefen die Polizei. Bei der Durchsuchung des Gartens stießen die Polizisten auf Petrus Ntuli, der ihnen sagte, der Angeklagte sei im Cottage und er, Ntuli, habe gesehen, wie er auf dem Weg zum Cottage etwas weggeworfen habe. Die Polizisten fanden die Waffe, verschafften sich Zutritt zum Cottage, nahmen den Angeklagten fest und brachten ihn zur Vernehmung auf die Wache. Er wurde unter Mordanklage gestellt. Auf der Waffe, Beweisstück Nr. 1, wurden seine Fingerabdrücke festgestellt.«

Das sind die Fakten – aber was ist mit dem Grund, warum er das Cottage verlassen hat, was ist mit der *Absicht*, der Hund! Der Hund!

»Die Fakten sind von der Verteidigung nicht in Zweifel gezogen worden. Dies vorausgesetzt, war es bei der Urteilsfindung meine Aufgabe und die meiner Beisitzer, die Stichhaltigkeit der Behauptung zu prüfen, der Angeklagte habe unter zeitweiliger nichtpathologischer Schuldunfähigkeit gehandelt, wie die Verteidigung für den Angeklagten geltend macht. Ich sage hier ›für den Angeklagten‹, obwohl es sich von selbst versteht, daß jeder gewählte Verteidiger seinen Angeklagten vertritt, und ich tue das deshalb, weil der Angeklagte in diesem Fall sein Recht, selbst zu seiner Verteidigung auszusagen, nicht wahrgenommen hat.

Er leugnet, den Freitag im Cottage auf Rache sinnend

verbracht zu haben. In seiner Aussage sagte er: ›Rache wofür? Sie gehören mir doch nicht, sie sind frei, sie können machen, was sie wollen‹ – womit er sich *indirekt* gegen den Vorwurf vorsätzlichen Handelns verteidigt. Aber er betont auch nicht die Tatsache, daß das Paar für die schwerwiegende Kränkung seiner Gefühle verantwortlich war. Er beschreibt seine Reaktion an dem Abend als etwas, das in ihm selber entstand, ohne ihnen die Schuld zuzuweisen. In Beantwortung der Frage, ob er an eine von Rachegefühlen bestimmte, gegen das Paar gerichtete Anschuldigung oder gar Handlung gedacht habe, sagte er: ›Das einzige, woran ich mich erinnern kann – als ich sie so sah –, war Ekel ... der Zerfall von allem, Ekel vor mir, vor allen ...‹

Ähnlich weist er auch die Unterstellung, daß er die Absicht hatte, Jespersen zur Rede zu stellen, als er zum Haus hinüberging, nicht *kategorisch* und entschieden zurück. Dem Gericht gab er lediglich die Antwort: ›Ich stand plötzlich im Garten ... Ich wollte mit niemandem sprechen ... Und dann war ich auf einmal wieder da, wo ich an der Tür gestanden hatte.‹ Er bezieht sich hier auf die Nacht zuvor, als er das Paar gesehen hatte. Die Verteidigung hat diese Aussage als Zeichen seiner Fassungslosigkeit gewertet – was heißen soll, daß das, was er am Abend zuvor im Haus gesehen hatte, nicht geschehen sein konnte. Er mußte zurückkehren, als müßte er sich die Szene bestätigen. Dem Gericht leuchtet diese Deutung ein. Die Behauptung des Staatsanwalts, daß der Angeklagte Freitag, den 19. Januar, damit verbracht habe, auf Rache gegen das Opfer zu sinnen, wird weder durch den Inhalt der Aussage des Angeklagten noch durch die Art, wie er sie vortrug, bestätigt. Ich und meine Beisitzer, die wir den Ton und die Melodie von Lügen gewöhnt sind, erkennen darin die Merkmale einer wahrheitsgemäßen Aussage.«

Eine neue Spannung – eine Hoffnung – nimmt die drei gefangen. Harald und Claudia erstarren in der Berührung, wagen es nicht, loszulassen. Es kommt so unerwartet, dieses Verständnis von einem, der das Urteil über Duncan fällt, und von seinen Lippen lesen sie keinen Widerspruch ab – ist es überhaupt üblich, daß soviel Anteilnahme mit einem Angeklagten in einer Urteilsbegründung ausgedrückt wird? Wie können sie das wissen? Den, der es bestimmt weiß, können sie nicht fragen: Motsamai, er ist unerreichbar auf seinem Platz vor der Richterbank, neben seinem Klienten. Harald hört Claudias rasches Atmen, das von einem pochenden Herzen kommt. Ihr Sohn ist nicht verrückt, und er ist auch kein Lügner. Was er sagt (und sein Körper widerspricht dem nicht), hat die Merkmale einer wahrheitsgemäßen Aussage. Wenn Motsamai, Hamilton, eine Antwort übermitteln könnte – zählt die Wahrheit? Kann die Wahrheit einen retten?

Und noch während diese Fragen ihnen Auftrieb geben, stürzen sie plötzlich wieder ab. Wovon spricht der Richter jetzt? Motsamai, *Hamilton!* – ist eine Urteilsverkündung eine Ein-Mann-Veranstaltung, bei der sich der Spieler selbst herausfordert und seinen Spaß daran hat, Schlußfolgerungen hin- und herzuschieben, damit sie erst die eine Schale der berühmten Waage beschweren und dann die andere?

»Auch wenn Vorsätzlichkeit nicht gegeben ist, folgt daraus nicht unbedingt, daß der Täter bei der Ausführung des Verbrechens, in der Abfolge der Handlungen, durch die ein Verbrechen *in einem bestimmten Moment* begangen wird, schuldunfähig ist. Gehen wir also davon aus, daß der Angeklagte vom Cottage zum Haus ging, um sich zu überzeugen, daß das, was er am vorangegangenen Abend auf der Couch im Wohnzimmer gesehen hatte, tatsächlich geschehen war, nur um den Ort noch einmal zu betrachten (hier verliert der Richter offenbar für einen Moment die Konzentration, ist womöglich mit einem Aspekt seines eigenen Lebens, der an die Oberfläche drängt, beschäftigt, will aber vielleicht mit der Pause auch Wirkung erzielen, er ist ein Profi, sie sind alle Profis, seine Beisitzer, der Staatsanwalt und der Verteidiger), ... so erblickte er statt dessen Carl Jespersen, auf derselben Couch. Die Aussagen der psychiatrischen Sachverständigen, sowohl die für die Staatsanwaltschaft als auch die für die Verteidigung, legen überzeugend dar, daß diese Begegnung und die empörende, gefühlskalte Annahme Jespersens, daß der Vorfall vom Abend zuvor, dessen Zeuge der Angeklagte geworden war, belanglos sei und mit einem Drink unter Freunden abgetan werden könne, einen zweiten schweren Schock auslöste.«

Es war wie der Arm auf der Schulter bei der Begegnung von Staatsanwalt und Verteidiger auf dem Flur: der Gerichtssaal, in dem einer den Mann bezichtigte, der andere ihn verteidigte, spielte keine Rolle. Aber Harald weiß, er selber sollte als letzter von der Berufsethik anderer enttäuscht sein; seit die Enttäuschung hier, im Gerichtssaal, erst einmal begonnen hatte, war ihm seine eigene Berufsethik immer zweifelhafter geworden.

»Eine Vorbereitung im Sinne von Vorsätzlichkeit ist nicht erforderlich, um in einem solchen Moment den bewußten und überlegten Entschluß zu fassen, Rache zu nehmen. Rache äußert sich in einer solchen Situation meistens in Gestalt eines tätlichen Angriffs, entweder mit bloßen Händen oder mit irgendeinem Gegenstand, der sich als Waffe anbietet. Es ist ein unglücklicher Umstand, daß eine tödliche Waffe, eine Pistole, wie ein normaler Haushaltsgegenstand betrachtet wurde und auf dem Tisch im Wohnzimmer lag.«

Wie soll man den Windungen und Drehungen, den behenden Kehrtwendungen in dem, was der Mann sagt, folgen, während er vor geht und zurück, den Kopf über den Text beugt und ihn dann hebt, um sie abermals ins Vertrauen zu ziehen? Sie sind verzweifelt, weil sie die Richtung, in die seine Gedanken gehen, mal halb erfassen, dann wieder verlieren, als wären sie ein paar kostbare Sekunden lang unaufmerksam gewesen. Was bedeutet dies oder das, wo sind die entscheidenden Wörter, die Hinweise darauf geben, wie ein Urteil entsteht? Beide sind verwirrt und beunruhigt, weil sie wissen wollen, ob der andere das Fehlende mitbekommen hat, aber nicht wagen, die Aufmerksamkeit zu unterbrechen und flüsternd eine Frage zu stellen.

»Der Angeklagte hätte mit bloßen Fäusten auf ihn losgehen können; statt dessen nimmt er die Pistole und schießt Jespersen in den Kopf. Bei seiner Vernehmung sagte er: ›Der Lärm hörte auf.‹ Er wollte Jespersen nicht mehr hören und brachte ihn mit dem äußersten Racheakt zum Schweigen. Er nahm ihm das Leben.«

Kein Lügner, aber ein Mörder.

Claudia erkennt, daß sich ihr ganzes Leben auf diesen Moment zubewegt hat. All die Ambitionen, die sie so naiv hatte erfüllen wollen, als sie noch klein war, die Vorsätze, ihr Leben dem Heilen zu widmen, die sie als Erwachsene gehabt hatte – dahin haben sie nun geführt. Das Ziel ist unvorstellbar; wenn wir es am Anfang kennten, würden wir uns niemals auf den Weg machen.

»Laut gerichtsmedizinischem Befund traf der abgegebene Schuß die Stirn des Opfers, was auf eine absichtliche Handlung schließen läßt. Ob das bedeutet, daß mehrere *bewußte* Handlungen nötig waren, um die Waffe auf ihr Ziel zu richten und abzufeuern, wie der Staatsanwalt behauptet, oder ob jemand, der mit dem Umgang mit Waffen vertraut ist, eine Waffe mit automatischen Handgriffen, die keiner bewußten Willensentscheidung bedürfen, schußbereit machen kann – so die Argumentation der Verteidigung –, ist jetzt der entscheidende Punkt, der in der Frage, ob strafrechtliche Verantwortung gegeben ist, wie der Staatsanwalt behauptet, oder ob dies ein Fall von zeitweiliger, nichtpathologischer Schuldunfähigkeit ist, wie die Verteidigung anführt, zu betrachten ist, unter Berücksichtigung der Aussagen der Sachverständigen sowie aller den Fall betreffenden Fakten. In Betracht gezogen werden müssen zudem nicht nur die Handlungen des Angeklagten in dem Zeitraum, der für das Verbrechen von unmittelbarer Relevanz ist, sondern auch die Umstände, die in der persönlichen Geschichte des Angeklagten der Tat vorausgehen.«

Das tönende Gewirr aus Wörtern betäubt. Selbst die äußerste Konzentration, die das Gebet ist, endet in einer Sackgasse, findet sich plötzlich auf einem Terrain wieder, das sie scheinbar gerade erst verlassen hat. Bei Passagen wie dieser geht eine Unruhe durch die Reihen des Publikums. Das ganze Für und Wider hat mit den Zuschauern nichts zu tun, sie warten auf die Fortsetzung der Geschichte. Eine Urteilsverkündung ist das, was von der Tradition des Geschichtenerzählens um ein offenes Feuer herum übriggeblieben ist, sie sind hier, weil sie eine aufregende Geschichte erzählt bekommen möchten.

Jetzt geht die Geschichte wieder weiter, gut; sie handelt von dem jungen Mann, den sie sich im Zeugenstand genau anschauen konnten, sein Gesicht, seine Gesten (was der Richter seine ›Art‹ nannte). Sie handelt von einem Mörder.

»Die psychiatrischen Sachverständigen sowohl der Staatsanwaltschaft als auch der Verteidigung bestätigen, daß der Angeklagte hochintelligent ist und über ein gesundes Urteilsvermögen verfügt. Er stammt aus guter Familie, hat einen angesehenen Beruf und steht anscheinend am Beginn einer vielversprechenden Laufbahn. Es gibt keinen Grund, die Behauptung der Verteidigung, das Verhalten des Angeklagten als Erwachsener insgesamt stehe im Widerspruch zu einer Gewalttat, in Zweifel zu ziehen. Bei seiner Vernehmung sagte der Zeuge Nkululeko Dladla, ein Mitglied des gemeinschaftlichen Haushalts, aus, daß es ›nicht in seinem Wesen liegt‹ zu töten.«

Und da ist er, dieser Dladla, er sitzt bei den Eltern des Mörders, gleich hier. Die Leute im Saal drehen sich zu ihm um: Es ist, als hätte er selbst gesprochen, ein breiter Schwarzer, der die Abzeichen der Schwulen – Ringe und Ketten – wie militärische Orden trägt. Harald und Claudia sind gerührt, daß der Richter Khulu zitiert hat, sie empfinden es als Auszeichnung, erkannt zu werden, als aller Augenmerk sich auf ihn richtet; unter den Blicken der Zuschauer reibt sich Khulu mit der Faust über den Wangenknochen, wie er es oft tut, das haben sie beobachtet, wenn er etwas, das er auf seine ruhige Art gesagt hat, hervorheben möchte.

Ah, aber hör dir das an, sagen Harald und Claudia im selben Moment, wortlos, einer zum andern, als die Erzählung des Richters wieder eine unerwartete Wendung nimmt, hör dir das an!

»In der Tat liegt es nachweisbar in seinem Wesen, anderen zu helfen. Der Angeklagte lernte Natalie kennen, als sie einen Selbstmordversuch unternommen hatte, und er holte sie, wie sie selbst sagte, ins Leben zurück. Nachdem sie angefangen hatten, als Paar zusammenzuleben, rettete er sie ein weiteres Mal nach einem Selbstmordversuch. Obwohl er leidenschaftlich in sie verliebt war, bestätigen sowohl Natalie selbst als auch Dladla, daß die Beziehung keine glückliche war. Anscheinend war Natalie dem Angeklagten nicht dankbar dafür, daß er ihr das Leben gerettet hatte. Auf die Frage, warum die Beziehung, die sie und der Angeklagte gewählt hatten, nicht glücklich war, antwortete sie bei ihrer Vernehmung: ›Mein Leben gehörte ihm, weil er mich ins Krankenhaus gebracht hatte.‹ Ihre Haltung ihm gegenüber, wie sie im Kreuzverhör durch den Verteidiger zutage trat, war voller Groll, was Dladlas Aussage, daß ›er geduldig mit ihr war … wie mit einer Kranken … obwohl sie ihm das Leben zur Hölle machte‹, bestätigt. Sie quälte ihn vor den anderen Bewohnern des Hauses. Die Gleichgültigkeit, wenn nicht gar Verächtlichkeit, mit der sie dem Gericht erklärte, beide, sowohl der Tote als auch der Angeklagte, könnten Vater des Kindes sein, das sie erwartet, erscheint als ein besonders bösartiges Beispiel dafür, wie sie den Mann quält, der sie liebt und der sich vor Gericht wegen eines Verbrechens aus Eifersucht verantworten muß, für das ihr Verhalten durchaus eine Ursache, wenn auch nicht die ausschließliche war.«

Ein Richter weiß alles. Er ist der Stellvertreter des Gottes der Gerechtigkeit, so wie ein Priester der Stellvertreter Gottes ist, er kennt die Beichtgeheimnisse vor Gericht, wo Zeugen und Sachverständige und der Angeklagte Dinge erzählen, die Harald und Claudia sonst niemals erfahren hätten. Dieses Wissen ist doch die Grundlage für die Gerechtigkeit, nicht wahr? Heißt, alles zu wissen, alles zu verzeihen? – Nein, das wäre ein Trugschluß. Der Mann ist tot, in den Kopf geschossen. Er liegt unter der Erde der Stadt, in der das Gericht der Sitz des Rechts ist. Aber alles zu wissen: Der Richter wird doch irgendwelchen aufgebrachten Forderungen nach Vergeltung, die die Gesellschaft, hier vertreten durch den Staatsanwalt, erhebt, nicht stattgeben? Er muß auch das Schicksal des einzelnen in Betracht ziehen.

Motsamai denkt sicherlich – was? Die Hoffnung – sie läßt sich nicht unterdrücken. Duncan – aber fast kommt es ihnen wie eine Behelligung vor, wenn sie sich fragen, was er wohl denkt, wie ihm zumute ist. Als wäre er, der Opfer und Opfergabe ist, *in extremis* gesalbt und ferngehalten von der Verderbnis menschlicher Berührung, die er bis zum furchtbaren Äußersten trieb, indem er einem anderen Menschen das Leben nahm. Aber die Hoffnung. Kann sie, von ihnen ausgehend, ihren Sohn erreichen?

»Leider liegt es nicht in der Befugnis dieses Gerichts, eine Zeugin zur Untersuchung an einen Psychiater zu verweisen.« Und wieder hat sich der Richter in einer beiläufigen Äußerung eine sarkastische Bemerkung erlaubt für all diejenigen, die dergleichen zu schätzen wissen.

Jemand unterdrückt ein grobes Lachen. Das ist ein Verstoß gegen die Gerichtsordnung, aber wahrscheinlich hat der Richter diese Reaktion aus dem Publikum erwartet.

»Folglich ist es schwierig, die Behauptung der Verteidigung zu bewerten, daß das *Ausmaß* an Belastung, das diese junge Frau ihrem geduldigen und hingebungsvollen Partner aufbürdete, seinen Gipfel darin fand, daß er im Zustand der Schuldunfähigkeit ein Verbrechen beging. Natalie hatte nachweislich andere flüchtige sexuelle Abenteuer in der Zeit, in der sie mit dem Angeklagten zusammenlebte, Abenteuer, die er verziehen oder zumindest toleriert hat. Warum hätte er also, wenn er nicht unter ständig wachsendem, von ihr verursachtem Streß gestanden hätte und so in einen Zustand geraten wäre, in dem er für seine Handlungen nicht mehr verantwortlich war, warum hätte er ihren Betrug dann nicht erneut verzeihen oder tolerieren sollen?

Wir müssen uns nun den besonderen Umständen *dieses*

sexuellen Abenteuers zuwenden. Das Gericht hat von dem Angeklagten selbst gehört, daß das, was er an jenem Abend sah, nicht nur seine Geliebte, Natalie, beim Geschlechtsverkehr mit einem anderen Mann war, sondern daß außerdem dieser Mann Carl Jespersen war, ein Homosexueller, der seinerseits den Angeklagten zu seinem Geliebten genommen und ihn dann fallengelassen hatte und der sich wiederholt angewidert über weibliche Sexualität geäußert hatte. Der Angeklagte hat dem Gericht gegenüber keine Aussage über seine Gefühle für seine gegenwärtige Partnerin und seinen früheren Partner gemacht, noch darüber, wie er Jespersens Rolle in dieser Szene deutet, da es ihm doch unvorstellbar gewesen sein muß, daß Jespersen sich je zu diesem Akt zwingen würde. In der Einschätzung des psychiatrischen Sachverständigen der Verteidigung heißt es: ›Als er – der Angeklagte – sie beim Geschlechtsverkehr mit seinem früheren Liebhaber sah, fühlte er sich von beiden entmannt.‹«

Die Stille ist eine große Hand, die sich über den Gerichtssaal breitet.

Plötzlich sind die Zuschauer auf den Bänken keine Fremden mehr, ihre Lüsternheit wird erstickt wie zuvor das Lachen, ihre Anwesenheit breitet sich schützend um die Eltern dieses Mannes.

»Das Gericht folgt der Einschätzung, daß es ›nicht in seinem Wesen lag zu töten‹. Aber was der Angeklagte in dem Akt sah und womit er am nächsten Abend in der Haltung des Verstorbenen konfrontiert wurde, entsprach mit Sicherheit selbst unter den liberalsten Sexualnormen nicht der Natur menschlicher Beziehungen. Angesichts dieser außergewöhnlichen Umstände hätte der Angeklagte – so die Behauptung der psychiatrischen Sachverständigen der Staatsanwaltschaft – den Getöteten auf der Stelle, an dem

Abend, als er das Paar entdeckte, angegriffen, wenn er in einem Zustand verminderter Schuldfähigkeit gehandelt hätte und nicht in der Lage gewesen wäre, das Unrecht seines Verhaltens zu erkennen. Die Psychiaterin vertritt die Auffassung, daß der Angeklagte am nächsten Abend zum Haus hinüberging, nachdem er den Tag über in einsamen Grübeleien aus Eifersucht und dem Wunsch nach Rache einen bewußten Entschluß gefaßt hatte. Auf die Frage, ob der Angeklagte ihrer Meinung nach die Absicht hatte, Jespersen zu töten, antwortete die Psychiaterin, sie sei nicht in der Lage zu sagen, zu welcher extremen Handlung seine Intentionen ihn befähigen würden.

Damit wendet sich das Gericht der Frage der Waffe zu, die griffbereit auf dem Tisch lag: Dachte der Angeklagte in bewußter Absicht an die herumliegende Pistole, die er, wie er zugibt, am Abend zuvor, als sie im Wohnzimmer vorgezeigt wurde, gesehen hatte?«

Der Richter wirft einen fragenden Blick in die Runde, aber die Zuschauer rühren sich nicht.

»Der von der Verteidigung beauftragte Psychiater argumentierte, daß der Angeklagte in einen Zustand der Dissoziation gestürzt wurde, als er am 19. Januar mit dem Anblick von Jespersen konfrontiert wurde. Er behauptet, daß die Aufforderung des Getöteten: ›Nimm dir doch einen Drink‹, und die Haltung, die darin zum Ausdruck kam, einen zweiten Schlag darstellte, ähnlich jenem, den er in der Nacht zuvor erlitten hatte. Seiner sachverständigen Ansicht nach hat ›ein heftiger emotionaler Schlag eine ebenso starke Wirkung wie ein Schlag auf den Kopf‹. Weiter sagte er: ›Mit der Wirkung dieser letzten Worte Jespersens, an die er sich erinnert, dürfte er in einen Zustand des Automatismus eingetreten sein, in dem alle Hemmungen aufgehoben wurden.‹

Das warf noch einmal die Frage nach der Provokation auf, die ihrer Art und ihrem Ausmaß nach zu dem extremen Affekt führte, der nach Argumentation der Verteidigung eine zeitweilige nichtpathologische Schuldunfähigkeit zur Folge hatte. Der psychiatrische Sachverständige sagte aus, der Angeklagte sei, und ich zitiere: ›ein Mann mit bisexueller Veranlagung. Das an sich ist schon Quelle eines Persönlichkeitskonflikts. Er stand unter emotionalem Streß, als er seinen homoerotischen Neigungen folgte und sich auf eine Affäre einließ, die sein Partner, Jespersen, nicht ernst nahm und beendete. Er überwand sein Unglück nach dieser Zurückweisung und hielt sich an die andere, wahrscheinlich dominante Seite seines Wesens, indem er eine heterosexuelle Bindung einging, in der er, wiederum, ernsthafte Verantwortung übernahm. Um so mehr, als dies eine Verbindung mit einer offenkundig neurotisch veranlagten Persönlichkeit war mit komplexen, selbstzerstörerischen Tendenzen, deren Ausbrechen er zu verhindern wußte, wofür sie ihn, weil sie es als ihr Recht betrachtete, ihnen nachzugeben, durch Herabwürdigung und psychische Aggression bestrafte.‹ Die von mir bereits zitierte Schlußfolgerung aus dieser Einschätzung lautete, daß der Angeklagte, als er sie beim Geschlechtsverkehr mit seinem früheren Geliebten sah, sich von beiden entmannt fühlte.«

Claudia merkt, daß Khulu ein wenig die Arme hebt und wieder sinken läßt. Auf der anderen Seite ist Haralds Profil das von Duncan, die Abfolge der Ähnlichkeit ist verdreht; sie ist einen Moment verwirrt. Vor ihrem inneren Auge sieht sie plötzlich das Gesicht eines Patienten, den sie zu einer Operation eingewiesen hat, die heute stattfinden soll: ein Fragment des medizinischen Alltags, der ihr Leben ist, weht durch ihre Gedanken. *Meine Beisitzer und ich*, sagt die Stimme …

»Meine Beisitzer und ich müssen natürlich die Aussage der psychiatrischen Sachverständigen sorgfältig prüfen und ihre Bedeutung beurteilen. Wie jedoch das höchste Gericht des Landes einmal gesagt hat, ist ihre Wissenschaft eine empirische und keine exakte. Psychiater verlassen sich auf das, was ihnen von dem Angeklagten gesagt wird, oft ohne diese Darstellung daraufhin zu überprüfen, ob der Angeklagte mit diesen Aussagen nicht einen bestimmten Zweck verfolgt. Meine Beisitzer und ich sind ebenso in der Lage, aufgrund des gesamten uns vorgelegten Beweismaterials zu entscheiden, ob der Angeklagte strafrechtlich verantwortlich war oder nicht. Auch wenn der psychiatrische Sachverständige für die Verteidigung die Meinung vertritt, daß keine strafrechtliche Verantwortung gegeben ist, und selbst die psychiatrische Sachverständige für die Staatsanwaltschaft Einschränkungen im Sinne unserer Gesetze machte – wenn auch widerstrebend –, so sind wir doch berechtigt, unsere eigenen Schlüsse zu ziehen. Wir halten es für eine Tatsache, daß der Angeklagte eine Geschichte anhaltender emotionaler Belastung hinter sich hat, aber ist das hinreichend?«

So selbstsicher hatten sie ihr Leben beherrscht, Claudia und er. Dann wurden sie in Motsamais Hände gegeben, jetzt sind sie der Macht dieses Mannes ausgeliefert, der fragt: Aber ist das hinreichend? Nur Duncan könnte die Frage beantworten.

»Wir wollen die zwei entscheidenden Aspekte des Falls noch einmal nennen.

Erstens: Faßte der Angeklagte vorsätzliche Rachegedanken, als er den Tag allein im Cottage verbrachte, und ging er folglich zum Haus, um Jespersen zu stellen und ihm körperlichen Schaden zuzufügen?

Zweitens: Ungeachtet der Frage, ob eine gewalttätige

Absicht gefaßt worden war oder nicht, war der Angeklagte in dem Moment, als er die Waffe in die Hand nahm und auf Jespersen schoß, in einem Zustand des Automatismus, der seine Hemmungen außer Kraft setzte und jede Selbstkontrolle aufhob?

Was die erste Frage angeht, so sind mein geschätzter Beisitzer, Mr. Abrahamse, der selbst Anwalt ist, und ich der Auffassung, daß kein Vorsatz, körperlichen Schaden zuzufügen, vorlag, und zwar mit der folgenden Begründung: Zum einen machte der Angeklagte bei seiner Vernehmung keinerlei Versuch, sich zu verstellen; zum anderen hatte er, als er das Cottage verließ, keine Waffe bei sich, und obwohl die Pistole im Haus nicht verschlossen, sondern im Schlafzimmer aufbewahrt wurde, war es naheliegend, anzunehmen, daß sie beim Aufräumen nach der Party nicht auf dem Tisch liegengelassen worden war. Mein geschätzter Beisitzer, Mr. Conroy, seinerseits erfahrener Laienrichter, vertrat die Minderheitsauffassung, daß ein Vorsatz gegeben war. Seine durchaus erwägenswerte Begründung stützte sich darauf, daß die Abschottung des Angeklagten im Cottage auf diese Absicht verwies.

Was Frage zwei angeht, so hat das Gericht die widersprüchlichen Elemente sorgfältig abgewogen, nämlich die Darstellung des einzigen Zeugen *des Verbrechens an sich*, des Angeklagten selbst – abgesehen von der Tatsache, daß die Leiche des Opfers gefunden wurde –, und die verschiedenen Deutungen seiner Tat, die vor Gericht dargelegt wurden. Der Angeklagte sagte aus, er habe die Pistole beim Betreten des Wohnzimmers nicht gesehen, und er konnte auch nicht angeben, wann er sie wahrnahm. Er gibt jedoch zu, daß er sie in die Hand nehmen konnte und dies auch tat. Er sagt, er habe ›keine Entscheidung‹ getroffen, dennoch hat er geschossen.«

Der erhobene Blick beschuldigt sie, die Mutter und den Vater und den Freund des Mörders, obwohl der Richter wahrscheinlich nicht weiß, wo sie unter den Gesichtern zu finden sind. Sie nehmen den Blick auf sich.

»Die Frage, ob der Angeklagte wußte, daß die Pistole geladen war, läßt sich nicht klar beantworten. Falls er es nicht wußte – obwohl es naheliegend ist anzunehmen, daß er es wußte, da er auf der Party gesehen haben könnte, wie sie vorgeführt wurde – und sich davon überzeugen mußte, indem er die Kammer öffnete, hätte der Gestorbene sicher Zeit gehabt, aufzuspringen, um sich zur Wehr zu setzen. Die Stichhaltigkeit der Behauptung, man könne sich überzeugen, ob eine Waffe geladen ist, einerlei, ob sie gesichert ist oder nicht, man könne darauf einen genauen Schuß auf den Kopf abgeben, auch wenn man kein erfahrener Schütze ist und sich in einem Zustand befindet, in dem man zu keiner zielgerichteten Handlung in der Lage ist, was ja die Definition von Schuldunfähigkeit wäre, muß daher angezweifelt werden. Der Angeklagte hat zugegeben, daß die Pistole, mit der er umgehen konnte, dennoch die ›einzige war, die ich je in der Hand gehabt habe‹. Die Benutzung eines Gegenstandes, an den man nicht gewöhnt ist, verlangt im allgemeinen bewußte Aufmerksamkeit, und sei die Handhabung noch so einfach.«

Der Schutzwall, der sich um sie gelegt hatte, wird zurückgezogen; die Anwesenden sind wieder zu Zuschauern geworden, die ungeduldig darauf warten, daß das ganze juristische Ja und Nein und Wenn und Aber ein Ende hat. Die Bedeutung der nächsten Feststellung des Richters, die er sorgfältig betont und ohne den theatralischen Klang vorbringt, der in mancher seiner anderen Feststellungen mitschwang, befriedigt die Erwartungen keineswegs.

»Deswegen sind meine Beisitzer und ich zu der Auffassung gelangt, daß das Verbrechen, obwohl es unter extremer Provokation verübt wurde, eine bewußte Tat war, für die der Angeklagte strafrechtliche Verantwortung trägt.«

Selbst Harald und Claudia, die in ihrer intensiven Konzentration das Ja und Nein des verschlungenen Diskurses abgewogen hatten – ach, wären sie doch unbeteiligt und weit genug entfernt, daß sie sich langweilen könnten –, stutzen einen Moment, bevor sie die trockene Konstatierung einer begründeten Meinung als den gefallenen Hammer des Urteils begreifen. Warum fährt er fort, warum nur, er hat doch *seine* Waffe ergriffen und damit zugeschlagen, mitten auf die Brust? Strafrechtliche Verantwortung. Unser Sohn ist nicht verrückt. Duncan, hast du gehört, hast du das verstanden?

Aber der Mann redet weiter. Er quält sie, kann das Gesagte nicht auf sich beruhen lassen, muß es wieder tun. Muß ihnen Hoffnung machen.

»Das Gericht berücksichtigt in vollem Ausmaß bestimmte mildernde Umstände, obwohl der Angeklagte keine Reue zeigt. Erstens trug er keine Waffe bei sich, als er zum Haus hinüberging. Zweitens hat er nicht wissen können, daß der Gestorbene auf der Couch liegen würde, genau da, wo der Geschlechtsverkehr in der vorangegangenen Nacht vor seinen Augen stattgefunden hatte. Drittens, die Waffe lag *zufällig* dort auf dem Tisch. Wäre sie nicht da gewesen, hätte der Angeklagte den Getöteten vielleicht verbal angegriffen oder auch geschlagen, die Form der Rache, zu der hintergangene Liebhaber der einen Art … oder vielleicht beider, üblicherweise greifen.«

Jetzt scheint er sich von seinem Text zu entfernen und alle anzuklagen: die Versammelten und sich selbst, die Straßen und Vororte und Squattercamps jenseits des Gerichtsgebäudes mit seinen Fluren, den Pöbel, zu dem sie seiner Ansicht nach alle gehören und der sich um den belagerten Palast der Justiz drängt. »Doch das ist die Tragödie unserer Zeit, eine Tragödie, die sich täglich, nächtlich in dieser Stadt und in unserem Land wiederholt. Als Teil der Einrichtung unserer Häuser, in der Hosentasche zusammen mit den Autoschlüsseln, selbst in Schultaschen von Kindern, ständig griffbereit in Situationen, die zu einer Tragödie führen – die Waffe *ist zufällig da*.«

Khulus Kopf zuckt, als wehrte er sich gegen die selbstauferlegte Zurückhaltung, aber Harald denkt: Die richterliche Gewalt hat ihre kleine Moralpredigt gehalten, ja. Hat das eine Auswirkung auf das, was mit meinem Sohn passieren wird, der, wie alle anderen auch, Gewalt einatmete wie Zigarettenrauch?

Der Richter nimmt sich zurück.

»Die Pistole war da, der Angeklagte war willens, sie zu einem tödlichen Zweck zu benutzen.

Das Gericht befindet Duncan Peter Lindgard, unter Berücksichtigung mildernder Umstände, des Mordes an Carl Jespersen schuldig.

Die Verkündung des Strafmaßes wird auf morgen, zehn Uhr, vertagt.«

Dem Recht ist Genüge getan, die Menschen haben es gesehen. Jetzt beschämt es sie, neugierige Beobachter des Paares zu sein, dem etwas Schreckliches geschehen ist; sie treten zurück, schieben sich gegenseitig aus dem Weg, um Harald und Claudia und diesen Schwarzen, diesen *Moffie* – den Zeugen – vorbeigehen zu lassen. Claudia sieht einem Fremden ins Gesicht, und der senkt den Blick.

Ein emotionaler Schock kann ebenso heftig sein wie ein Schlag auf den Kopf. Aber dieses Urteil ist kein Schock, es ist die Befreiung aus der Umklammerung der Angst, die beide seit Wochen nur mit Mühe auf Distanz halten konnten. Immer näher war sie an sie herangerückt, in den Tagen in diesem Saal, näher als die Fremden um sie herum. Sie hatte auf diesen Moment gewartet, auf sie, Harald und Claudia. In dem Hin und Her von Polizisten, Anwälten und Justizangestellten, die die Akten zusammenpacken, nach denen Recht gesprochen worden ist, ist es schwierig, Duncan zu finden. Er ist nicht da? Duncan war nie hier, nie. Nichts von alledem hätte je ihrem Sohn geschehen können.

Am nächsten Morgen um zehn Uhr erheben sich die Anwesenden beim Eintritt des Richters. Papiere werden zusammengeschoben; durch die nach Osten gerichteten Fenster fällt Sonnenlicht ein und scheint durch die abstehenden großen Ohren des Richters. Er ist eine Ikone, die jene verdrängen könnte, zu der Harald früher gebetet hat.

Anscheinend ist es üblich, daß Staatsanwalt und Verteidiger kurz um das Strafmaß ringen, als wäre es nicht längst in den Papieren unter den Händen des Richters festgeschrieben. Papiere, die da liegen wie halb geöffnete Münder, bereit zu verkünden, was er hinter fest verschlossenen Lippen zurückhält. Gewissenhaft wiederholt der Staatsanwalt, was er von dem Angeklagten im Kreuzverhör in Erfahrung gebracht hat. Jeder Zweifel ist ausgeschlossen, da sich die Fakten des Falls aus der Selbstbezichtigung des Angeklagten ergeben. »In der Urteilsbegründung haben Euer Ehren festgestellt, daß der Angeklagte keine Reue zeigte. Gehen wir einen Schritt weiter: Jemand, der keine Reue zeigt, zeigt damit auch, daß er sich *die Ausführung der Tat gewünscht hat*, ob er sie bewußt begangen hat oder nicht. Er empfindet keine Reue, weil er den Tod dieses Mannes, der ihn als Geliebten verschmähte und dann der Liebhaber seiner Geliebten war, wollte. Der Angeklagte, der sich nicht verteidigt, akzeptiert, daß sein Verbrechen sein Verbrechen ist, Strafmilderung kann er nicht erwarten. Eine Strafmilderung über das Zugeständnis von mildernden Umständen hinaus, die das Gericht bereits gewährt hat, wirft die Frage auf, welches Beispiel, welche Botschaft unsere Gerichte damit an die Gesellschaft aussenden würden. Euer Ehren erwähnte das Klima der Gewalt in unserem Land, das Anlaß zu tiefer Besorgnis gibt. Wenn ein Verbrechen, das aus dem Zusammenleben von Menschen wie dem Angeklagten und seinen Mitbewohnern und Freunden erwächst, in einem Haus, wo keine gängigen Normen, sei es in sexuellen Beziehungen, sei es im Umgang mit einer Waffe, eingehalten werden – wenn ein solches Verbrechen mit Nachsicht beurteilt wird, setzt das nicht ein Zeichen für eine gefährliche Duldung all dessen, was die Sicherheit und den Anstand im Zusammenleben der Menschen bedroht, auf die sich die neue Ordnung unseres Landes gründet? Ja, die Waffe war da, und das Verbrechen aus nach Rache trachtender Eifersucht wird keineswegs *entschuldigt* durch Entführungen, Vergewaltigungen und Raubüberfälle, sondern ist ein weiteres Beispiel für den Mißbrauch von Freiheit, der dann gegeben ist, wenn man sich seine eigenen Regeln schafft. Da nämlich fängt es an – indem man alle Maßstäbe ablehnt und die totale Freizügigkeit verlangt, wie das der Angeklagte und seine Freunde getan haben. Was dazu führt, daß der Mord an einem aus ihrer Mitte *zugelassen* wird, der Mord an einem der *Bettgefährten* durch einen anderen – den Angeklagten. Ich brauche das Gericht nicht daran zu erinnern, daß sowohl der Gesellschaft als auch dem Angeklagten Gerechtigkeit widerfahren muß. Das Urteil muß einerseits im Verhältnis zu dem individuellen Schaden stehen, den der Angeklagte angerichtet hat, indem er einem anderen Menschen das Leben nahm. Andererseits muß es im Verhältnis zu dem Schaden stehen, den er der Gesellschaft zugefügt hat – schließlich ist er ein höchst privilegierter junger Mann, ein Akademiker, dem die Gesellschaft alle Möglichkeiten eröffnet hat –, indem er einer moralischen Freizügigkeit anhängt, die diese Gesellschaft bedroht.«

Hamilton Motsamai erhebt sich lächelnd. Sein Oberkörper ist leicht geneigt, was eine Verbeugung vor dem Staatsanwalt andeuten mag.

»Euer Ehren, der Angeklagte steht nicht vor einer Kommission, die über die öffentliche Moral urteilen soll. Er steht unter Mordanklage vor diesem Gericht. Und, wenn ich das sagen darf, er ist auch nicht als Vertreter einer gesellschaftlichen Gruppe angeklagt. Auch kann er nicht für die Raubüberfälle, Entführungen und Vergewaltigungen zur Rechenschaft gezogen werden, die in dieser Zeit des Übergangs bedauerlicherweise so häufig geworden sind. Nach langen Jahren der Unterdrückung, in denen die Brutalität des Staates die Menschen in diesem Lande über Generationen Gewalt lehrte, müssen die Menschen erst lernen, ihre Lebensfragen in Freiheit zu lösen. Ich bitte Euer Ehren, mir diese Abschweifung nachzusehen ...

Das Klima der Gewalt ist allerdings in ernstem Maße mitverantwortlich für die Tat, die der Angeklagte begangen hat, ja. Denn aufgrund dieses Klimas war die Waffe da. Die Pistole lag im Wohnzimmer herum wie eine Hauskatze; auf einem Tisch, wie ein Aschenbecher. Aber der Angeklagte trägt keinerlei Verantwortung für das Umsichgreifen der Gewalt in unserer Gesellschaft. Das Gericht hat unwiderlegbare Beweise dafür akzeptiert, daß er nie zuvor irgendeine Neigung zu Gewalttätigkeit zeigte, und es gab doch, weiß der Himmel, Situationen genug im Zusammenleben mit dieser jungen Frau, in denen man das hätte erwarten können. Er ist in der Tat ein Bürger, der – um die Formulierung meines werten Freundes zu übernehmen – die ›gängigen Normen‹ der sozialen Ordnung aufrechterhielt. Sein Verhalten billigte weder Entführungen noch Raubüberfälle noch Vergewaltigung.

Wir sehen uns zu der Folgerung genötigt, daß mein werter Kollege sein moralisches Urteil auf die sexuelle Orientierung, insbesondere die homosexuellen Aktivitäten, stützt, wenn er von der Hausgemeinschaft, in der der Angeklagte lebte, als einer spricht, in der ›keine gängigen Normen‹ eingehalten wurden. Er wertet also sexuelle Beziehungen und den Mangel an Sorgfalt im Umgang mit einer gefährlichen, einer tödlichen Waffe als gleichwertige Beispiele für die Überschreitung solcher Normen.

Euer Ehren, der Angeklagte hat sich vor Gericht nicht wegen des Vorwurfs homosexueller Aktivitäten zu verantworten. Unter der neuen Verfassung, in der das Recht auf freie sexuelle Entfaltung verbürgt ist, kann das auch keinen Klagegrund abgeben. Homosexuelle Beziehungen, wie sie in dem gemeinschaftlichen Haushalt praktiziert wurden, stehen mit den in unserem Land ›gängigen Normen‹ im Einklang.

Das Gericht ist mehrheitlich zu der Entscheidung gekommen, daß der Mord, den der Angeklagte gestanden hat, nicht vorsätzlich verübt wurde. Nachdem das Gericht die widersprüchlichen Aussagen der psychiatrischen Sachverständigen wohl erwogen hat, kommt es zu dem Schluß, daß das Verbrechen dennoch in einem Zustand strafrechtlicher Verantwortung begangen wurde. Das Gericht hat diese Entscheidung in der Urteilsbegründung vorgetragen. Trotzdem muß man festhalten, daß dieser zentrale Punkt im Laufe der Verhandlung ausführlich erörtert wurde, und wo diskutiert wird, besteht, wie man einräumen muß, ein gewisses Maß an Zweifel, bleibt ein Fragezeichen. Dieses Maß an Zweifel sollte bei der Betrachtung der mildernden Umstände, die im Urteil gewährt werden, ernstlich berücksichtigt werden.

Ah-häh ... Ich komme zum Schluß – wenn es um die Verhängung einer Strafe geht, die dem begangenen Unrecht angemessen ist, muß sich das Gericht die philosophische Begründung von Strafe als Mittel zur Resozialisierung des Täters vor Augen halten; in ihr darf nicht die Verurteilung eines mutmaßlichen Vertreters der gegenwärtigen gesellschaftlichen Mißstände zum Ausdruck kommen, dessen Bestrafung deswegen hart sein müsse, weil es um kollektive Schuld geht. Unser Rechtssystem hat die Todesstrafe bis auf weiteres aufgehoben; wir dürfen an ihre Stelle nicht Vorurteile stellen, die einen Angeklagten mit einer Strafe belegen, die härter ist, als das begangene Unrecht und die Umstände der Tat rechtfertigen. Die moralischen Werte unserer Gesellschaft sind in der Verfassung verankert, und die Verfassung stellt das höchste Gesetz im Lande dar. Mein werter Kollege, der Staatsanwalt, spricht mit der Stimme der Vergangenheit.«

Jetzt beginnt der Richter mit einer Präambel, die zum größten Teil an ihnen vorübergeht, weil ihre Sinne betäubt sind von der Anstrengung, sich auf das zu richten, was gleich kommen wird: das letzte Wort.

»Ich habe den Anwälten des Staates und der Verteidigung sehr gut zugehört. Es sollte beiden Anwälten klar sein, daß die angemessene Strafe, die in diesem Fall von dem Gericht verhängt wird, nicht von den gesellschaftlichen und sexuellen Moralvorstellungen des Verurteilten abhängt. Meine Aufgabe ist es, eine Strafe zu verhängen, die sowohl dem Opfer als auch dem Angeklagten Gerechtigkeit widerfahren läßt. Ein Leben ist verloren. Und als Ausdruck meines Mißfallens darüber, daß die fragliche Waffe ohne jede Sorgfalt aufbewahrt wurde, erkläre ich sie hiermit als vom Staat konfisziert.

Obwohl in diesem Fall ungewöhnliche und außerordentliche Umstände zum Tragen kommen, muß die Strafe eine abschreckende Wirkung haben. Die Unverletzlichkeit des menschlichen Lebens ist in unserer Verfassung verankert. Die Bemessung der Strafe gestaltet sich schwierig: nicht nur soll sie als Prävention gelten, sie muß auch ein gewisses Maß an Gnade walten lassen. Nach sehr sorgfältiger Erwägung verurteile ich Sie, Duncan Peter Lindgard, zu sieben Jahren Freiheitsstrafe.

Die Sitzung ist geschlossen.«

Das letzte Wort. Dem Sohn, den Eltern, den versammelten Vertretern jener anderen Richter, der Menschen in der Stadt, verkündet.

Vorbei.

Ein Nachlassen des Drucks, das Ende der Nervenanspannung, ein tiefes Ausatmen – wie das Ausatmen Haralds, als der Bote die Nachricht brachte, daß *etwas Schreckliches geschehen war*: aber jetzt schließt sich der Kreis gewissermaßen, dies ist ein Ausatmen der Erleichterung. Vorbei.

Selbst als sie ihn dann sprachen, Duncan, unten in der Zelle unter dem Gerichtssaal – all die anderen, die um sie herum sessen hatten und die Urteilsverkündung, die Verkündung des Strafmaßes, sieben Jahre, gehört hatten, waren gegangen, waren respektvoll an ihnen vorbeigegangen; der Bote Verster blieb einen Moment stehen, als wollte er etwas sagen, sagte aber nichts; jemand anderes, eine Frau, beugte sich rasch vor und sagte: Gott sei Dank (offenbar wußte sie, daß es auch zwölf Jahre hätten sein können) – selbst als sie bei ihrem Sohn waren, spürten sie diese seltsame Erschlaffung. Die drei tauschten schüchtern und zaghaft die banalen Fragen nach dem Wohlergehen aus: Geht es dir gut, Mutter? Dad, setz dich doch. Motsamai war da, jetzt wieder als Hamilton, und gab den Eltern das Geleit. Wie wären sie dieses letzte Mal ohne ihn zurechtgekommen? Auf dem Weg durch die Flure hatte er ernst und mit unterdrückter Stimme, so wie er sich gefährlichen Themen näherte, das Hindernis nahm und hinter sich ließ, mit ihnen gesprochen: »Ich muß Ihnen sagen, Sie haben großes Glück gehabt. Sehr großes Glück. Sie haben keine Vorstellung. Es ist das denkbar mildeste Urteil. In meiner ganzen Erfahrung. Die Mindeststrafe in einem Fall wie Duncans.

Sieben Jahre. Weniger wäre unvorstellbar gewesen; das war mein ehrgeiziges Ziel, aber man weiß nie, auch wenn der Richter der richtige ist, was mit den Beisitzern ist. Manchmal, diese Beisitzer! Ah-häh. Mann! Wenn sie sich in wesentlichen Punkten einig sind gegen den Richter! Er muß das berücksichtigen ... Na, dies waren Lämmer, fromme Schäflein, die ihm gefolgt sind, kaum ein Blöken, ne.«

Jetzt fiel es ihm sichtlich schwer, sich ihrer gedämpften Stimmung anzupassen, obwohl er wußte, daß Betroffene, die von der Tortur eines Prozesses noch ganz benommen sind, ihren Zustand irrtümlich für eine Art Frieden halten, den man nicht stören möchte. Es ist eine Stimmung, in der andere Mörder in seinem Beisein schon religiöse Gelübde abgelegt haben.

»Duncan wird nicht die ganze Strafe verbüßen. Auf keinen Fall. Gute Führung, Weiterbildung und so weiter – ich nehme an, Sie können sich in Ihrem Beruf weiterbilden, Duncan, natürlich können Sie das. Wenn er – wie alt sind Sie jetzt, Duncan, siebenundzwanzig? – wenn er zweiunddreißig ist, ist er wieder draußen. Dann ist er immer noch ein junger Mann, nicht wahr? Er wird darüber hinwegkommen.«

Hamilton hat schon wieder Pläne. Für sie zählte nur die Erleichterung: Duncan ist nicht mehr das Ziel, allein auf der Anklagebank; Fremde, die sich in das persönlichste Ereignis ihres Lebens eingemischt haben, drängen sich nicht mehr um sie. Ihre Wahrnehmung geht darüber nicht hinaus, über diese zwanzig Minuten, die halbe Stunde vielleicht, die sie mit ihm haben. Sie haben kein Gespür für die Kürze der Zeit, und sie denken nicht an das, was danach kommt.

Der Anwalt weiß um die verheerenden Gefühle, von denen Verwandte und der eben Verurteilte bei ihrer ersten

Begegnung gepackt werden, am Beginn der Zeit danach, wenn alles vorbei ist. Hamilton muß seine Anteilnahme zurücknehmen, die er neben seiner professionellen Befriedigung in diesem äußerst ungewissen Fall spürt, einem Fall, der von ihm, einem der besten verfügbaren Anwälte, glanzvoll verteidigt wurde. Er ist da, um sie zu unterstützen, ihnen dabei zu helfen, in sich und untereinander den Ausdruck natürlicher Gefühle zu akzeptieren. Unter seinesgleichen (er würde sagen: in unserer Kultur) würde eine Mutter jetzt heulen und wehklagen. Und wie. Warum auch nicht? Aber diese armen Leute – in diesem Punkt hatte das kleine Miststück recht – sind bürgerliche Weiße, die ihren Verhaltenskodex für aufgeklärt und frei halten, aber alles im Leben in sich verschließen, weil sie meinen, sie müßten es – aus Respekt vor den anderen! Ihr Sohn, der arme Junge, hat sich in diese mißliche Lage hineinmanövriert, die nicht vorgesehen war. Und sie wissen nicht, wie sie auf das, was jetzt mit ihnen geschieht, reagieren sollen. Sie zeigen keine Gefühle, nur eine distanzierte Freundlichkeit füreinander.

Kein Wehklagen von dieser Mutter. Es ist – unerwarteterweise – der Vater, der plötzlich von dem Stuhl, den man ihm rücksichtsvoll angeboten hat, aufsteht und seinen Sohn bei den Schultern nimmt. Ein sonderbares häßliches Geräusch bricht aus ihm hervor, eine Mischung aus Husten und Weinen, als steckte ihm etwas im Hals. Seine Frau, die Ärztin, ist offenbar fähig, sich nicht zu rühren. Hamilton läßt ihn in diesem, seinem Moment allein. Erst als er sich wieder abwendet, das Gesicht tränenlos verzerrt, geht Hamilton zu ihm und legt den Arm um ihn.

Harald hatte Duncan in seinem kalkuliert lässigen Jackett und den weiten grauen Hosen betrachtet, die Konvention des Unkonventionellen, die den urbanen Richter nicht gegen ihn eingenommen hatte, und in dem Moment war ihm klargeworden, daß dies das letzte Mal war, daß er ihn darin sehen würde. Vom nächsten Mal an (und dann sieben Jahre lang) würde er Gefängniskleidung tragen.

Vorbei.

Es fängt an.

Khulu wartete auf den Stufen des Gerichtsgebäudes auf sie. Schweigend begleitete er sie zum Parkplatz. Sie trotten einher wie Häftlinge, jeder Schritt eine Marter. Motsamais – Hamiltons Aufgabe war erfolgreich abgeschlossen, er würde noch als Vermittler zwischen Duncan und der Gefängnisverwaltung auftreten, aber es würde kaum noch Gründe geben, die Eltern aufzusuchen oder zu sich zu bitten; ein erfolgreicher Strafverteidiger ist ein vielbeschäftigter Mann. Einen Moment standen sie bei ihrem Wagen. Claudia sprach für sie beide, als sie zu Khulu sagte: »Laß uns in Verbindung bleiben.«

Ein Gefängnis ist Dunkelheit. Innen. Im Ich. Es ist eine Nacht, die nie zu Ende geht, auch nicht unter dem aufdringlich grellen Licht der Neonröhren an der Zellendecke. Dunkelheit auch dann, wenn man durch das vergitterte Fenster, das man erreicht, indem man sich aufs Bett stellt, die vor Licht bebende Stadt sieht. Das ist die Zukunft, auf die man wartet. Das ist das, was nicht mehr da ist. Nichts, was einen ruft; nichts, auf das man wartet.

Ich bin ein Fetzen an einem Stacheldrahtzaun. Du hättest mich dort lassen sollen.

Ein Brief von Natalie?

Ich bin ein Fetzen
an einem Stacheldrahtzaun
Du
hättest mich dort lassen sollen.

Nein – kein Brief von ihr, nichts dergleichen; etwas, das sie früher einmal geschrieben hat. Einer der Zettel, die sie für ihn auslegte, auf dem Armaturenbrett im Auto, neben der Badewanne. Natalies Eigenheit, ihre Art der Kommunikation.

Sie hätte Schriftstellerin werden können. Sie war die Flamme einer Kerze. Das hätten sie sein können: die Schriftstellerin, der Architekt, das ›kreative‹ Paar. Die Viererkonstellation der Familie, wie befriedigend: zusammen mit der Ärztin und dem, der den Wohnungslosen Darlehen verschaffte. *Erschwinglich* – das ist der Ausdruck, der für unsere Zeit geprägt wurde, für das, was man sich leisten kann, ohne zuviel zu riskieren; wie der gute alte Khulu: Er ist erschwinglich für weiße Männer, in ihren Betten.

Sie hätte Schriftstellerin werden können. Sie in einer Werbeagentur unterzubringen, wo sie griffige, modische Lügen verfaßte, damit die Leute Dinge kauften, die sie nur brauchten, weil sie dazu überredet worden waren – das war Verrat an dieser Möglichkeit. Sie zeigte mir ihre Verachtung für meine Entscheidung, indem sie etwas Empörendes tat, statt mit Worten gegen mich vorzugehen, denn ich hatte *Worte* endgültig für sie erniedrigt. Ich hatte sie zum Schweigen gebracht.

Nicht sie, ihn habe ich zum Schweigen gebracht.

Immer habe ich versucht, sie für mich zu gewinnen, indem ich ihr Selbstvertrauen stärkte. Ich habe mir vorgestellt, wenn ich sie lobte, ihr sagte, wie intelligent sie sei ...

Sie lachte: Wie mißt du die Intelligenz deines Hundes? Daran, wie gut er dir gehorcht!

Der Körpergeruch der Stadt: Urin und Blumen an Straßenständen. Noch nicht Winter. Noch ist der Herbst nicht ganz vorbei, da oben am Fenster.

Das gezackte Ende.

Was ist das? Nicht schon wieder was von ihr. Nein.

Das gezackte Ende eines Kontinents.

L'Agulhas.

Mit Carl war ich da. An den seichten Stellen schimmerte das Meer, als die Flut kam; Felsen (L'Agulhas, ›die Nadeln‹ auf portugiesisch, erklärt er, der Nordeuropäer, der sich darüber amüsiert, daß er dem Südafrikaner Dinge über sein Land beibringt, die der wissen sollte).

Die Felsen blutrot von Flechten. Es war erregend, zu zweit, das Gewicht und die Ausdehnung des ganzen Kontinents hinter sich, am Rande der Existenz zu sitzen. Sie sind nur knapp außer Reichweite des sich aufbäumenden Zorns der zwei Ozeane, wo die Wucht zweier entgegengesetzter Strömungen aufeinanderprallt, die des Indischen und des Atlantischen Ozeans. Mit ihr – oh, das war woanders, das war der Indische allein, aus dem er sie herauszog, damit sie weiteratmete. Am Atlantik, das war mit ihm. Wo die zwei Ozeane aufeinandertreffen, ist es tödlich. Mit Carl war er am Ende von allem angelangt. Als das passierte, nahm jemand die Pistole und schoß ihm in den Kopf.

Das gezackte Ende.

Diejenigen, die ein Auge für ein Auge, einen Mörder für einen Mörder wollen, werden es ihn nicht vergessen lassen. Harald weiß nicht, ob er Duncan aus dieser Überzeugung heraus, von der Claudia wahrscheinlich und zum Glück nichts weiß, folgende Idee nahelegen sollte: Vielleicht könnte er in ein anderes Land gehen und dort seinen Beruf ausüben.

Aus dem Schrecklichen etwas Neues entstehen zu lassen, mit dem man anders leben muß, nicht wahr, anders, als das Leben vorher war. Das ist Neuland für sie beide, hier und jetzt. Für Harald entsteht eine neue Beziehung zu seinem Gott, dem Gott der Leidenden, zu dem er vorher keinen Zugang hätte finden können. Claudia – sie eröffnete ihm einen Gedanken, der ihm die tiefe Orientierungslosigkeit in ihr zeigte. Das war ihm nicht so bewußt gewesen.

Vielleicht sollten wir versuchen, ein Kind zu bekommen.

Daß sie sich diese Illusion gestattete, sie, die Ärztin, siebenundvierzig Jahre alt … welche Hoffnung gab es, daß sie noch einmal empfangen konnte, einen zweiten Duncan in ihrem Körper?

Ich bin noch nicht in den Wechseljahren.

Ihr Schmerz ließ ihn anschwellen, er schlief mit ihr, im Bewußtsein der Unmöglichkeit. Es war das erste Mal, seit der Bote das Stadthaus betreten hatte, und ganz anders als jedes Liebeserlebnis in ihrem gemeinsamen Leben bisher;

ein Ritual, an das sie beide nicht glaubten, vollzogen in trauernder Leidenschaft.

Die ersten Monate zogen an ihnen vorbei. Dann kehrten alte Abläufe wieder und fingen sie ein: die früheren Kontakte des Alltags, das Zusammenspiel von Verpflichtungen, Gesichtern, Dokumenten; Entscheidungen, die andere betrafen: ob sie dieses oder jenes Präparat gegen die Schmerzen verschreiben sollte; ob der Anstieg des Zinssatzes aufgefangen werden konnte, ohne daß die Monatsraten für Darlehen erhöht werden mußten; Entscheidungen, bei denen der Mann auf der Couch, der Prozeß und sieben oder fünf Jahre keine Rolle spielten. So war es, und sie konnten sich nicht dagegen wehren. Nur daß sie statt der üblichen Ausflüge zu Besuchen in eine andere Stadt fahren, wo lange Zuchthausstrafen verbüßt werden.

Ein Geschäftskollege lädt Harald zum Essen ein. Der Mann hat gerade eine doppelte Bypassoperation am Herzen hinter sich, Gefäßverengungen hatten sie nötig gemacht – und er bestellt sich die üppigsten Gerichte auf der Speisekarte. Anscheinend war es eine Art Demonstration; zu Harald sagt er lächelnd: »Wir müssen alle sterben.« Er spielt auf taktvolle Art auf die Katastrophe an und bietet diesen Trost: Alle leiden auf die eine oder andere Art, wir sind alle Menschen in Not.

Harald und Claudia werden wieder in ihren Kreis aufgenommen; Gründe, mit jener Hausgemeinschaft in Kontakt zu bleiben, gibt es nicht, im Cottage wohnen inzwischen bestimmt andere Leute. Von Baker, in dessen Schlafzimmer die Waffe hätte liegen sollen, außer Reichweite, konnte man kaum erwarten, daß er die Eltern des Mörders seines Partners in demselben Wohnzimmer empfangen würde, selbst wenn die sich hätten überwinden können, dorthin zu kommen. Claudia war nicht mehr im

Cottage gewesen, seit der Bote seine Nachricht überbracht hatte. Das persönliche Hab und Gut des ehemaligen Bewohners war von einer Umzugsfirma ins Stadthaus gebracht worden. Als Zeichen der Anteilnahme haben die Nachbarn im Wohnpark anscheinend davon abgesehen, sich bei Harald und Claudia darüber zu beschweren, daß die ständige Anwesenheit des Hundes gegen die Regeln verstößt.

Khulu haben sie aus den Augen verloren. Leider. So wie man die Verbindung mit jemandem verliert, der einen ganz anderen Lebensweg geht, so hat die Krise damals zu einer Freundschaft und Nähe geführt, die bei der Wiederaufnahme des normalen Lebens keinen Platz hat. Auch Motsamai haben sie nicht wiedergesehen. Khulu besucht Duncan – das sagt Duncan, oder vielmehr kommt es nebenbei heraus, auf der Ebene der wortlosen Kommunikation, auf der zwischen ihm und den Eltern bei ihren Besuchen gewisse Dinge nicht erwähnt und unbeantwortbare Fragen nicht gestellt werden. Sie tauschen persönliche Neuigkeiten aus, denn Duncan hat jetzt seine eigenen Neuigkeiten; der Plan, an dem er gearbeitet hat, ist fertig, und von Architektenkollegen hat er eine detaillierte positive Stellungnahme zu dem Projekt erhalten (dank Motsamais freundschaftlicher Beziehung zu dem Gefängnisdirektor). Beim nächsten Besuch kann er berichten, daß er die Erlaubnis hat, noch einmal zu studieren, um ein Diplom in Stadtplanung zu machen. Und im darauffolgenden Monat erzählt er ihnen, daß er sich körperlich fit hält – ja –, indem er morgens und abends in der Zelle Übungen macht. Sie müssen leise lachen, als er ihnen sein improvisiertes Sportstudio beschreibt.

Er sieht gut aus.

Wenn auch anders als das Bild, das sie von ihm in sich tragen. Sein Gesicht ist klarer, kantiger, und die Sehnen, die am Halsausschnitt des Gefängnishemdes zum Vorschein kommen, sind die eines Mannes, der älter als siebenundzwanzig ist. Es ist so wie damals, als er auf dem Internat war: da hatten sie eine Vorstellung, eine Idee von ihm im Kopf, die nicht ganz dem Jungen entsprach, den sie in der Schule besuchten oder zum Mittagessen mitnahmen, wenn es etwas Ernstes zu besprechen gab.

Harald kommt der Gedanke, daß es jedesmal, wenn sie jetzt das Gefängnis verlassen, so ist wie damals, als sie ihn in der Schule zurückließen. Der vor ihnen liegende Zeitraum, unvorstellbare sieben oder fünf Jahre, schnurrt zu etwas zusammen, das sie verstehen können.

Er weiß, daß bei jedem Besuch in ihrem Blick eine unbeantwortete Frage liegt, die eine Antwort sucht. Der Richter hatte es als Tatsache formuliert, nicht als Frage. ›Er zeigt keine Reue.‹ Wie können sie das kennen, sie alle, was sie mit diesem Wort bezeichnen? Wie können sie wissen, was sie denken, wovon sie sprechen? Harald und Claudia, meine armen Eltern, wollt ihr, daß euer Kleiner weinend zu euch gelaufen kommt und sagt: ›Es tut mir leid‹? Ist es dann wieder gut, als wäre ein Fenster beim Ballspielen zu Bruch gegangen? Bin ich dann in ihren Augen wieder ein zivilisierter Mensch, wird Gott mir vergeben, in seinen Augen, und mich freisprechen? Glauben sie, das ist damit gemeint, mit Reue?

Er hat mir ein Buch gebracht, als ich in Untersuchungshaft war. Ich glaube, da war er so wütend, so entsetzt, daß *er* mich anklagen und bestrafen wollte, aber es stand etwas darin, das er nicht wußte, nicht weiß, das er nie wissen kann. Ein Abschnitt über den, der es getan hat, und den, dem es angetan wurde. »›Es hat keinerlei Sinn, daß der

Mörder den Gemordeten überlebt. Sie haben unter vier Augen, allein miteinander, wie zwei Wesen es nur bei einer zweiten, verwandten Gelegenheit noch sind, der eine duldend, der andere handelnd, ein Geheimnis geteilt, das sie auf immer verbindet. Sie gehören zusammen.‹«

Schriftsteller sind gefährliche Leute. Wie kann es sein, daß ein Schriftsteller diese Dinge weiß? Nur daß es diesmal wir drei sind, allein miteinander. Bei dieser ›Gelegenheit‹ – beim Sex und bei allem anderen – handelte Carl, und ich duldete ihn, ich handelte, und Natalie duldete mich, und in der Nacht auf der Couch handelten sie, und ich duldete sie beide. Wir gehören zusammen.

Ich habe dieses Zitat immer wieder abgeschrieben, wer weiß, wie viele Male, mitten in der Nacht, aus dem Gedächtnis habe ich es auf einen Fetzen Papier geschrieben, so wie sie manchmal eine Zeile für ein Gedicht notierte; ich habe meine Arbeit an dem Plan unterbrochen, um es irgendwo hinzuschreiben. Er ist tot, und er und sie und ich haben ein Geheimnis, das uns für immer verbindet. Man könnte es nicht besser ausdrücken; er ist tot, irgendwie habe ich die Pistole genommen und ihm in den Kopf geschossen. Da ist noch eine Stelle in dem Buch, über den, der es getan hat. »..., da er die tiefste Lust gebüßt habe.« Als ich die beiden so fand, was war sie da, meine tiefste Lust? Wenn ich nur wüßte, was ich wollte, und ob das, was ich sah, ihr Verrat an uns dreien oder ihre Vollendung von uns war. Und weil ich nicht haben konnte, was ich haben wollte, war meine tiefste Lust befriedigt, als ich meinen Geliebten und ihren Geliebten erschoß? Er ist tot, ich lebe und freue mich mit allen anderen – meinen Eltern, Motsamai –, daß es die Todesstrafe nicht mehr gibt. Der Mörder hat den Gemordeten überlebt. Das soll mal einer den Richtern zu erklären versuchen, denen im Gericht und denen im Stadthaus. Man kann es nicht erklären, man kann es nur leben in diesem ummauerten Raum, der dafür gemacht ist. Was da draußen ist, was ich durch das Tantalusfenster sehen kann, wenn ich auf dem Bett stehe – da draußen, nach sieben Jahren (fünf, hat Motsamai versprochen), liegt es dann hinter mir, gehören dann der, der tot ist, und ich nicht mehr zusammen? Ich sollte das einen erfahrenen Verbrecher fragen, im Haus und im Cottage hatten wir mit Kriminellen nichts zu tun. So vieles, was wir nicht wußten und eigentlich niemals hätten wissen müssen. Wir drei, Carl ist tot, Natalie und ich leben, Nastasja, mein Opfer, und, wie Khulu sagt, Natalie, die Frau, die mich quälte. Wo immer sie ist, in dem, was ich getan habe, sind wir aneinander gebunden, einerlei, ob sie das weiß oder nicht, und einerlei, ob das, was sie in ihrem Leib trägt, ein neues Geheimnis ist.

Der CD-Player ist mit meinen anderen Dingen im Stadthaus untergestellt. Keine Musik in diesen Nächten zwischen den Tagen meiner sieben Jahre. Die schmale Öffnung im Fenster hält Wacht, während der Spion in der Tür geschlossen ist. Welcher Schüler der funktionalen Architektur hat sich die Maße für das rautenförmige Fenster ausgedacht, das durch die senkrechten Stäbe auf so befriedigende Weise in Segmente unterteilt wird? Die Nacht, in fünf Stücke zerschnitten.

Keine Musik, dennoch höre ich bestimmte Passagen immer wieder: das Adagio aus der ›Sturm-Sonate‹ von Beethoven und ein Impromptu von Schubert, das Allegretto. Damals, in der Agulhas-Zeit, sind wir, er und ich, oft in Konzerte gegangen. Mit ihm gab es mehr als Brubeck und diesen anderen Jazztypen, wie hieß er noch. Er hatte eine Sammlung von Aufnahmen, darunter Penderecki und Stockhausen. Wenn man Musik hört, die man in seinem

Kopf produziert, die da ist, ohne ein Abspielgerät – wie geht das? wie? –, beginnt man in den langen Stunden zu begreifen, was Musik ist. Es ist eine Möglichkeit – nur eine einzige –, ein Ordnungsprinzip auszuwählen und auf das ursprüngliche Chaos anzuwenden. Mit ihr habe ich dieses Beethoven-Stück und den Schubert nur für mich gehört, über Kopfhörer; so ähnlich ist das jetzt. Sie wollte die Musik nicht hören. Ich verstehe, daß der Grund dafür nicht der war, daß ich ihr erst beibringen mußte, wie man Musik hörte. Der Grund lag darin, daß sie gegen das Prinzip der Ordnung rebellierte, in allem und jedem, deswegen brachte sie auch ihre Gedichte nie zu Ende.

Es muß einen Weg geben.

Natürlich, wenn ich das jetzt Motsamai ›beichten‹ würde, würde er sofort loslegen und meine Reue irgendwie nutzen, und vielleicht hätte er Erfolg – mit seiner Hingabe an seine Klienten ist er ein Zauberer –, vielleicht würde er eine Strafminderung erwirken, die noch größer ist als die, mit der er mir ohnehin schon winkt. Aber dann wäre alles, was mein Leben ist, von mir genommen: ich könnte diesen Raum, der dafür gemacht ist, ohne das nicht ertragen.

Das Verfassungsgericht hat die Todesstrafe für verfassungswidrig erklärt. In der festen, aber sanften Stimme des Obersten Richters schwingt ein Ton mit, als wäre er selbst begnadigt worden. Die Entscheidung, sagt er, wurde nach monatelanger sorgfältiger Abwägung eines unabhängigen Gremiums von Denkern getroffen. Auch im Recht gibt es eine Heiterkeit.

Wäre dem Staat erneut das Recht zugesprochen worden, ein Leben für ein Leben zu beanspruchen, so wäre es dennoch zu spät gewesen. Duncan hätte nicht eines frühen Morgens in Pretoria gehängt werden können. Davor hatte ihn seine Strafe von sieben Jahren bereits bewahrt. Aber die Nachricht bringt Claudias Hände sichtbar zum Zittern; Harald nimmt ihre beiden Hände, um sie zu beruhigen – und sich selbst. Auch wenn es schon damals ein Moratorium gab, die Strafe war noch nicht endgültig abgeschafft. Sie stand noch im Gesetzbuch, das hatte sogar Motsamai gesagt. Und solange sie noch bestand, hätte sie immer auch für das, was ihr Sohn an einem bestimmten Freitagabend getan hatte, gefordert werden können. Es ist also eine Erleichterung, eine Befreiung, der Hauch eines seltsamen Gefühls, wie Glück; wie sonderbar, daß sie so etwas empfinden können. Duncan ist immer noch da, wo er ist.

Harald und Claudia beschlossen wegzufahren, Ferien zu machen. Es macht sie verlegen, das Duncan gegenüber im Besuchszimmer zuzugeben. Er sagt: »Es wird auch Zeit, daß ihr euch mal so was gönnt! Wie lange wart ihr schon nicht mehr weg?«

Aber das wollen sie vermeiden; die letzten Ferien haben sie vorher gemacht, als es noch das übliche Wechselspiel zwischen Arbeit und Belohnung gab. Viele Monate sind vergangen für ihn, da, wo er ist, und für sie draußen.

Ans Kap. »Warst du nicht mal in L'Agulhas? Meinst du, es würde uns da gefallen?«

»Es ist das Ende des Kontinents«, sagt er und meint es als Empfehlung.

»Oder vielleicht nach Hermanus. Aber eigentlich würden wir gern was Neues sehen.«

Wohin sie auch flogen oder mit dem Auto fuhren, die lockende Welt war wunderschön. Er war in seiner Zelle, und ein bedauernswertes Kind bedeckte den Kopf mit den Armen, als es sich in den Straßen von Kapstadt zum Schlafen legte, unterhalb des ewigen Berges, der in einem den Wunsch weckte, ewig zu leben wie er. Was von einem fahrenden Auto aus wie die Müllkippe einer Großstadt aussah, war eine sich weit erstreckende Fläche aus Brettern, Blech, Plastikfetzen und Menschen im Müll unter einem glorreich gefederten Himmel, einem kosmischen Vogel, Zirruswolken, golden gerändert von einem Licht, das Millionen und Abermillionen Meilen entfernt war. Eine großartige Nacht erbebte vom Donner, Blitze flohen in alle Richtungen. Das heitere Meer bedeckte verrottende, uralte Wracks und die Verschmutzung dieser Zeit gleichermaßen mit einem Schimmer durchsichtiger Farbe und lud die Möwen zum Ausruhen ein. Man hätte über dieses Wasser gehen können; kein Wunder, daß Harald zu glauben vermochte, daß es einst geschehen war.

Lebenszeichen von allen Dingen, trotz allem. Der Schatten des Flugzeugs als riesiger Schmetterling, der über grüne Wiesen, erntereife Felder und fliederfarbene Wüsten zog. Von einem Fenster sahen sie nächtliche Lichter aus einem Tal blinken und locken und locken. In Claudia wuchs das Gefühl, daß sie und Harald auf ein Zeichen warteten. Das Zeichen, mit dem das Leben wieder in Gang käme und das sie aus der Regression zöge, in der sie Zuflucht gesucht hatten, wo sie funktionierten und ihre hallenden Stimmen sinnentleerte Dinge sagten. Sie versuchte, dies in praktische Überlegungen umzusetzen: Vielleicht sollten sie das Haus im Wohnpark aufgeben, das ohnehin leer war, leblos. Vielleicht sollten sie umziehen.

Könnte eine Umzugsfirma mit ihren Kartons und Möbelwagen eine solche Verwandlung bewirken? Würde nicht alles, Duncans untergestellte Sachen aus dem Cottage zusammen mit allem anderen, angefahren und ausgeladen werden und sie und Harald in ihrer nächsten Behausung genauso umstellen?

Motsamai sorgte dafür, daß die Firma Duncan damit beauftragte, Teilentwürfe im Rahmen ihrer Projekte anzufertigen. Duncan sah nie die fertigen Pläne, für die er bestimmte vertikale, horizontale und laterale Projektionen, Ansichten von Norden und Süden, Osten und Westen zeichnete. Aber manchmal dachte er, daß seine eigene Arbeit schon vollendet war: Die Beschaffenheit dieser Zelle war seine Leistung, sie war nach den Maßen seines Lebens entworfen.

Harald und Claudia zogen nicht um. Zu Beginn des Sommers hörte Harald einen Anruf auf dem Anrufbeantworter ab, als er wie so oft vor Claudia in die Wohnung kam. Er erkannte die Stimme sofort: Es war Khulus afrikanischer Baß, seine lässige Art zu sprechen. »Wie geht es Ihnen so? Ich hatte schon lange vor, mal vorbeizukommen. Aber Sie wissen ja, die Zeit vergeht wie im Fluge, und ich hör über Duncan von Ihnen.«

Claudia wollte nicht zurückrufen, nicht in dem Haus anrufen. Harald verstand das: Baker könnte abnehmen. Er erinnerte sich an die Zeitung, für die Khulu, wie er ihnen in den Verhandlungspausen erzählte, wenn er im Café das Gespräch in Gang zu halten versuchte, seine Artikel schrieb. Harald bat seine Sekretärin, dort anzurufen, was sie mehrmals ohne Erfolg tat, und so hinterließen sie eine Nachricht für ihn.

Er/sie. An einem Abend, als sie niemanden erwarteten, läutete es. Diesmal ging Claudia an die Sprechanlage. Khulu kündigte sich an. Als er ihre Tür erreichte, waren beide da, ihn zu begrüßen. Sie spürten deutlich, welcher Freude sie die ganze Zeit beraubt gewesen waren, weil sie ihn nicht selbst längst ausfindig gemacht hatten. Der schwere Mann schloß sie nacheinander in die Arme. Der Raum war plötzlich belebt, während Harald für Getränke sorgte, und Khulu rief: »Claudia, haben Sie ein bißchen Brot oder so, Obst vielleicht. Ich war wegen einer Reportage unterwegs und hab den ganzen Tag nichts in den Magen gekriegt!«

Claudia hatte jetzt einen jungen Mann, für den sie eine Mahlzeit richten konnte. Sie kam und ging, brachte Aufschnitt und Käse und Chutney und Brot, und Harald holte die Schale mit dem Obst. Khulu aß mit zerstreutem Eifer, während er über die Veränderungen in den Besitzverhältnissen der Zeitungen sprach, die dadurch zustande gekommen waren, daß einige Schwarze eine Verlagsgruppe aufgekauft hatten. Darauf war er stolz; aber er war skeptisch, ob dies seiner Karriere förderlich sein würde, wie Claudia meinte. Harald hob die Hand in einer deutlichen Geste, die aus seiner Kenntnis der Welt der Finanzmacht stammte und der Konkurrenzkämpfe, die dort in den Vorständen stattfanden, wenn eine Gruppe von Hintern die Sessel freimachte, die dann von einer neuen eingenommen wurde. Sie lachten darüber. Es war leicht, in Khulus Gegenwart zu lachen.

Aber Khulu war auch der Überbringer einer Botschaft. Als er den Teller mit den Bananenschalen beiseite geschoben und sich in seinem Sessel, das Bierglas in der Hand, zurechtgerückt hatte, begann er, sie vorzutragen.

»Duncan möchte, daß Sie was für das Kind tun. Wenn es nicht von ihm ist, ist es von Carl. Und Duncan …«

Duncan hat das Zimmer, das Stadthaus betreten. Der Hund, der neben Haralds Sessel schläft, wird sich womöglich erheben und zur Tür gehen.

Niemand spricht. Khulu trinkt einen Schluck aus seinem Bierglas. Er schiebt die Obstschale ein wenig zur Seite und macht Platz für sein Glas. »Duncan möchte also …«

Er/sie.

»Was könnten wir denn tun?«

Harald erinnert sich gut: »Das Mädchen will nicht, daß wir Ansprüche erheben! Das hat sie vor Gericht gesagt. Es ist *ihres*.«

»Duncan ist da anderer Meinung.«

»Was will er denn – Bluttests, soll Motsamai tätig werden? Und wozu? Um zu beweisen, daß das Kind von ihm ist, um es der Mutter wegzunehmen? Warum? Wer soll es nehmen? Wenn er damit Erfolg hätte, wer sollte dann sieben Jahre lang für das Kind sorgen? Es wäre sieben, bestenfalls fünf, bevor er sich darum kümmern könnte.«

»Ich glaub nicht, daß Duncan das will.«

»Dann versteh ich es überhaupt nicht. Wieso er auf diese Idee kommt. Verliert er denn jeden Realitätssinn da drin? Nach allem, was mit ihm geschehen ist, was er durchgemacht hat, warum soll man das aufrühren und eine neue Generation da reinziehen?«

»Wart doch mal, Harald.«

»Was soll ich sagen – ich glaub nicht, daß er ihr das Kind wegnehmen will. Überhaupt nicht! Blutgruppentests und so. Was die Sonntagszeitungen auf ihre Titelseiten setzen. Sie wissen doch, Duncan denkt viel nach. Er hat seine eigenen Vorstellungen von dem, was diese – wie heißt es noch – Vaterschaft bedeutet.«

»Wer weiß, ob das Kind schon auf der Welt ist. Oder ob's überhaupt ein Kind gibt. Ich hatte Patientinnen mit einer vergleichbaren Geschichte, die eine Phantomschwangerschaft inszeniert haben. Duncan macht sich vielleicht unnötig Gedanken.«

»Es ist da, seit ungefähr einem Monat.«

Harald sieht Claudia unverwandt an, bis sie fragt, als wüßte sie es schon: »Ist es ein Junge oder ein Mädchen?«

»Ein Junge.«

»Was, meinen Sie, will Duncan denn?« Harald versucht, über dieses Anliegen so nachzudenken, als könnte man es zwischen der Obstschale und dem Glas mit den Bierspuren auf den Tisch bringen. »Geld?«

»Nicht unbedingt Geld, aber klar, Dinge, die Babys so brauchen, nehm ich an. So 'ne Art Unterstützung für sie, damit sie das Kind ordentlich versorgen kann.«

»Wir wissen nicht mal, wo sie ist.«

»Ich weiß, wo sie ist.«

Vielleicht hat sich das Mädchen mit ihrem Kind irgendwo ein Versteck gesucht und weiß nicht, daß die Männer, Duncan und Khulu, ihr auf den Fersen sind. Claudia, die so viele Geburten gesehen hat, kennt das Besitzgefühl, das sie selber nach der Geburt empfunden hatte, ein Gefühl, das sie seit langem vergessen glaubte. »Vielleicht sollte Duncan sie in Ruhe lassen.«

Die beiden Männer mißverstehen sie. Sie hören nur die verbitterte Weigerung, dem Mädchen und ihrer zweifelhaften Brut Geld und Unterstützung zu gewähren oder mit ihnen Kontakt zu haben.

Khulu wiederholt sanft den Sinn von Duncans Wunsch. »Ich weiß, wo sie ist.«

Alles in der Familie.

Die Angelegenheit geht sie alle etwas an, die drei im Stadthaus. An diesem Abend trennen sie sich mit jenem Gefühl der Nähe, das sie in den Tagen des Prozesses verbunden hat.

Khulu Dladla weiß, daß dieses Paar, für das er, obwohl schwarz und schwul, wie ein Sohn ist – gut, sie sind schließlich weiß –, daß dieses Paar so entsetzt ist, weil man von ihnen erwarten könnte, daß sie sich ihrem Sohn gegenüber als Eltern beweisen, indem sie das Kind bei sich aufnehmen. Als ob es bei seinen Leuten da auch nur das kleinste Zaudern gegeben hätte! Kinder gehören, auch wenn Zweifel über ihre Herkunft bestehen, in die Familie.

Für eine Siebenundvierzigjährige gab es keine Empfängnis. Aber es gibt ein Kind.

Seine Versorgung wird durch die Vermittlung der Kanzlei Hamilton Motsamai in die Wege geleitet. Das ist die einzige Bedingung, auf der zu bestehen Harald und Claudia gegenüber Duncan den Mut hatten, nämlich daß die Vorkehrungen von Hamilton getroffen würden und nicht im persönlichen Kontakt. Duncan erhebt keine Einwände; sollen sie es machen, wie sie wollen; er lächelt, als überließe er es seinem Vater, der selbst liest, ein paar Bücher für ihn auszuwählen, und er zeigt auch keine Dankbarkeit. Alles ist plötzlich einfach zwischen ihnen. Warum? Harald würde gern wissen, ob Duncan sie sieht, ob Natalie/Nastasja Besuchstermine im Gefängnis hat? Oder ob sie ihm Briefe geschrieben, Gedichte geschickt hat. So etwas kann man nicht fragen. Aber er ist in der Lage gewesen, zu ihnen zu kommen, zu seinen Eltern, mit allem, selbst mit dem Kind. Sie sind für ihn da.

Vielleicht werden sie eines Tages – auch fünf Jahre sind eine lange Zeit – das Kind zu sehen bekommen. Hamilton ist zuversichtlich, wie immer: Er wird sie, Natalie, dazu überreden, so wie er sie dazu gebracht hat, sich im Kreuzverhör selbst zu verurteilen. Er wird ihnen das Recht verschaffen, das Kind zu sehen, wie er sagt. Sie werden den kleinen Jungen kennenlernen, ihn im Stadthaus zu Besuch haben, zusehen, wie er mit dem Hund spielt.

Und Duncan?

Duncan hat die Erlaubnis bekommen, in der Gefängnisbücherei zu arbeiten und in seiner Zelle seinen Studien nachzugehen. Es ist keine besonders gut ausgestattete Bücherei, was die Bücher angeht, die er und Harald gern lesen, nämlich die Bücher, die gefährlich und unentbehrlich sind, die einem zeigen, was man ist. Die Bücherei wird nicht viel benutzt. Die Häftlinge in den benachbarten Zellen, die lange Strafen verbüßen, sind in der Mehrzahl Männer, deren Leben von Aktion, nicht Kontemplation bestimmt war; in der Gewalt, ihrer und seiner, liegt die Flucht vor dem Selbst. Wenn man den anderen tötet, versucht man, den Teil in sich selbst zu töten, der einen quält. Dann lebt nur das Tier weiter, in einem Käfig: Die meisten von ihnen sind furchtbar, voll des stammelnden Hasses haben sie die herabhängenden Fäuste geballt, bereit, wieder zuzuschlagen. Solche Hände können diese zarten Gegenstände, gebundenes Papier, nicht halten, die ihnen doch die einzige Freiheit zeigen könnten, die es hinter diesen Mauern gibt.

Wer um alles in der Welt entscheidet, was geeigneter Lesestoff für Gefangene ist und was nicht? Vermutlich wird nach dem Kriterium ausgewählt, daß es nichts sein darf, was die Leidenschaften, die schon einmal ausgebrochen sind und Zerstörung hinterlassen haben, neu entfacht. Resozialisierung. Jede Menge religiöses Zeug, als hätte die Religion noch nie mörderische Leidenschaften geweckt, als täte sie es nicht immer wieder, jenseits der Mauern. Ratgeber, die nur selten ausgeliehen werden; Buchhaltung leicht gemacht, ein System für ein Leben, das kein Chaos kennt. Aber in dem Stapel von Kriminalromanen (warum sollte es für die Insassen interessant sein, von fiktiven Morden zu lesen, wenn sie selber wirklich gemordet haben?), unter diesen Büchern, deren Rücken gebrochen sind, als hätte man sie aufbrechen müssen wie eine Kokosnuß oder eine Auster, um ihren Inhalt zu entnehmen, sind auch ein paar richtige Romane – weiß der Himmel, wie die dahin gelangt sind. Vielleicht ist es eine Gepflogenheit, daß diejenigen, die ihre Strafe verbüßt, ihre Zeit abgesessen haben, wie wir hier sagen, ihre Bücher der Bücherei schenken, für diejenigen, die sicherlich nach ihnen kommen werden. Manchmal finde ich etwas für mich. Da ist eine Übersetzung der Odyssee, mit Silberfischchen, die zwischen den Seiten verendet sind. Ich kenne dieses Buch nicht, das zusammen mit der Bibel in einer höheren Kategorie rangiert, kenne es nur aus Zitaten in anderen Büchern; falls Harald es gelesen hat, hat er mich irgendwie nicht dafür erwärmen können. Die Architektur der griechischen Antike – ja, natürlich, das war eher etwas, wofür ich mich als Student interessierte, und ich kenne die üblichen Versatzstücke aus den Sagen. Ödipus stach sich für sein Verbrechen die Augen aus. Das ist auch schon alles. Aber hier ist etwas, das mich meint, das auf mich gewartet hat, in diesem Gebäude, in meiner Zeit. Zeit, es zu lesen, mehr als einmal.

»Sprachs, und Antinoos traf er mit bitterem Todesgeschosse / Dieser wollte vom Tisch das zweigehenkelte schöne / Goldene Geschirr aufheben, und fasst' es schon mit den Händen / Dass er tränke des Weins; allein von seiner Ermordung / Ahndet' ihm nichts: und wer in der schmausenden Männer Gesellschaft / Hätte geglaubt, dass einer, und wenn er der Tapferste wäre / Unter so vielen es wagte, ihm Mord und Tod zu bereiten! / Aber Odysseus traf mit dem Pfeil ihn grad in die Gurgel / Dass im zarten

Genick die Spitze wieder hervordrang / Und er sank zur Seite hinab: der Becher voll Weines / Stürzte dahin aus der Hand des Erschossenen ...«

Und dann Osysseus, der die anderen Männer um Penelope anschreit: »... Ha! ihr Hunde, ihr wähntet, ich kehrete nimmer zur Heimat / Aus dem Lande der Troer ... / Ja, ihr warbt sogar, da ich lebte, um meine Gemahlin.«

Der Augenblick, in dem man jemanden trifft – der Mann in der Irrenanstalt hatte recht, ich erinnere mich nicht an den Augenblick, aber ich rekonstruiere ihn, das muß ich tun. Ich habe herausgefunden, daß man denkt, es sei eine *Entdeckung*, etwas, das einem eingegeben wird und vorher gänzlich unbekannt war. Aber es ist schon immer da gewesen, und es wird immer wieder entdeckt, bis in alle Ewigkeit. Immer wieder, was Odysseus getan hat und was Homer, wer immer er war, wußte. Gewalt ist eine Wiederholung, aus der wir offenbar nicht ausbrechen können. Oh, sieh sie dir an, meine Brüder – Bra, mit Recht erheben sie Anspruch auf mich, wir, eine Meute von Aasfressern auf unserem eigenen Aas, hier, in diesem für uns allein gesicherten Haus. Ich sehe sie mir an, wenn wir Hofgang haben, wie sie trotten und schlurfen, im Kreis herum und herum. Ich habe das Buch noch nicht zu Ende gelesen, ich weiß nicht, wie Odysseus rekonstruiert hat, was er tat, welchen Weg er für sich gefunden hat. Stich dir die Augen aus. Setz dir die Pistole an die Schläfe.

Oder wirf die Pistole im Garten weg. Das war eine Entscheidung. Kann man die Wiederholung durchbrechen, indem man keine Gewalt gegen sich selbst richtet? Ich habe dieses Leben, hier drinnen. Ich habe es nicht im Gegenzug für seins gegeben. Ich werde sogar wieder rauskommen, mit diesem Leben, irgendwann. Der Mörder ist nicht ermordet worden. Ich hatte Glück, das wurde in meiner Zeit abgeschafft. Aber ich muß einen Weg finden. Carls Tod und Natalies Kind, ich denke an das eine, dann an das andere, dann an das eine, dann an das andere. Für mich werden sie eins. Es macht nichts, wenn niemand sonst das versteht: Carl, Natalie/Nastasja und ich, wir drei. Ich muß einen Weg finden, Tod und Leben zusammenzubringen.

ANMERKUNGEN

Im Text des Romans finden sich einige kurze Zitate aus Werken der Weltliteratur:

Die Stelle auf Seite 60 stammt aus Fjodor Dostojewskis Roman *Der Idiot*.

Der Anfangssatz auf Seite 91 ist André Pieyre de Mandiargues *Le Marge* entnommen.

Auf den Seiten 91, 100, 154 und 351/52 wird eine Stelle aus Thomas Manns *Der Zauberberg* zitiert.

Der Text auf Seite 179 findet sich in Hermann Brochs Roman *Die Schlafwandler*.

Und am Schluß des Buches wird Homers *Odyssee* zitiert.

Im Buch werden einige Namen lebender Personen genannt, die dem deutschen Leser nicht ohne weiteres bekannt sein dürften:

Bizos und Chaskalson auf Seite 40 sind berühmte Juristen in Südafrika.

Motlana und Don Ncube auf Seite 216 sind südafrikanische Unternehmer.

Samoosas auf Seite 213 sind gefüllte Teigtaschen aus der indischen Küche, *putu,* ebenfalls Seite 213, ist ein Maisbrei, der zu Fleischgerichten gereicht wird.